풍산자
필수유형
확률과 통계

엄선된 필수 유형 학습으로

실력을 올리고 상위권으로 도약하는

〈풍산자 필수유형〉입니다.

멋진 미래는 자신의 꿈의 아름다움을 믿는 이들에게 주어진다.

- Anna Eleanor Roosevelt -

엄선된 유형을 한 권에 가득, 필수 유형서

풍산자
필수유형

중단원별
꼭 알아야 할 개념을
**쉽고 명쾌하게
요약한 내용 정리**

유형별 필수 문제의
중요도와 난이도를 제시한
**실력을 기르는
유형**

**교재 활용
로드맵**

출제 의도와 다양한
해결 방법을 이해할 수 있는
**친절하고
자세한 풀이**

출제 비중이 높은 사고력과
응용력 문제인
**고득점을 향한
도약**

핵심적이고 출제 빈도
높은 문제로 구성된
**내신을 꽉 잡는
서술형**

꼭 알아야 할 중단원별 개념 정리와 설명	핵심 내용과 문제 해결의 활용 요소를 풍쌤 비법으로 제시
엄선된 문제들의 중요도, 난이도 제시	내신 및 평가원, 교육청 기출 문제를 포함한 엄선된 필수 문제 구성
서술형과 고득점 문항으로 최종 점검	완벽한 시험 대비를 위한 서술형 문항, 사고력과 응용력 강화 문제 제시

머리말

고등학교 수학의 내신이나 수능 기출 문제는 무척 많지만 모두 교과 과정의 개념에서 파생된 문제입니다. 문제를 척 보면 아하! 이것은 무엇을 묻는 문제이구나! 하고 간파할 수 있을까요?

그럴 수 있어야 합니다.

고등학교 수학 문제는 수없이 많지만 그 기저에는 뼈대가 되는 기본 문제 유형이 있습니다. 이 기본 문제 유형을 정복하는 것이 수학 문제 정복의 열쇠입니다.

– 어려운 문제처럼 보이지만 한 단계만 해결하면 쉬운 문제로 변신하는 문제가 있습니다.

– 낯선 문제처럼 보이지만 한 꺼풀만 벗기면 익숙한 문제로 바뀌는 문제가 있습니다.

– 겉모양은 전혀 다른데 본질을 파악하면 사실상 동일한 문제가 있습니다.

가면을 쓰고 다른 문제인 척 가장할 때 속아 넘어 가지 않으려면 어떻게 해야 할까요?

풍산자 필수유형은 어려운 문제를 쉬운 문제로, 낯선 문제를 익숙한 문제로 바꾸는 능력을 기를 수 있도록 구성된 문제기본서입니다. 세상의 모든 수학 문제를 유형별로 정리하고 분석하여 그 뼈대가 되는 문제들로 구성하였습니다.

몇 천 문항씩 되는 많은 문제를 두서없이 풀기보다는 뼈대 문제를 완벽히 이해한다면 어떠한 수학 문제를 만나도 당당하게 맞서는 수학의 고수로 다시 태어날 것입니다.

구성 과 특징

꼭 필요한 유형으로만 꽉 채운
풍산자 필수유형!

핵심 내용 요약 정리

중단원별로 꼭 알아야 하는 개념을 간단하고 명쾌하게 요약하였으며, 예 , 참고 , 주의 등으로 개념을 쉽게 이해할 수 있도록 하였습니다.

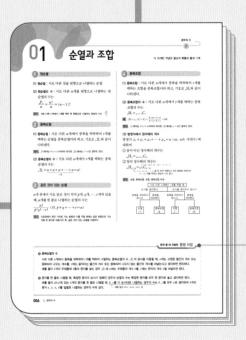

실력을 기르는 유형

학습에 필요한 문제들을 유형별로 나누고 유형별 중요도와 문항별 난이도를 제시하여 학습 수준에 맞추어 충분한 연습이 될 수 있도록 구성하였습니다.

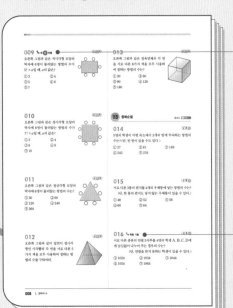

문제 풀 때 유용한 풍쌤 비법

핵심 내용과 연계되어 문제 풀이에 자주 이용되는 개념, 개념을 문제에 적용하는 방법 등을 소개하고 이를 활용할 수 있도록 하였습니다.

📞 최 多 빈출

자주 출제되는 유형 중 가장 출제 비중이 높은 문제입니다.

📞 학평 기출

평가원, 교육청의 학력평가 기출 문제 중 자주 출제되는 유형의 문제입니다.

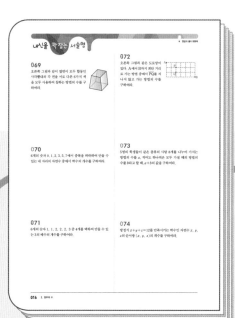

내신을 꽉 잡는 서술형

핵심적이고 출제 빈도가 높은 서술형 기출 문제로 구성하여 강화된 서술형 평가에 대비할 수 있도록 하였습니다.

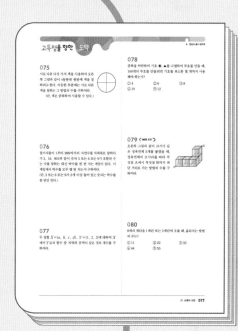

고득점을 향한 도약

난이도가 높고, 출제 비중이 높은 문제로 구성하여 수학적 사고력과 응용력을 기를 수 있도록 하였습니다.

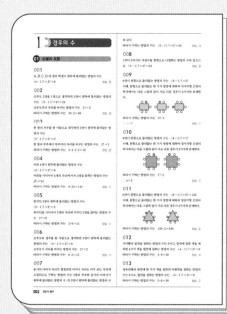

풀이

자세하고 친절한 풀이와 다른 풀이로 문제의 출제 의도와 다양한 해결 방향을 이해할 수 있도록 하였습니다.

차례

I

경우의 수

01 순열과 조합

더 자세한 개념은 **풍산자 확률과 통계** 11쪽

1 원순열

(1) 원순열 : 서로 다른 것을 원형으로 나열하는 순열

(2) 원순열의 수 : 서로 다른 n개를 원형으로 나열하는 원순열의 수는

$$\frac{{}_n\mathrm{P}_n}{n} = \frac{n!}{n} = (n-1)!$$

> **참고** 서로 다른 n개에서 r개를 택한 후 원형으로 나열하는 방법의 수는 $\dfrac{{}_n\mathrm{P}_r}{r}$

2 중복순열

(1) 중복순열 : 서로 다른 n개에서 중복을 허락하여 r개를 택하는 순열을 중복순열이라 하고, 기호로 ${}_n\Pi_r$와 같이 나타낸다.

> **참고** ${}_n\mathrm{P}_r$에서는 $0 \le r \le n$이어야 하지만 ${}_n\Pi_r$에서는 $r > n$인 경우도 있다.

(2) 중복순열의 수 : 서로 다른 n개에서 r개를 택하는 중복순열의 수는

$$ {}_n\Pi_r = \underbrace{n \times n \times n \times \cdots \times n}_{r개} = n^r $$

3 같은 것이 있는 순열

n개 중에서 서로 같은 것이 각각 p개, q개, $\cdots$, r개씩 있을 때, n개를 한 줄로 나열하는 순열의 수는

$$\frac{n!}{p!q!\cdots r!} \quad (단, p+q+\cdots+r=n)$$

> **참고** 도로망에서 최단 거리로 가는 방법의 수를 구할 때에는 같은 방향으로 가는 것을 한 문자로 대응시킨 후, 같은 것이 있는 순열을 이용한다.

4 중복조합

(1) 중복조합 : 서로 다른 n개에서 중복을 허락하여 r개를 택하는 조합을 중복조합이라 하고, 기호로 ${}_n\mathrm{H}_r$와 같이 나타낸다.

(2) 중복조합의 수 : 서로 다른 n개에서 r개를 택하는 중복조합의 수는

$$ {}_n\mathrm{H}_r = {}_{n+r-1}\mathrm{C}_r $$

> **예** ${}_6\mathrm{H}_4 = {}_{6+4-1}\mathrm{C}_4 = {}_9\mathrm{C}_4 = \dfrac{9 \times 8 \times 7 \times 6}{4 \times 3 \times 2 \times 1} = 126$

> **참고** ${}_n\mathrm{C}_r$에서는 $0 \le r \le n$이어야 하지만 ${}_n\mathrm{H}_r$에서는 $r > n$인 경우도 있다.

(3) 방정식에서 정수해의 개수

방정식 $x_1 + x_2 + x_3 + \cdots + x_m = n$ (m, n은 자연수)에 대하여

① 음이 아닌 정수해의 개수는

$$ {}_m\mathrm{H}_n = {}_{m+n-1}\mathrm{C}_n $$

② 양의 정수해의 개수는

$$ {}_m\mathrm{H}_{n-m} = {}_{n-1}\mathrm{C}_{n-m} $$

$\overbrace{\phantom{{}_m\mathrm{H}_{n-m} = {}_{n-1}\mathrm{C}_{n-m}}}^{m+(n-m)-1=n-1}$

$\underbrace{\phantom{{}_m\mathrm{H}_{n-m}}}$ $x_1, x_2, x_3, \cdots, x_m$을 한 번씩 택했다고 보면 중복을 허락하여 $(n-m)$개를 택하는 방법의 수와 같다.

> **참고** 순열, 중복순열, 조합, 중복조합 비교

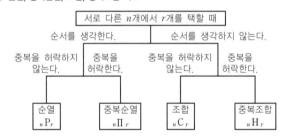

문제 풀 때 유용한 **풍쌤** 비법

❶ **중복순열의 수**

서로 다른 n개에서 중복을 허락하여 r개를 택하여 나열하는 중복순열의 수 ${}_n\Pi_r$의 공식을 이용할 때, n에는 고정된 물건의 개수 또는 중복되어 나오는 개수를, r에는 움직이는 물건의 개수 또는 중복되어 나오지 않는 물건의 개수를 써넣는다고 생각하면 편리하다.
예를 들어 2개의 우체통에 3통의 편지를 넣는 경우 ${}_n\Pi_r$에 n에는 우체통의 개수 2를, r에는 편지의 개수 3을 써넣으면 된다.

❷ 문자를 한 줄로 나열할 때, 특정한 문자의 순서가 정해진 경우의 순열의 수는 특정한 문자를 모두 한 문자로 놓고 생각하면 된다.
예를 들어 $abcd$에 있는 4개의 문자를 한 줄로 나열할 때, b, c를 이 순서대로 나열하는 경우의 수는 b, c를 모두 x로 생각하여 4개의 문자 a, x, x, d를 일렬로 나열하는 경우의 수와 같다. └─ 예를 들면 $abcd$, $bacd$, $abdc$ 등

실력을 기르는 유형

01 원순열　　　　중요도 ▭

001　　　상 중 **하**

A, B, C, D 네 명의 학생이 원탁에 둘러앉는 방법의 수는?

① 30　　　　② 24　　　　③ 18
④ 12　　　　⑤ 6

002　　　상 중 **하**

조부모를 포함한 6명의 가족이 원탁에 둘러앉을 때, 조부모가 이웃하게 앉는 방법의 수는?

① 24　　　　② 48　　　　③ 120
④ 240　　　　⑤ 720

003　　　상 중 **하**

3쌍의 부부가 원탁에 둘러앉을 때, 부부끼리 이웃하게 앉는 방법의 수는?

① 12　　　　② 14　　　　③ 16
④ 18　　　　⑤ 20

004 📞 최 **多** 빈출　　　상 **중** 하

어른 4명과 아이 3명이 원탁에 둘러앉을 때, 아이들끼리 서로 이웃하지 않게 앉는 방법의 수는?

① 144　　　　② 156　　　　③ 168
④ 180　　　　⑤ 192

005　　　상 **중** 하

한국인 3명과 미국인 3명이 원탁에 둘러앉을 때, 한국인과 미국인이 교대로 앉는 방법의 수를 구하여라.

006　　　상 **중** 하

경주네 가족은 조부모를 포함하여 6명이다. 6명이 모두 원탁에 둘러앉을 때, 경주의 양 옆에 조부모가 앉는 방법의 수를 구하여라.

007　　　상 **중** 하

운서네 부모님이 이웃에 사는 2쌍의 부부를 초대하였다. 3쌍의 부부가 원탁에 둘러앉아 식사를 할 때, 운서네 부모님이 마주 보도록 앉는 방법의 수를 구하여라.

02 원순열의 활용　　　　중요도 ▭

008　　　상 중 **하**

오른쪽 그림과 같이 5등분된 원판에 1부터 5까지의 자연수를 써넣는 방법의 수는?

① 20　　　　② 24
③ 28　　　　④ 32
⑤ 36

009 상 중 하

오른쪽 그림과 같은 직사각형 모양의
탁자에 6명이 둘러앉는 방법의 수가
$5! \times a$일 때, a의 값은?

① 3 　　　　② 4

③ 5 　　　　④ 6

⑤ 7

010 　　　　상 중 하

오른쪽 그림과 같은 정사각형 모양의
탁자에 8명이 둘러앉는 방법의 수가
$7! \times a$일 때, a의 값은?

① 2 　　　　② 4

③ 6 　　　　④ 8

⑤ 10

011 　　　　상 중 하

오른쪽 그림과 같은 정삼각형 모양의
탁자에 6명이 둘러앉는 방법의 수는?

① 30 　　　　② 60

③ 120 　　　　④ 240

⑤ 360

012 　　　　상 중 하

오른쪽 그림과 같이 밑면이 정사각
형인 사각뿔의 각 면을 서로 다른 5
가지 색을 모두 사용하여 칠하는 방
법의 수를 구하여라.

013 　　　　상 중 하

오른쪽 그림과 같은 정육면체의 각 면
을 서로 다른 6가지 색을 모두 사용하
여 칠하는 방법의 수는?

① 30 　　　　② 60

③ 90 　　　　④ 120

⑤ 180

03 중복순열　　　　중요도 ▭▭▭

014 　　　　상 중 하

5명의 학생이 어떤 숙소에서 3개의 방에 투숙하는 방법의
수는? (단, 빈 방이 있을 수도 있다.)

① 27 　　　　② 81 　　　　③ 189

④ 243 　　　　⑤ 276

015 　　　　상 중 하

서로 다른 3통의 편지를 4개의 우체통에 넣는 방법의 수는?
　　　　(단, 한 통의 편지도 넣지 않는 우체통이 있을 수 있다.)

① 48 　　　　② 52 　　　　③ 56

④ 60 　　　　⑤ 64

016 학평 기출　　　　상 중 하

서로 다른 종류의 연필 5자루를 4명의 학생 A, B, C, D에
게 남김없이 나누어 주는 경우의 수는?
　　　　(단, 연필을 받지 못하는 학생이 있을 수 있다.)

① 1024 　　　　② 1034 　　　　③ 1044

④ 1054 　　　　⑤ 1064

017 상 중 하

○, ×로 답하는 총 4개의 문제에서 나올 수 있는 가능한 답안의 개수는? (단, 비어 있는 답안은 없다.)

① 4   ② 10   ③ 12
④ 16   ⑤ 22

018 최多빈출 상 중 하

6명의 유권자가 각각 3명의 후보 중에서 기명 투표로 한 명의 후보에게 투표하는 방법의 수를 구하여라.
(단, 기권이나 무효는 없다.)

019 상 중 하

3명의 학생이 각각 회전목마, 바이킹, 청룡열차, 다람쥐통의 4개의 놀이기구 중에서 어느 한 개를 이용하는 방법의 수는?

① 27   ② 48   ③ 64
④ 72   ⑤ 81

020 학평 기출 상 중 하

문자 a, b, c에서 중복을 허락하여 세 개를 택하여 만든 단어를 전송하려고 한다. 단, 전송되는 단어에 a가 연속되면 수신이 불가능하다고 하자. 예를 들면 aab, aaa 등은 수신이 불가능하고 bba, aba 등은 수신이 가능하다. 수신 가능한 단어의 개수를 구하여라.

021 풍쌤 비법❶ 상 중 하

A 지역의 중학교에 다니는 학생은 그 지역에 있는 남자 고등학교 2개, 여자 고등학교 1개, 남녀공학 2개 중에서 한 학교에 배정된다고 한다. A 지역의 중학교에 다니는 남학생 2명과 여학생 3명이 고등학교를 배정받을 수 있는 모든 경우의 수를 구하여라.

022 상 중 하

모스 부호 ●, ─를 6개까지 사용하여 만들 수 있는 서로 다른 신호의 개수를 구하여라.

023 상 중 하

어느 야구팀의 포수가 오른손의 엄지, 검지, 중지 세 손가락을 펼치거나 구부려 접는 방법으로 투수에게 보내는 신호를 만들려고 한다. 이 손가락을 다섯 번 이하로 펼쳐서 만들 수 있는 서로 다른 신호의 개수는? (단, 손가락은 한 번 이상 펼쳐야 하고, 두 개 이상의 손가락을 동시에 펼치지 않는다.)

① 351   ② 354   ③ 357
④ 360   ⑤ 363

024 상 중 하

네 개의 숫자 0, 1, 2, 3에서 중복을 허락하여 만들 수 있는 네 자리 자연수의 개수는?

① 184   ② 188   ③ 190
④ 192   ⑤ 194

025 ☎최多빈출 (상 중 하)

다섯 개의 숫자 1, 2, 3, 4, 5에서 중복을 허락하여 네 자리의 비밀번호를 만들 때, 홀수인 비밀번호의 개수를 구하여라.

026 (상 중 하)

2000 이상의 네 자리의 자연수 중에서 5의 배수의 개수를 구하여라.

027 (상 중 하)

네 개의 숫자 1, 2, 3, 4에서 중복을 허락하여 만들 수 있는 세 자리의 정수 중 반드시 3이 포함되는 것의 개수를 구하여라.

028 ☎학평 기출 (상 중 하)

세 개의 숫자 1, 2, 3에서 중복을 허락하여 네 자리의 자연수를 만들 때, 1과 2가 모두 포함되어 있는 자연수의 개수는?

① 58   ② 56   ③ 54
④ 52   ⑤ 50

029 (상 중 하)

여섯 개의 숫자 0, 1, 3, 5, 7, 9에서 중복을 허락하여 만든 자연수를 크기가 작은 것부터 순서대로 나열할 때, 3000은 몇 번째 수인가?

① 148번째   ② 181번째   ③ 217번째
④ 368번째   ⑤ 432번째

04 중복순열을 이용한 함수의 개수   중요도 ▭▭▭

030 (상 중 하)

두 집합 $X=\{1,\ 2,\ 3,\ 4,\ 5\}$, $Y=\{2,\ 4,\ 6\}$에 대하여 X에서 Y로의 함수의 개수는?

① $3!$ ② $5!$ ③ 3^5
④ 5^3 ⑤ $_5\mathrm{P}_3$

031 (상 중 하)

두 집합 $X=\{1,\ 2,\ 3,\ 4\}$, $Y=\{1,\ 2,\ 3\}$에 대하여 X에서 Y로의 함수 f 중에서 $f(1)=1$인 함수의 개수는?

① 4   ② 8   ③ 12
④ 16   ⑤ 27

032 (상 중 하)

두 집합 $X=\{x,\ y,\ z\}$, $Y=\{1,\ 2,\ 3,\ 4,\ 5\}$에 대하여 함수 $f:X \longrightarrow Y$ 중에서 $f(y)\neq1$인 함수의 개수는?

① 64   ② 96   ③ 100
④ 124   ⑤ 125

05 같은 것이 있는 순열   중요도 ▭▭▭

033   상 중 하

coffee에 있는 6개의 문자를 한 줄로 나열하는 방법의 수는?

① 60   ② 120   ③ 180
④ 240   ⑤ 480

034 📞 학평 기출   상 중 하

흰색 깃발 5개, 파란색 깃발 5개를 일렬로 모두 나열할 때, 양 끝에 흰색 깃발이 놓이는 경우의 수는?

① 56   ② 63   ③ 70
④ 77   ⑤ 84

035   상 중 하

start에 있는 5개의 문자를 한 줄로 나열할 때, 양 끝에 s와 r가 오도록 나열하는 방법의 수를 구하여라.

036   상 중 하

football에 있는 8개의 문자를 한 줄로 나열할 때, 자음끼리 이웃하도록 나열하는 방법의 수는?

① 360   ② 450   ③ 540
④ 630   ⑤ 720

037   상 중 하

success에 있는 7개의 문자를 한 줄로 나열할 때, u와 e가 이웃하지 않도록 나열하는 방법의 수는?

① 60   ② 80   ③ 120
④ 200   ⑤ 300

038 📞 최 多 빈출   상 중 하

6개의 숫자 0, 1, 1, 2, 2, 3을 모두 사용하여 만들 수 있는 여섯 자리의 정수의 개수를 구하여라.

039   상 중 하

7개의 숫자 3, 4, 4, 5, 5, 5, 6을 한 줄로 나열할 때, 홀수 번째 자리에는 홀수를 나열하는 방법의 수를 구하여라.

040   상 중 하

0, 1, 1, 3, 3, 3의 숫자가 각각 하나씩 적혀 있는 6장의 카드를 모두 사용하여 만들 수 있는 여섯 자리의 정수 중에서 홀수의 개수는?

① 10   ② 20   ③ 30
④ 40   ⑤ 50

041 ⌐ 풍쌤 비법 ❷ ⌐ （상 중 하）

teacher에 있는 7개의 문자를 한 줄로 나열할 때, t, c, h, r를 이 순서대로 나열하는 방법의 수는?

① 100　　　　② 105　　　　③ 110
④ 115　　　　⑤ 120

042　（상 중 하）

ensemble에 있는 8개의 문자를 한 줄로 나열할 때, n이 m보다 앞에 오고, s가 l보다 앞에 오도록 나열하는 방법의 수는?

① 1250　　　　② 1680　　　　③ 2010
④ 2440　　　　⑤ 2870

043　（상 중 하）

7개의 숫자 1, 2, 3, 4, 4, 5, 5를 한 줄로 나열할 때, 1, 2, 3은 크기가 작은 것부터 순서대로 나열하는 방법의 수는?

① 90　　　　② 105　　　　③ 210
④ 420　　　　⑤ 1260

044 ⌐ 학평 기출　（상 중 하）

1부터 6까지의 자연수가 각각 하나씩 적혀 있는 6장의 카드가 있다. 이 카드를 모두 한 번씩 사용하여 일렬로 나열할 때, 2가 적혀 있는 카드가 4가 적혀 있는 카드보다 왼쪽에 나열하고 홀수가 적혀 있는 카드는 작은 수부터 크기 순서대로 왼쪽부터 나열하는 경우의 수는?

① 56　　　　② 60　　　　③ 64
④ 68　　　　⑤ 72

---

06 같은 것이 있는 순열의 활용　중요도 ▭▭

045　（상 중 하）

오른쪽 그림과 같은 도로망이 있다. A에서 출발하여 B까지 최단 거리로 가는 방법의 수는?

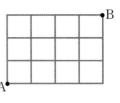

① 30　　　　② 35
③ 40　　　　④ 45
⑤ 50

046 ⌐ 최 多 빈출　（상 중 하）

오른쪽 그림과 같은 도로망이 있다. A에서 출발하여 P를 지나 B까지 최단 거리로 가는 방법의 수는?

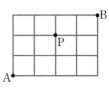

① 18　　　　② 24　　　　③ 30
④ 36　　　　⑤ 42

047 ⌐ 학평 기출　（상 중 하）

오른쪽 그림과 같은 도로망이 있다. A에서 B까지 최단 거리로 가는 방법 중에서 P는 지나고, Q는 지나지 않고 가는 방법의 수는?

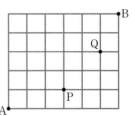

① 68　　　　② 84
③ 102　　　　④ 124
⑤ 140

048

(상 중 하)

오른쪽 그림과 같은 도로망이 있다.
A에서 B까지 최단 거리로 가는 방법
의 수는?

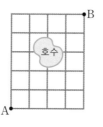

① 61 　　　② 65

③ 66 　　　④ 68

⑤ 72

049

(상 중 하)

오른쪽 그림과 같은 도로망이 있다.
A에서 B까지 최단 거리로 가는 방법
의 수는?

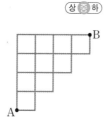

① 24 　　　② 42

③ 82 　　　④ 102

⑤ 134

050 📞학평 기출

(상 중 하)

오른쪽 그림과 같은 도로망이 있다.
갑은 A에서 C까지 굵은 선을 따라
걷고, 을은 C에서 A까지 굵은 선을
따라 걸으며, 병은 B에서 D까지 도
로를 따라 최단 거리로 걷는다. 갑,
을, 병 세 사람이 모두 만나도록 병이
B에서 D까지 가는 방법의 수를 구하여라.
(단, 갑, 을, 병은 동시에 출발하고 같은 속력으로 걷는다.)

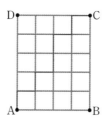

051

(상 중 하)

오른쪽 그림과 같이 크기가 같은 정육
면체 18개를 쌓아 직육면체를 만들었
을 때, 정육면체의 모서리를 따라 꼭짓
점 A에서 꼭짓점 B까지 최단 거리로
가는 방법의 수는?

① 260 　　　② 320 　　　③ 400

④ 480 　　　⑤ 560

07 중복조합

중요도 ▱▰▱

052

(상 중 하)

다음 값을 구하여라.

(1) $_3\mathrm{H}_0$ 　　　　　(2) $_4\mathrm{H}_3$

(3) $_2\mathrm{H}_3$ 　　　　　(4) $_2\mathrm{H}_2$

053

(상 중 하)

다음을 만족시키는 n 또는 r의 값을 구하여라.

(1) $_n\mathrm{H}_4 = 15$ 　　　　(2) $_5\mathrm{H}_r = 15$

054

(상 중 하)

1, 2, 3에서 중복을 허락하여 2개의 수를 선택하는 중복
조합의 수를 구하여라.

055 (상중하)

2, 4, 6에서 중복을 허락하여 4개의 수를 선택할 때, 숫자 6이 1개 이하가 되는 경우의 수는?

① 3   ② 5   ③ 7
④ 9   ⑤ 11

056 ☎학평 기출 (상중하)

$3 \leq a \leq b \leq c \leq d \leq 10$을 만족시키는 자연수 a, b, c, d의 순서쌍 (a, b, c, d)의 개수는?

① 240   ② 270   ③ 300
④ 330   ⑤ 360

057 (상중하)

다음 식의 전개식에서 서로 다른 항의 개수를 구하여라.

(1) $(a+b)^5$ (2) $(a+b+c)^6$

058 (상중하)

$(x+y)^3(a+b+c)^5$의 전개식에서 서로 다른 항의 개수는?

① 68   ② 72   ③ 76
④ 80   ⑤ 84

059 ☎최多빈출 (상중하)

2명의 후보가 출마한 선거에서 10명의 유권자가 각각 한 명의 후보에게 무기명으로 투표하는 방법의 수는?
(단, 기권이나 무효는 없다.)

① 10   ② 11   ③ 12
④ 55   ⑤ 56

060 (상중하)

감, 귤, 배, 사과의 4종류의 과일만을 파는 가게에서 8개의 과일을 사는 방법의 수는?
(단, 감, 귤, 배, 사과는 각각 8개 이상씩 있다.)

① 45   ② 70   ③ 165
④ 225   ⑤ 495

061 (상중하)

색연필, 볼펜, 형광펜 중에서 7개를 선택하려고 한다. 색연필, 볼펜, 형광펜을 각각 적어도 1개 이상씩 선택하는 방법의 수는?
(단, 색연필, 볼펜, 형광펜은 각각 7개 이상씩 있다.)

① 15   ② 17   ③ 19
④ 21   ⑤ 23

08 방정식에서 정수해의 개수
중요도

062
상 중 하

방정식 $x+y+z=10$을 만족시키는 음이 아닌 정수 $x, y,$ z에 대하여 순서쌍 (x, y, z)의 개수를 구하여라.

063
상 중 하

방정식 $a+b+c+d=9$를 만족시키는 양의 정수해의 순서쌍 (a, b, c, d)의 개수는?

① 50 ② 52 ③ 54
④ 56 ⑤ 58

064 ☎최多빈출
상 중 하

방정식 $x+y+z=8$을 만족시키는 음이 아닌 정수해의 순서쌍 (x, y, z)의 개수를 m, 양의 정수해의 순서쌍 (x, y, z)의 개수를 n이라고 할 때, $m-n$의 값은?

① 20 ② 22 ③ 24
④ 26 ⑤ 28

065 ☎학평 기출
상 중 하

다음 두 조건을 만족시키는 음이 아닌 정수 a, b, c, d의 모든 순서쌍 (a, b, c, d)의 개수는?

(가) $a+b+c+3d=10$
(나) $a+b+c \leq 5$

① 18 ② 20 ③ 22
④ 24 ⑤ 26

09 중복조합을 이용한 함수의 개수
중요도

066 ☎학평 기출
상 중 하

$\{1, 2, 3, 4\}$에서 $\{1, 2, 3, 4, 5, 6, 7\}$로의 함수 중에서 $x_1 < x_2$이면 $f(x_1) \geq f(x_2)$를 만족시키는 함수 f의 개수를 구하여라.

067
상 중 하

두 집합 $X=\{1, 2, 3\}, Y=\{4, 5, 6, 7\}$에 대하여 X에서 Y로의 함수 f 중에서 다음 세 조건 (가), (나), (다)를 만족시키는 함수의 개수를 각각 a, b, c라고 할 때, $a+b+c$의 값은?

(가) $x_1 \neq x_2$이면 $f(x_1) \neq f(x_2)$
(나) $x_1 < x_2$이면 $f(x_1) < f(x_2)$
(다) $x_1 < x_2$이면 $f(x_1) \leq f(x_2)$

① 40 ② 42 ③ 44
④ 46 ⑤ 48

068
상 중 하

집합 $X=\{1, 2, 3, 4\}$에서 집합 $Y=\{5, 6, 7, 8, 9\}$로의 함수 f 중에서 다음 두 조건을 만족시키는 함수 f의 개수는?

(가) $f(3)=7$
(나) $x_1 < x_2$이면 $f(x_1) \leq f(x_2)$

① 16 ② 18 ③ 20
④ 22 ⑤ 24

내신을 꽉 잡는 서술형

069

오른쪽 그림과 같이 옆면이 모두 합동인 사각뿔대의 각 면을 서로 다른 6가지 색을 모두 사용하여 칠하는 방법의 수를 구하여라.

070

6개의 숫자 0, 1, 2, 3, 5, 7에서 중복을 허락하여 만들 수 있는 네 자리의 자연수 중에서 짝수의 개수를 구하여라.

071

6개의 숫자 1, 1, 2, 2, 2, 3 중 4개를 택하여 만들 수 있는 3의 배수의 개수를 구하여라.

072

오른쪽 그림과 같은 도로망이 있다. A에서 B까지 최단 거리로 가는 방법 중에서 $\overline{PQ}$를 지나지 않고 가는 방법의 수를 구하여라.

073

5명의 학생들이 같은 종류의 사탕 8개를 나누어 가지는 방법의 수를 a, 적어도 하나씩은 모두 가질 때의 방법의 수를 b라고 할 때, $a+b$의 값을 구하여라.

074

방정식 $x+y+z=12$를 만족시키는 짝수인 자연수 x, y, z의 순서쌍 (x, y, z)의 개수를 구하여라.

고득점을 향한 도약

075

서로 다른 다섯 가지 색을 사용하여 오른쪽 그림과 같이 4등분된 원판에 색을 칠하려고 한다. 이웃한 부분에는 서로 다른 색을 칠하는 그 방법의 수를 구하여라.
(단, 색은 중복하여 사용할 수 있다.)

076

참가자들이 1부터 999까지의 자연수를 차례대로 말하다가 3, 16, 903과 같이 숫자 3 또는 6 또는 9가 포함된 수는 수를 말하는 대신 박수를 한 번 치는 게임이 있다. 이 게임에서 박수를 모두 몇 번 치는지 구하여라.
(단, 3 또는 6 또는 9가 2개 이상 들어 있는 숫자는 박수를 한 번만 친다.)

077

두 집합 $X=\{a,\ b,\ c,\ d\}$, $Y=\{1,\ 2,\ 3\}$에 대하여 X에서 Y로의 함수 중 치역과 공역이 같은 것의 개수를 구하여라.

078

중복을 허락하여 기호 ◉, ▲를 나열하여 부호를 만들 때, 100개의 부호를 만들려면 기호를 최소한 몇 개까지 사용해야 하는가?

① 4   ② 6   ③ 8
④ 10   ⑤ 12

079 〔100점 도전〕

오른쪽 그림과 같이 크기가 같은 정육면체 5개를 붙였을 때, 정육면체의 모서리를 따라 꼭짓점 A에서 꼭짓점 B까지 최단 거리로 가는 방법의 수를 구하여라.

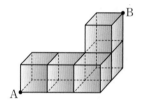

080

9개의 계단을 1계단 또는 2계단씩 오를 때, 올라가는 방법의 수는?

① 11   ② 22   ③ 33
④ 44   ⑤ 55

081

주사위를 5회 던져서 n번째 나오는 눈의 수를
a_n ($n=1, 2, 3, 4, 5$)이라고 하자. $a_1<a_2<a_3<a_4<a_5$
인 경우의 수를 m, $a_1\leq a_2\leq a_3\leq a_4\leq a_5$인 경우의 수를 n
이라고 할 때, $m+n$의 값은?

① 218   ② 228   ③ 238

④ 248   ⑤ 258

082

수학 시험에 5지선다형의 객관식 문제가 20문항 출제되었고, 문제 당 배점은 5점씩 100점 만점이다. 학생 A는 모든 문제를 ①번에 답했고, 같은 방법으로 B는 ②번, C는 ③번, D는 ④번, E는 ⑤번에 답했다. 이때, 5명의 학생이 맞은 점수의 모든 경우의 수는?

① $_{24}C_5$ ② $_{24}C_4$ ③ $_{25}C_5$

④ $_{25}C_4$ ⑤ $_{26}C_6$

083

$(a+b-c)^5-(b-c+d)^5$의 전개식에서 서로 다른 항의 개수를 구하여라.

084 〔100점 도전〕

자연수 n에 대하여 $abc=3^n$을 만족시키는 1보다 큰 자연수 a, b, c의 순서쌍 (a, b, c)의 개수가 15일 때, n의 값은?

① 3   ② 5   ③ 7

④ 9   ⑤ 11

085

다음 두 조건을 만족시키는 음이 아닌 정수 x, y, z, w의 모든 순서쌍 (x, y, z, w)의 개수는?

> (개) $x+y+z+w=8$
> (내) $x\neq y$

① 136   ② 138   ③ 140

④ 142   ⑤ 144

086

두 집합
$$A=\{1, 2, 3, 4, 5, 6\}, B=\{1, 2, 3, 4, 5, 6, 7\}$$
에 대하여 $a\in A$, $b\in A$이고 $a<b$이면 $f(a)\leq f(b)$를 만족시키는 함수 $f: A \longrightarrow B$ 중에서 $f(1)f(4)=12$를 만족시키는 함수의 개수를 구하여라.

02 이항정리

더 자세한 개념은 풍산자 확률과 통계 41쪽

1 이항정리

(1) 자연수 n에 대하여 $(a+b)^n$을 전개하면
$$(a+b)^n={}_nC_0a^n+{}_nC_1a^{n-1}b+{}_nC_2a^{n-2}b^2+\cdots$$
$$+{}_nC_ra^{n-r}b^r+\cdots+{}_nC_nb^n$$
이고, 이것을 이항정리라고 한다.
이때, 각 항의 계수 ${}_nC_0,\ {}_nC_1,\ \cdots,\ {}_nC_r,\ \cdots,\ {}_nC_n$을 이항계수라고 한다.

(2) $(a+b)^n$의 전개식에서 $a^{n-r}b^r$의 계수는 ${}_nC_r$와 같다.
(단, $0<r<n$)

> 참고 ① $(a+b)^n$의 전개식에서 ${}_nC_r={}_nC_{n-r}$이므로 $a^{n-r}b^r$의 계수와 a^rb^{n-r}의 계수는 서로 같다.
> ② n이 자연수일 때, $(a+b+c)^n$의 전개식에서 $a^pb^qc^r$의 계수는 $\{(a+b)+c\}^n$에서 먼저 c^r의 계수를 구한 후, $(a+b)^{n-r}$에서 a^pb^q의 계수를 구한다.
> (단, $p+q+r=n$, $p>0$, $q>0$, $r>0$)

> 주의 $(a+b)^n$의 전개식에서 ${}_nC_ra^{n-r}b^r$은 r번째 항이 아니라 $(r+1)$번째 항이다.

2 이항계수의 성질

(1) **파스칼의 삼각형** : $n=1,\ 2,\ 3,\ \cdots$일 때, $(a+b)^n$의 전개식의 이항계수를 차례대로 다음과 같이 배열한 것을 파스칼의 삼각형이라고 한다.

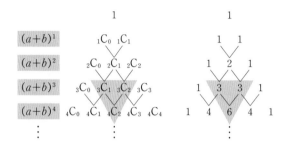

(2) **이항계수의 성질**
n이 자연수일 때
① ${}_nC_0+{}_nC_1+{}_nC_2+\cdots+{}_nC_n=2^n$
② ${}_nC_0-{}_nC_1+{}_nC_2-{}_nC_3+\cdots+(-1)^n{}_nC_n=0$
③ ${}_nC_0+{}_nC_2+{}_nC_4+{}_nC_6+\cdots=2^{n-1}$
  ${}_nC_1+{}_nC_3+{}_nC_5+{}_nC_7+\cdots=2^{n-1}$ (단, $n\geq2$)

> 참고 $(1+x)^n={}_nC_0+{}_nC_1x+{}_nC_2x^2+\cdots+{}_nC_nx^n$의 양변에
> (i) $x=1$을 대입하면 ①이 성립한다.
> (ii) $x=-1$을 대입하면 ②가 성립한다.
> 또, ①+②, ①-②을 하여 정리하면 ③이 성립한다.

문제 풀 때 유용한 풍쌤 비법

❶ **이항정리를 이용한 전개식에서 계수 구하기**

(1) $(a+bx)^n$ 꼴 ⇨ x^r항은 bx를 r번 곱할 때 나타나므로 a는 $n-r$번 곱하면 된다. 즉, x^r항은
  ${}_nC_ra^{n-r}(bx)^r={}_nC_ra^{n-r}b^rx^r$이므로 x^r의 계수는 ${}_nC_ra^{n-r}b^r$
  예를 들어 $(a+bx)^n$의 전개식에서 x^2항은 a를 $n-2$번, bx를 2번 곱한 경우이므로 ${}_nC_2a^{n-2}(bx)^2={}_nC_2a^{n-2}b^2x^2$
  따라서 x^2의 계수는 ${}_nC_2a^{n-2}b^2$이다.

(2) $(a+bx)^m(c+dx)^n$ 꼴 ⇨ x^{r+s}항은 $(a+bx)^m$의 전개식에서 x^r항과 $(c+dx)^n$의 전개식에서 x^s항을 구하여 이들의 곱을 이용한다.
  즉, $(a+bx)^m$의 전개식에서 x^r항은 ${}_mC_ra^{m-r}(bx)^r={}_mC_ra^{m-r}b^rx^r$, $(c+dx)^n$의 전개식에서 x^s항은 ${}_nC_sc^{n-s}(dx)^s={}_nC_sc^{n-s}d^sx^s$이므로 이들의 곱은
  ${}_mC_ra^{m-r}b^rx^r\cdot{}_nC_sc^{n-s}d^sx^s={}_mC_r\cdot{}_nC_s\cdot(a^{m-r}b^r)(c^{n-s}d^s)x^{r+s}$ (단, $0<r<m$, $0<s<n$) ······ ㉠
  여기서 x^4항은 $r+s=4$를 만족시키는 r, s의 값을 구하여 ㉠에 대입하면 된다.

❷ **파스칼의 삼각형을 이용한 식의 값 구하기**

파스칼의 삼각형에서 각 단계의 이항계수의 이웃하는 두 수를 더하면 그 다음 단계의 중앙에 있는 이항계수가 됨을 이용한다.
  ⇨ ${}_nC_r={}_{n-1}C_{r-1}+{}_{n-1}C_r$ (단, $r=1,\ 2,\ 3,\ \cdots,\ n-1$)

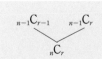

01 이항정리 (1)

중요도 ▮▮▯

087 (상 중 하)

이항정리를 이용하여 다음 식을 전개하여라.

(1) $(a+b)^4$

(2) $(x+1)^5$

(3) $(x-2)^4$

(4) $(2a-b)^5$

088 최多빈출 (상 중 하)

다음 식의 전개식에서 [ ]안의 계수를 구하여라.

(1) $(x+y)^6$ $[x^4y^2]$

(2) $(2x-y)^4$ $[x^2y^2]$

(3) $(x-3)^6$ $[x^3]$

(4) $\left(x+\dfrac{1}{x}\right)^4$ $[x^2]$

089 학평 기출 (상 중 하)

다항식 $(x+1)^{10}$의 전개식에서 x^2의 계수를 구하여라.

090 (상 중 하)

$(3x-y)^6$의 전개식에서 x^4y^2의 계수의 각 자리의 숫자의 합은?

① 9 ② 13 ③ 23

④ 44 ⑤ 53

091 (상 중 하)

$\left(2x+\dfrac{1}{2x}\right)^7$의 전개식에서 x의 계수는?

① 14 ② 28 ③ 42

④ 56 ⑤ 70

092 (상 중 하)

$\left(x+\dfrac{1}{x^2}\right)^4$의 전개식에서 x의 계수는?

① 1 ② 2 ③ 3

④ 4 ⑤ 5

093 상 중 하

$\left(2x^2-\dfrac{1}{x}\right)^6$의 전개식에서 상수항은?

① 15 ② 30 ③ 45
④ 60 ⑤ 80

094 🔈 학평 기출 상 중 하

$\left(x+\dfrac{1}{x^3}\right)^4$의 전개식에서 $\dfrac{1}{x^4}$의 계수는?

① 4 ② 6 ③ 8
④ 10 ⑤ 12

095 상 중 하

$(1+2x)^5(1+x)$의 전개식에서 x^4의 계수는?

① 80 ② 100 ③ 120
④ 140 ⑤ 160

096 상 중 하

$\left(\dfrac{2}{x^2}+4\right)\left(x+\dfrac{1}{x}\right)^6$의 전개식에서 상수항은?

① 110 ② 120 ③ 130
④ 140 ⑤ 150

097 ⤸풍쌤 비법❶ ⤸ 상 중 하

$(1+x^2)^3(1+2x)^4$의 전개식에서 x^5의 계수는?

① 120 ② 124 ③ 128
④ 132 ⑤ 136

098 상 중 하

$(x-2)^4(3x^2+2)^3$의 전개식에서 x^5의 계수는?

① -2000 ② -2016 ③ 2000
④ 2016 ⑤ 0

099 상 중 하

$(x+1)+(x+1)^2+(x+1)^3+\cdots+(x+1)^6$의 전개식에서 x^3의 계수는?

① 35 ② 40 ③ 45
④ 50 ⑤ 55

100 상중하

$(1-x)+(1-x)^2+(1-x)^3+\cdots+(1-x)^{10}$의 전개식에서 x^8의 계수는?

① 15   ② 25   ③ 35

④ 45   ⑤ 55

02 이항정리 (2)   중요도 ▰▰▱

101 📞학평 기출 상중하

$(x+a)^6$의 전개식에서 x^4의 계수가 60일 때, 양수 a의 값은?

① 1   ② 2   ③ 3

④ 4   ⑤ 5

102 📞최多빈출 상중하

$\left(x+\dfrac{a}{x}\right)^8$의 전개식에서 x^6의 계수가 -16일 때, 상수 a의 값은?

① -1 ② -2 ③ -3

④ -4 ⑤ -5

103 상중하

$\left(ax^2+\dfrac{2}{x}\right)^5$의 전개식에서 x의 계수가 320일 때, 양수 a의 값은?

① 1   ② 2   ③ 3

④ 4   ⑤ 5

104 📞학평 기출 상중하

$\left(ax+\dfrac{1}{x}\right)^4$의 전개식에서 상수항이 54일 때, 양수 a의 값을 구하여라.

105 상중하

$(x+a)^7$의 전개식에서 x^3의 계수가 35일 때, x^5의 계수는? (단, a는 양수이다.)

① 21   ② 22   ③ 23

④ 24   ⑤ 25

106 (상 중 하)

$(x+a)^5$의 전개식에서 x^3의 계수와 x^4의 계수가 같을 때, 양수 a의 값은?

① $\dfrac{1}{2}$ 　　② 1 　　③ $\dfrac{3}{2}$

④ 2 　　⑤ $\dfrac{5}{2}$

107 (상 중 하)

$(1+x^2)^n$의 전개식에서 x^4의 계수가 1일 때, 자연수 n의 값은?

① 1 　　② 2 　　③ 3

④ 4 　　⑤ 5

03 이항정리와 이항계수의 성질　　중요도 ▮▮▯

108 (상 중 하)

${}_nC_0+{}_nC_1\cdot7+{}_nC_2\cdot7^2+\cdots+{}_nC_n\cdot7^n=2^{60}$을 만족시키는 자연수 n의 값은?

① 10 　　② 15 　　③ 20

④ 30 　　⑤ 60

109 ☎ 최多빈출 (상 중 하)

${}_{10}C_0+2\cdot{}_{10}C_1+2^2\cdot{}_{10}C_2+2^3\cdot{}_{10}C_3+\cdots+2^{10}\cdot{}_{10}C_{10}$의 값은?

① 2^{10} 　　② 3^{10} 　　③ 3^{15}

④ 3^{18} 　　⑤ 3^{20}

110 (상 중 하)

${}_{10}C_1-{}_{10}C_2+{}_{10}C_3-{}_{10}C_4+\cdots+{}_{10}C_9$의 값은?

① -2 　　② 2 　　③ 4

④ $2^{10}-2$ 　　⑤ 2^{10}

111 (상 중 하)

$({}_nC_0+{}_nC_1x+{}_nC_2x^2+{}_nC_3x^3+\cdots+{}_nC_nx^n)^2$의 전개식에서 x^n의 계수를 a_n이라고 할 때, $a_1+a_2+a_3+a_4$의 값은? (단, n은 자연수이다.)

① 82 　　② 86 　　③ 90

④ 94 　　⑤ 98

112
(상중하)

다음 중 11^{13}을 100으로 나누었을 때의 나머지는?

① 23   ② 25   ③ 27

④ 29   ⑤ 31

113
(상중하)

다음 중 21^{21}을 40으로 나누었을 때의 나머지는?

① 11   ② 12   ③ 20

④ 21   ⑤ 31

114   📞 학평 기출
(상중하)

오늘부터 11^7째 되는 날이 월요일일 때, $(1+11)^7$째 되는 날은 무슨 요일인가?

① 화요일   ② 수요일   ③ 목요일

④ 금요일   ⑤ 토요일

115
(상중하)

$(1+x)^{12}$의 전개식에서 x^n의 계수를 a_n이라고 할 때, a_8+a_9의 값과 같은 것은?

① $_{12}C_8$ ② $_{12}C_9$ ③ $_{13}C_4$

④ $_{13}C_6$ ⑤ $_{13}C_8$

116   📞 최多빈출
(상중하)

다음 파스칼의 삼각형을 이용하여

$$_2C_0 + _3C_1 + _4C_2 + _5C_3 + \cdots + _{10}C_8$$

의 값과 같은 것을 고르면?

$$_1C_0 \quad _1C_1$$
$$_2C_0 \quad _2C_1 \quad _2C_2$$
$$_3C_0 \quad _3C_1 \quad _3C_2 \quad _3C_3$$
$$_4C_0 \quad _4C_1 \quad _4C_2 \quad _4C_3 \quad _4C_4$$
$$_5C_0 \quad _5C_1 \quad _5C_2 \quad _5C_3 \quad _5C_4 \quad _5C_5$$
$$\cdots$$

① $_{10}C_6$ ② $_{10}C_7$ ③ $_{11}C_6$

④ $_{11}C_7$ ⑤ $_{11}C_8$

117   📞 풍쌤 비법 ❷
(상중하)

$_1C_0 + _2C_1 + _3C_2 + _4C_3 + \cdots + _8C_7$의 값과 같은 것은?

① $_7C_2$ ② $_7C_3$ ③ $_8C_2$

④ $_8C_3$ ⑤ $_9C_2$

118
(상중하)

$_2C_2 + _3C_2 + _4C_2 + _5C_2 + \cdots + _{10}C_2$의 값과 같은 것은?

① $_{10}C_3$ ② $_{10}C_4$ ③ $_{11}C_2$

④ $_{11}C_3$ ⑤ $_{11}C_4$

119 상 중 하

다음은 등식 $_nC_r + _nC_{r+1} = _{n+1}C_{r+1}$을 이용하여

$$1^2 + 2^2 + 3^2 + \cdots + n^2 = \frac{n(n+1)(2n+1)}{6}$$

$$(n = 1, \ 2, \ 3, \ \cdots)$$

을 증명한 것이다.

• 증명 •

2 이상인 자연수 k에 대하여 $k^2 = \boxed{(가)} + 2 \cdot {_kC_2}$로 나타낼 수 있으므로

$$1^2 + 2^2 + 3^2 + \cdots + n^2$$

$$= {_1C_1} + ({_2C_1} + 2 \cdot {_2C_2}) + ({_3C_1} + 2 \cdot {_3C_2}) + \cdots$$

$$\quad + ({_nC_1} + 2 \cdot \boxed{(나)})$$

$$= ({_1C_1} + {_2C_1} + {_3C_1} + \cdots + {_nC_1})$$

$$\quad + 2({_2C_2} + {_3C_2} + \cdots + \boxed{(나)})$$

$$= {_{n+1}C_2} + 2 \cdot \boxed{(다)}$$

$$= \frac{n(n+1)(2n+1)}{6}$$

위의 증명에서 (가), (나), (다)에 알맞은 것은?

	(가)	(나)	(다)
①	$_kC_1$	$_nC_2$	$_nC_3$
②	$_kC_1$	$_nC_2$	$_{n+1}C_3$
③	$_kC_1$	$_{n+1}C_2$	$_nC_3$
④	$_{k+1}C_1$	$_nC_2$	$_nC_3$
⑤	$_{k+1}C_1$	$_{n+1}C_2$	$_{n+1}C_3$

120 상 중 하

n이 자연수일 때, $(1+x)^n$의 전개식을 이용하여 다음 등식을 증명하여라.

(1) $_nC_0 + _nC_1 + _nC_2 + \cdots + _nC_n = 2^n$

(2) $_nC_0 - _nC_1 + _nC_2 - _nC_3 + \cdots + (-1)^n {_nC_n} = 0$

(3) n이 짝수일 때, $_nC_0 + _nC_2 + _nC_4 + \cdots + _nC_n = 2^{n-1}$

(4) n이 짝수일 때, $_nC_1 + _nC_3 + _nC_5 + \cdots + _nC_{n-1} = 2^{n-1}$

121 상 중 하

다음 식의 값을 구하여라.

(1) $_4C_0 + _4C_1 + _4C_2 + _4C_3 + _4C_4$

(2) $_4C_0 - _4C_1 + _4C_2 - _4C_3 + _4C_4$

(3) $_8C_0 + _8C_2 + _8C_4 + _8C_6 + _8C_8$

(4) $_9C_1 + _9C_3 + _9C_5 + _9C_7 + _9C_9$

122 최多빈출 상 중 하

$_{16}C_0 + _{16}C_1 + _{16}C_2 + \cdots + _{16}C_{16}$의 값은?

① 2^4 ② 2^8 ③ 2^{12}

④ 2^{16} ⑤ 2^{20}

123 (상 (중) 하)

$_{15}C_8 + _{15}C_9 + _{15}C_{10} + \cdots + _{15}C_{15}$의 값은?

① 2^{10} ② 2^{12} ③ 2^{14}

④ 2^{16} ⑤ 2^{18}

126 (상 (중) 하)

n이 짝수일 때, $_nC_2 + _nC_4 + _nC_6 + \cdots + _nC_n = 127$을 만족시키는 n의 값은?

① 6 ② 7 ③ 8

④ 9 ⑤ 10

124 📞최 多 빈출 (상 (중) 하)

$_nC_0 + _nC_1 + _nC_2 + _nC_3 + \cdots + _nC_n = 128$을 만족시키는 자연수 n의 값을 구하여라.

127 (상 (중) 하)

$500 < _nC_1 + _nC_2 + _nC_3 + \cdots + _nC_n < 1000$을 만족시키는 자연수 n의 값은?

① 7 ② 8 ③ 9

④ 10 ⑤ 11

125 (상 (중) 하)

$_nC_1 + _nC_2 + _nC_3 + \cdots + _nC_n = 255$를 만족시키는 자연수 n의 값은?

① 2 ② 4 ③ 6

④ 8 ⑤ 10

128 (상 (중) 하)

자연수 k에 대하여
$$f(k) = _{2k}C_1 + _{2k}C_3 + _{2k}C_5 + \cdots + _{2k}C_{2k-1}$$
일 때, $f(3)$의 값은?

① 31 ② 32 ③ 33

④ 34 ⑤ 35

129

$\left(\dfrac{3}{x}+\dfrac{x}{3}\right)^8$의 전개식에서 상수항을 구하여라.

130

$(a-x)(1+2x)^6$의 전개식에서 x^4의 계수가 80일 때, 상수 a의 값을 구하여라.

131

다항식 $(x-a)^5$의 전개식에서 x의 계수와 상수항의 합이 0일 때, 양수 a의 값을 구하여라.

132

$(x+2y-z)^7$의 전개식에서 x^4y^2z의 계수를 구하여라.

133

$(ax+1)^7$의 전개식에서 x^2의 계수가 84일 때, x의 계수를 구하여라. (단, a는 양수이다.)

134

$_nC_0+4\cdot{}_nC_1+4^2\cdot{}_nC_2+4^3\cdot{}_nC_3+\cdots+4^n\cdot{}_nC_n=5^{50}$을 만족시키는 자연수 n의 값을 구하여라.

고득점을 향한 도약

135

$\left(3x^2 - \dfrac{1}{2x^3}\right)^n$의 전개식이 상수항을 포함하도록 하는 양의 정수 n의 최솟값을 정할 때, 그때의 상수항은?

① $\dfrac{75}{2}$ ② $\dfrac{101}{2}$ ③ 63

④ 65 ⑤ $\dfrac{135}{2}$

136

$\left(x^2 - \dfrac{3}{x} + 2y\right)^6$의 전개식에서 x^7y의 계수는?

① -160 ② -165 ③ -170

④ -175 ⑤ -180

137

$(1-x) + (1-x^2)^2 + (1-x^3)^3 + \cdots + (1-x^{20})^{20}$의 전개식에서 x^{10}의 계수는?

① 16 ② 10 ③ 5

④ 0 ⑤ -5

138

다항식 $2(x+a)^n$의 전개식에서 x^{n-1}의 계수와 다항식 $(x-1)(x+a)^n$의 전개식에서 x^{n-1}의 계수가 같게 되는 모든 순서쌍 $(a,\ n)$에 대하여 an의 최댓값을 구하여라.

(단, a는 자연수이고, n은 $n \geq 2$인 자연수이다.)

139 〔100점 도전〕

$3^{2018} + 5^{2018}$을 16으로 나누었을 때의 나머지는?

① 0 ② 2 ③ 4

④ 6 ⑤ 8

140

원 위에 있는 서로 다른 20개의 점 중에서 $n\ (n \geq 3)$개의 점을 이어 만들 수 있는 n각형의 개수를 $f(n)$이라고 하자. 이때, $f(3) + f(5) + f(7) + f(9) + \cdots + f(19)$의 값은?

① 2^{19-1} ② $2^{19} - 3$ ③ $2^{19} - 10$

④ $2^{19} - 15$ ⑤ $2^{19} - 20$

II

확률

03 확률의 뜻과 덧셈정리

더 자세한 개념은 풍산자 확률과 통계 59쪽

1 시행과 사건

(1) 시행 : 같은 조건에서 반복할 수 있으며 그 결과가 우연에 의해 결정되는 실험이나 관찰

(2) 표본공간 : 어떤 시행에서 일어날 수 있는 모든 결과의 집합

(3) 사건 : 표본공간의 부분집합

(4) 배반사건 : 두 사건 A, B에 대하여 A와 B가 동시에 일어나지 않을 때, 즉 $A \cap B = \varnothing$일 때, A와 B는 서로 배반이라 하고, 이 두 사건을 배반사건이라고 한다.

(5) 여사건 : A가 일어나지 않는 사건을 A의 여사건이라 하고, 기호로 A^C과 같이 나타낸다.

> 참고 $A \cap A^C = \varnothing$이므로 A와 A^C은 서로 배반사건이다.

2 확률

(1) 확률 : 어떤 시행에서 사건 A가 일어날 가능성을 수로 나타낸 것을 사건 A의 확률이라 하고, 기호로 $\mathrm{P}(A)$와 같이 나타낸다.

> 표본공간의 부분집합 중에서 한 개의 원소로 이루어진 사건

(2) 수학적 확률 : 어떤 시행에서 표본공간 S의 각 근원사건이 일어날 가능성이 모두 같은 정도로 기대될 때, 사건 A가 일어날 확률은

$$\mathrm{P}(A) = \frac{n(A)}{n(S)} = \frac{(\text{사건 } A \text{가 일어나는 경우의 수})}{(\text{일어날 수 있는 모든 경우의 수})}$$

이것을 사건 A의 수학적 확률이라고 한다.

(3) 통계적 확률 : 같은 시행을 n번 반복하여 사건 A가 일어날 횟수를 r_n이라고 하면 n이 한없이 커짐에 따라 상대도수 $\dfrac{r_n}{n}$이 일정한 값 p에 가까워질 때, 이 값 p를 사건 A의 통계적 확률이라고 한다.

3 확률의 기본 성질

표본공간 S의 임의의 사건 A에 대하여
① $0 \le \mathrm{P}(A) \le 1$
② $A = S$이면 $\mathrm{P}(A) = 1$
③ $A = \varnothing$이면 $\mathrm{P}(A) = 0$

> 참고 어떤 시행에서 반드시 일어나는 사건을 전사건이라 하고, 이것은 표본공간 S와 같다. 또, 절대로 일어나지 않는 사건을 공사건이라 하고, 기호로 $\varnothing$와 같이 나타낸다.

4 확률의 덧셈정리와 여사건의 확률

(1) 확률의 덧셈정리
두 사건 A, B에 대하여
$$\mathrm{P}(A \cup B) = \mathrm{P}(A) + \mathrm{P}(B) - \mathrm{P}(A \cap B)$$
특히, 두 사건 A, B가 서로 배반사건이면
$$\mathrm{P}(A \cup B) = \mathrm{P}(A) + \mathrm{P}(B)$$
($A \cap B = \varnothing$)

(2) 여사건의 확률
사건 A와 그 여사건 A^C에 대하여
$$\mathrm{P}(A^C) = 1 - \mathrm{P}(A), \ \mathrm{P}(A) = 1 - \mathrm{P}(A^C)$$

문제 풀 때 유용한 **풍쌤 비법**

❶ 확률의 덧셈정리
문제에서 '또는', '~이거나' 라는 표현이 있는 사건의 확률은 확률의 덧셈정리를 이용한다.
(1) 두 사건 A, B가 서로 배반사건이 아니면 ⇨ $\mathrm{P}(A \cup B) = \mathrm{P}(A) + \mathrm{P}(B) - \mathrm{P}(A \cap B)$
(2) 두 사건 A, B가 서로 배반사건이면 ⇨ $\mathrm{P}(A \cup B) = \mathrm{P}(A) + \mathrm{P}(B)$

❷ 여사건의 확률
'적어도 ~인', '~ 이상인', '~ 이하인' 사건의 확률을 구하거나 어떤 사건의 확률을 구하는 것보다 그 여사건의 확률을 구하는 것이 더 쉬울 때 여사건의 확률을 이용한다.
⇨ $\mathrm{P}(A) = 1 - \mathrm{P}(A^C)$

01 시행과 사건

중요도 ▰▱▱

141

(상 중 하)

한 개의 주사위를 던지는 시행에서 다음을 구하여라.

(1) 표본공간

(2) 짝수의 눈이 나오는 사건

(3) 근원사건

142

(상 중 하)

한 개의 주사위를 던지는 시행에서 3의 배수의 눈이 나오는 사건을 A, 홀수의 눈이 나오는 사건을 B라고 할 때, 다음을 구하여라.

(1) $A \cup B$

(2) $A \cap B$

(3) A^C

143 ☏ 최多빈출

(상 중 하)

각 면에 1, 3, 5, 7의 숫자가 하나씩 적혀 있는 정사면체를 던져서 바닥에 있는 수를 확인하는 시행에서 표본공간을 S, 홀수가 나오는 사건을 A, 소수가 나오는 사건을 B, 4의 약수가 나오는 사건을 C라고 할 때, 〈보기〉에서 옳은 것을 모두 고른 것은?

┌─────────────────────── 보기 ●
│ ㄱ. $A^C = \varnothing$ ㄴ. $A \cap B = B$ ㄷ. $B \cup C = S$
└───────────────────────────

① ㄱ   ② ㄱ, ㄴ   ③ ㄱ, ㄷ

④ ㄴ, ㄷ   ⑤ ㄱ, ㄴ, ㄷ

144

(상 중 하)

한 개의 주사위를 차례로 두 번 던지는 시행에서 표본공간을 S, 첫 번째 시행에서 1의 눈이 나오는 사건을 A, 두 번째 시행에서 1의 눈이 나오는 사건을 B라고 하자. 다음 중 옳지 않은 것은? (단, $n(A)$는 집합 A의 원소의 개수이다.)

① $n(S) = 36$ ② $n(A) = 6$

③ $n(B) = 6$ ④ $n(A \cap B) = 1$

⑤ $n(A \cup B) = 12$

145

(상 중 하)

한 개의 동전을 두 번 던지는 시행에서 두 번 모두 뒷면이 나오는 사건을 A라고 할 때, 사건 A와 배반인 사건의 개수는?

① 2   ② 4   ③ 8

④ 16   ⑤ 32

146

(상 중 하)

1에서 10까지의 자연수가 각각 하나씩 적혀 있는 카드에서 한 장의 카드를 택하는 시행에 대하여 다음 〈보기〉의 사건 중 서로 배반인 사건끼리 짝지어진 것은?

┌─────────────────────── 보기 ●
│ ㄱ. 4의 약수가 나오는 사건
│ ㄴ. 소수가 나오는 사건
│ ㄷ. 홀수가 나오는 사건
│ ㄹ. 5 이상의 수가 나오는 사건
└───────────────────────────

① ㄱ과 ㄴ   ② ㄱ과 ㄷ   ③ ㄱ과 ㄹ

④ ㄴ과 ㄷ   ⑤ ㄷ과 ㄹ

147 상 중 하

한 개의 주사위를 던지는 시행에서 4의 배수의 눈이 나오는 사건을 A, 소수의 눈이 나오는 사건을 B라고 할 때, 두 사건 A, B와 모두 배반인 사건의 개수는?

① 2   ② 4   ③ 8
④ 16   ⑤ 32

---

02 수학적 확률   중요도

148 🔊 학평 기출   상 중 하

집합 $A=\{a_1, a_2, a_3, a_4, a_5\}$의 부분집합 중에서 임의로 한 개를 택할 때, 그 부분집합이 a_1 또는 a_2를 원소로 가질 확률은?

① $\dfrac{1}{2}$ ② $\dfrac{2}{3}$ ③ $\dfrac{3}{4}$

④ $\dfrac{4}{5}$ ⑤ $\dfrac{5}{6}$

---

149 상 중 하

1에서 100까지의 자연수가 각각 하나씩 적혀 있는 100개의 공이 들어 있는 주머니에서 공 1개를 꺼낼 때, 2의 배수이지만 3의 배수가 아닌 수가 적힌 공이 나올 확률은?

① $\dfrac{17}{50}$ ② $\dfrac{19}{50}$ ③ $\dfrac{21}{50}$

④ $\dfrac{23}{50}$ ⑤ $\dfrac{1}{2}$

---

150 상 중 하

서로 다른 두 개의 주사위를 동시에 던지는 시행에서 나오는 두 눈의 수의 차가 4 이상일 확률은?

① $\dfrac{5}{12}$ ② $\dfrac{1}{3}$ ③ $\dfrac{1}{4}$

④ $\dfrac{1}{6}$ ⑤ $\dfrac{1}{12}$

---

151 상 중 하

다음 그림과 같이 두 도시 A, B를 연결하는 5개의 길이 있다. 형은 A에서 B로, 동생은 B에서 A로 갈 때, 둘이 같은 길을 갈 경우나 이웃한 길을 갈 경우에만 서로의 모습을 볼 수 있다고 한다. 형과 동생이 길을 가는 도중에 서로의 모습을 볼 수 있을 확률은?

① $\dfrac{9}{25}$ ② $\dfrac{11}{25}$ ③ $\dfrac{13}{25}$

④ $\dfrac{3}{5}$ ⑤ $\dfrac{17}{25}$

---

152 🔊 최多빈출   상 중 하

남학생 5명, 여학생 4명을 한 줄로 세울 때, 여학생 4명이 서로 이웃할 확률을 구하여라.

153
(상 중 **하**)

수필집 3권, 시집 3권을 책꽂이에 한 줄로 꽂을 때, 수필집끼리는 이웃하지 않을 확률을 구하여라.

154
(상 중 **하**)

A, B, C, D, E의 5명이 긴 의자에 나란히 앉을 때, A와 B 사이에 한 명이 앉아 있을 확률은?

① $\dfrac{1}{10}$ ② $\dfrac{1}{5}$ ③ $\dfrac{3}{10}$

④ $\dfrac{2}{5}$ ⑤ $\dfrac{1}{2}$

155
(상 중 **하**)

1, 2, 3, 4, 5의 숫자가 각각 하나씩 적혀 있는 5장의 카드가 있다. 이 카드 중에서 4장의 카드를 한 줄로 나열할 때, 2, 3이 양 끝에 나열될 확률은?

① $\dfrac{1}{7}$ ② $\dfrac{1}{8}$ ③ $\dfrac{1}{9}$

④ $\dfrac{1}{10}$ ⑤ $\dfrac{1}{11}$

156 📞최多빈출
(상 **중** 하)

1, 2, 3, 4, 5의 숫자가 각각 하나씩 적혀 있는 5장의 카드로 네 자리의 정수를 만들 때, 4300보다 클 확률은?

① $\dfrac{3}{5}$ ② $\dfrac{1}{2}$ ③ $\dfrac{2}{5}$

④ $\dfrac{3}{10}$ ⑤ $\dfrac{1}{5}$

157
(상 **중** 하)

한국의 육상 선수 3명과 중국의 육상 선수 3명을 한 줄로 세울 때, 서로 다른 나라 선수끼리 교대로 설 확률은?

① $\dfrac{1}{10}$ ② $\dfrac{1}{5}$ ③ $\dfrac{3}{10}$

④ $\dfrac{2}{5}$ ⑤ $\dfrac{1}{2}$

158 📞학평 기출
(상 **중** 하)

어느 여객선의 좌석이 A구역에 2개, B구역에 1개, C구역에 1개 남아 있다. 남아 있는 좌석을 남자 승객 2명과 여자 승객 2명에게 임의로 배정할 때, 남자 승객 2명이 모두 A구역에 배정될 확률을 p라고 하자. $120p$의 값을 구하여라.

159
(상 **중** 하)

mother에 있는 6개의 문자를 한 줄로 나열할 때, 양 끝에 모음이 올 확률은?

① $\dfrac{2}{45}$ ② $\dfrac{1}{15}$ ③ $\dfrac{4}{45}$

④ $\dfrac{1}{9}$ ⑤ $\dfrac{2}{15}$

160
(상 **중** 하)

A, B 두 사람을 포함하여 5명이 원탁에 둘러앉을 때, A, B가 서로 이웃할 확률은?

① $\dfrac{3}{10}$ ② $\dfrac{2}{5}$ ③ $\dfrac{1}{2}$

④ $\dfrac{3}{5}$ ⑤ $\dfrac{7}{10}$

161 최多빈출 〔상 중 하〕

남학생 3명, 여학생 5명 중에서 대표 2명을 뽑을 때, 2명 모두 여학생이 뽑힐 확률을 구하여라.

162 〔상 중 하〕

흰 공 2개, 검은 공 3개, 빨간 공 4개가 들어 있는 주머니에서 6개의 공을 동시에 꺼낼 때, 흰 공 1개, 검은 공 2개, 빨간 공 3개가 뽑힐 확률은?

① $\frac{1}{7}$ ② $\frac{2}{7}$ ③ $\frac{3}{7}$

④ $\frac{4}{7}$ ⑤ $\frac{5}{7}$

163 〔상 중 하〕

흰 공 2개, 노란 공 2개, 파란 공 2개가 들어 있는 주머니가 있다. 이 주머니에서 임의로 3개의 공을 동시에 꺼낼 때, 공의 색깔이 모두 다를 확률은?

① $\frac{2}{5}$ ② $\frac{1}{2}$ ③ $\frac{3}{5}$

④ $\frac{7}{10}$ ⑤ $\frac{4}{5}$

164 〔상 중 하〕

10개의 제비 중에 당첨 제비가 3개 들어 있다. 이 중에서 3개의 제비를 동시에 뽑을 때, 2개만 당첨될 확률은?

① $\frac{3}{20}$ ② $\frac{7}{40}$ ③ $\frac{1}{5}$

④ $\frac{9}{40}$ ⑤ $\frac{1}{4}$

165 〔상 중 하〕

다섯 명의 학생 A, B, C, D, E 중에서 3명의 임원을 선출할 때, A는 선출되고 B는 선출되지 않을 확률은?

① $\frac{1}{10}$ ② $\frac{1}{5}$ ③ $\frac{3}{10}$

④ $\frac{2}{5}$ ⑤ $\frac{3}{5}$

166 학평 기출 〔상 중 하〕

오른쪽 그림과 같이 원주를 10등분한 10개의 점이 있다. 이 중에서 세 점을 택하여 삼각형을 만들 때, 이 삼각형이 직각삼각형이 될 확률은?

① $\frac{1}{7}$ ② $\frac{1}{5}$ ③ $\frac{1}{3}$

④ $\frac{1}{2}$ ⑤ $\frac{4}{5}$

167 〔상 중 하〕

오른쪽 그림과 같이 한 모서리의 길이가 1인 정육면체에서 두 꼭짓점을 택하여 선분을 이을 때, 선분의 길이가 $\sqrt{2}$ 이상일 확률은?

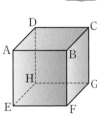

① $\frac{1}{3}$ ② $\frac{1}{5}$

③ $\frac{4}{5}$ ④ $\frac{1}{7}$

⑤ $\frac{4}{7}$

168 (상 중 하)

집합 {1, 2, 3, ···, 10}에서 임의로 6개의 원소를 택할 때, 두 번째로 작은 수가 3일 확률은?

① $\dfrac{1}{60}$　　　② $\dfrac{1}{6}$　　　③ $\dfrac{1}{3}$

④ $\dfrac{1}{2}$　　　⑤ $\dfrac{3}{5}$

169 (상 중 하)

1, 2, 3, ···, 11의 수가 각각 하나씩 적혀 있는 11개의 공이 들어 있는 상자에서 6개의 공을 동시에 꺼낼 때, 공에 적힌 수의 합이 홀수일 확률은?

① $\dfrac{100}{231}$　　　② $\dfrac{115}{231}$　　　③ $\dfrac{1}{2}$

④ $\dfrac{118}{231}$　　　⑤ $\dfrac{6}{11}$

170 ☎ 학평 기출 (상 중 하)

어느 동호회 회원 21명이 5인승, 7인승, 9인승의 차 3대에 나누어 타고 여행을 떠나려고 한다. 현재 5인승, 7인승, 9인승의 차에 각각 4명, 5명, 6명이 타고 있고, A와 B를 포함한 6명이 아직 도착하지 않았다. 이 6명을 차 3대에 임의로 배정할 때, A와 B가 같은 차에 배정될 확률은 $\dfrac{q}{p}$ 이다. $10p+q$의 값을 구하여라.

(단, p와 q는 서로소인 자연수이다.)

03 통계적 확률

중요도 ▭▭▭

171 (상 중 하)

다음 표는 어느 해의 주요 자동차 생산국들의 자동차 생산량을 나타낸 것이다. 이들 중 한 대를 택하였을 때, 그것이 한국에서 생산되었을 확률을 a, 아시아에서 생산되었을 확률을 b라고 할 때, $a+b$의 값은?

(단위 : 천 대)

생산국	일본	미국	독일	프랑스	한국	합계
생산량	11000	10000	4000	3000	2000	30000

① $\dfrac{1}{15}$　　　② $\dfrac{1}{6}$　　　③ $\dfrac{1}{5}$

④ $\dfrac{1}{3}$　　　⑤ $\dfrac{1}{2}$

172 (상 중 하)

주사위 한 개를 던졌을 때, 4의 약수의 눈이 나올 확률은 p 이고, 이 주사위를 6000회 던졌을 때 1의 눈이 나올 횟수는 대략 q회로 예상할 수 있다. p, q를 차례대로 나열한 것은?

① $\dfrac{1}{2}$, 1200　　　② $\dfrac{1}{2}$, 1000

③ $\dfrac{1}{2}$, 800　　　④ $\dfrac{1}{3}$, 1000

⑤ $\dfrac{1}{3}$, 800

173 (상 중 하)

어떤 모둠의 학생 10명 중에서 2명을 뽑는 일을 여러 번 반복하여 시행하였더니 9번에 2번 꼴로 2명 모두 안경을 끼고 있었다. 이 모둠에서 안경을 끼고 있는 학생은 몇 명으로 예상할 수 있는가?

(단, 뽑힌 학생은 다시 원래 모둠으로 돌아간다.)

① 5명　　　② 6명　　　③ 7명

④ 8명　　　⑤ 9명

174 ✎ 학평 기출 (상 중 하)

주머니 안에 붉은 공, 흰 공을 합해서 15개의 공이 들어 있다. 이 주머니에서 임의로 2개의 공을 꺼내어 보고 다시 넣고 하는 일을 여러 번 반복하여 시행하였을 때, 5번에 1번 꼴로 2개 모두 붉은 공이었다고 한다. 이 주머니 속에는 몇 개의 붉은 공이 들어 있다고 볼 수 있는가?

① 5개   ② 6개   ③ 7개
④ 8개   ⑤ 9개

---

04 기하학적 확률   중요도 ▭▭▭

175 (상 중 하)

오른쪽 그림과 같이 한 변의 길이가 1인 정사각형 ABCD 내부에 임의로 한 점 P를 택할 때, △ABP가 예각삼각형이 될 확률은?

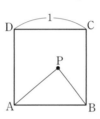

① $\dfrac{\pi}{10}$ ② $\dfrac{1}{2}$

③ $1-\dfrac{\pi}{8}$ ④ $1-\dfrac{\pi}{10}$

⑤ $\dfrac{3}{2}$

176 (상 중 하)

한 변의 길이가 10 cm인 정사각형 모양의 타일이 있다. 반지름의 길이가 2 cm인 동전 한 개를 중심이 타일 안에 놓이도록 할 때, 동전이 1장의 타일 안에 완전히 놓일 확률은?

① $\dfrac{1}{5}$ ② $\dfrac{7}{20}$ ③ $\dfrac{9}{25}$

④ $\dfrac{2}{5}$ ⑤ $\dfrac{1}{2}$

---

177 (상 중 하)

오른쪽 그림과 같이 한 변의 길이가 4인 정사각형 ABCD가 있다. 정사각형의 내부에 한 점 P를 잡을 때, 점 P에서 가장 가까운 꼭짓점까지의 거리가 2 이하일 확률은?

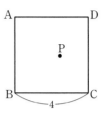

① $\dfrac{\pi}{32}$ ② $\dfrac{\pi}{16}$ ③ $\dfrac{\pi}{8}$

④ $\dfrac{\pi}{4}$ ⑤ $\dfrac{\pi}{2}$

---

05 확률의 기본 성질   중요도 ▭▭▭

178 (상 중 하)

표본공간 $S=\{1,\ 2,\ 3,\ 4,\ 5,\ 6\}$에서 임의로 하나의 원소를 택할 때, 4의 약수인 사건을 A, 6 이하인 수인 사건을 B라고 하자. $\mathrm{P}(A)+\mathrm{P}(B)$의 값을 구하여라.

179 ✎ 최多빈출 (상 중 하)

표본공간 S의 임의의 두 사건 A, B에 대하여 〈보기〉에서 옳은 것을 모두 고른 것은?

보기
> ㄱ. $0 \leq \mathrm{P}(A) \leq 1$
> ㄴ. $\mathrm{P}(S)+\mathrm{P}(\varnothing)=1$
> ㄷ. $1 \leq \mathrm{P}(A)+\mathrm{P}(B) \leq 2$

① ㄱ   ② ㄴ   ③ ㄱ, ㄴ
④ ㄱ, ㄷ   ⑤ ㄱ, ㄴ, ㄷ

06 확률의 덧셈정리
중요도 ▭▭▭▭

180
(상 중 **하**)

두 사건 A, B에 대하여
$$P(A) = \frac{1}{2}, P(B) = \frac{1}{5}, P(A \cap B) = \frac{1}{10}$$
일 때, 다음을 구하여라. (단, A^C은 A의 여사건이다.)

(1) $P(A \cup B)$

(2) $P(A^C \cup B^C)$

181 ☎ 학평 기출
(상 중 **하**)

두 사건 A, B가 서로 배반사건이고
$$P(A) = \frac{1}{3}, P(B) = \frac{1}{4}$$
일 때, $P(A \cup B)$는?

① $\frac{1}{12}$ ② $\frac{1}{4}$ ③ $\frac{5}{12}$

④ $\frac{7}{12}$ ⑤ $\frac{3}{4}$

182 ☎ 최 多 빈출
(상 **중** 하)

오른쪽 그림은 표본공간 S와 세 사건 A, B, C를 벤다이어그램으로 나타낸 것이다.
$$P(A) = 0.3, P(B) = 0.4,$$
$$P(C) = 0.1, P(A \cap B) = 0.2$$
일 때, 〈보기〉에서 옳은 것을 모두 고른 것은?

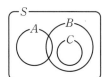

┌─────────────────── 보기 ┐
│ ㄱ. $P(A \cup B) = 0.5$
│ ㄴ. $P(A \cup C) = 0.2$
│ ㄷ. $P(B \cup C) = 0.4$
└──────────────────────────┘

① ㄱ   ② ㄴ   ③ ㄷ

④ ㄱ, ㄴ   ⑤ ㄱ, ㄷ

183
(상 **중** 하)

두 사건 A, B에 대하여
$$P(A \cap B^C) = P(A^C \cap B) = \frac{1}{8}, P(A \cup B) = \frac{7}{12}$$
일 때, $P(A \cap B)$는? (단, A^C은 A의 여사건이다.)

① $\frac{1}{12}$ ② $\frac{1}{6}$ ③ $\frac{1}{4}$

④ $\frac{1}{3}$ ⑤ $\frac{5}{12}$

184
(상 **중** 하)

두 사건 A, B에 대하여 A^C과 B는 서로 배반사건이고
$$P(A) = 3P(B) = \frac{2}{5}$$
일 때, $P(A \cap B^C)$은? (단, A^C은 A의 여사건이다.)

① $\frac{4}{15}$ ② $\frac{1}{3}$ ③ $\frac{2}{5}$

④ $\frac{7}{15}$ ⑤ $\frac{8}{15}$

185 ☎ 풍쌤 비법 ❶
(상 **중** 하)

주머니 속에 1에서 20까지의 자연수가 각각 하나씩 적혀 있는 20개의 공이 들어 있다. 이 주머니에서 임의로 한 개의 공을 꺼낼 때, 3의 배수 또는 5의 배수가 적혀 있는 공이 나올 확률은?

① $\frac{7}{20}$ ② $\frac{9}{20}$ ③ $\frac{11}{20}$

④ $\frac{13}{20}$ ⑤ $\frac{3}{4}$

186 (상 중 하)

서로 다른 두 개의 주사위를 동시에 던질 때, 나오는 두 눈의 수의 합이 9 이상이거나 소수일 확률은?

① $\frac{7}{12}$　　② $\frac{11}{18}$　　③ $\frac{23}{36}$

④ $\frac{8}{12}$　　⑤ $\frac{25}{36}$

187 최多빈출　풍쌤 비법❶ (상 중 하)

흰 공이 5개, 검은 공이 3개 들어 있는 주머니에서 3개의 공을 동시에 꺼낼 때, 모두 같은 색의 공이 나올 확률은?

① $\frac{1}{7}$　　② $\frac{9}{56}$　　③ $\frac{5}{28}$

④ $\frac{11}{56}$　　⑤ $\frac{3}{14}$

188 학평 기출 (상 중 하)

흰 공 6개와 빨간 공 4개가 들어 있는 주머니가 있다. 이 주머니에서 임의로 4개의 공을 동시에 꺼낼 때, 꺼낸 4개의 공 중 흰 공의 개수가 3 이상일 확률은?

① $\frac{17}{42}$　　② $\frac{19}{42}$　　③ $\frac{1}{2}$

④ $\frac{23}{42}$　　⑤ $\frac{25}{42}$

189 (상 중 하)

서로 다른 두 개의 주사위를 동시에 던질 때, 나오는 두 눈의 수를 각각 a, b라고 하자. 이때, x에 대한 방정식 $ax-b=0$의 해가 1 또는 2일 확률은?

① $\frac{1}{3}$　　② $\frac{1}{4}$　　③ $\frac{1}{5}$

④ $\frac{1}{6}$　　⑤ $\frac{1}{7}$

190 (상 중 하)

오른쪽 그림과 같이 점 P가 한 변의 길이가 1인 정사각형 ABCD의 꼭짓점 A에서 출발하여 한 개의 주사위를 던져서 나온 눈의 수만큼 정사각형의 변을 따라 화살표 방향으로 이동한다. 한 개의 주사위를 두 번 던진 후 꼭짓점 A가 꼭짓점 D에 놓일 확률을 구하여라.

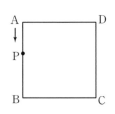

(단, 두 번째 던질 때의 출발점은 첫 번째의 도착점이다.)

07 여사건의 확률　중요도 ▮▮▮

191 (상 중 하)

10개의 제품 중 2개의 불량품이 들어 있는 상자에서 3개의 제품을 꺼낼 때, 적어도 한 개가 불량품일 확률은?

① $\frac{4}{15}$　　② $\frac{1}{3}$　　③ $\frac{2}{5}$

④ $\frac{7}{15}$　　⑤ $\frac{8}{15}$

192 ╲풍쌤 비법 ❷╱ (상 중 하)

8개의 문자 s, e, d, u, l, i, t, y를 한 줄로 나열할 때, 적어도 한 쪽 끝에 모음이 올 확률은?

① $\dfrac{5}{14}$ ② $\dfrac{3}{7}$ ③ $\dfrac{1}{2}$

④ $\dfrac{4}{7}$ ⑤ $\dfrac{9}{14}$

193 ╲최 多 빈출 (상 중 하)

서로 다른 세 개의 주사위를 동시에 던질 때, 적어도 두 개의 주사위의 눈이 다를 확률은?

① $\dfrac{215}{216}$ ② $\dfrac{35}{36}$ ③ $\dfrac{5}{6}$

④ $\dfrac{2}{3}$ ⑤ $\dfrac{1}{2}$

194 (상 중 하)

남학생과 여학생이 각각 3명씩 있다. 이 중에서 2명의 대표를 선출할 때, 적어도 한 명은 여학생일 확률은?

① $\dfrac{2}{5}$ ② $\dfrac{1}{2}$ ③ $\dfrac{3}{5}$

④ $\dfrac{7}{10}$ ⑤ $\dfrac{4}{5}$

195 (상 중 하)

빨간 구슬 7개, 흰 구슬 5개가 들어 있는 주머니에서 3개의 구슬을 동시에 꺼낼 때, 적어도 한 개가 흰 구슬일 확률은?

① $\dfrac{7}{44}$ ② $\dfrac{37}{190}$ ③ $\dfrac{2}{3}$

④ $\dfrac{153}{190}$ ⑤ $\dfrac{37}{44}$

196 ╲풍쌤 비법 ❷╱ (상 중 하)

한 개의 주사위를 두 번 던져서 첫 번째 나온 눈의 수를 a, 두 번째 나온 눈의 수를 b라고 할 때, 직선 $ax+by-8=0$이 점 $\mathrm{P}(2, 2)$를 지나지 않을 확률은?

① $\dfrac{17}{18}$ ② $\dfrac{11}{12}$ ③ $\dfrac{13}{15}$

④ $\dfrac{1}{12}$ ⑤ $\dfrac{1}{18}$

197 ╲학평 기출 (상 중 하)

한 개의 주사위를 두 번 던져서 나온 눈의 수를 각각 a, b라고 할 때, 연립방정식 $2x+ay=3$, $-4x-by=b$의 해가 존재할 확률은?

① $\dfrac{1}{2}$ ② $\dfrac{2}{3}$ ③ $\dfrac{3}{4}$

④ $\dfrac{5}{6}$ ⑤ $\dfrac{11}{12}$

198 (상 중 하)

한 개의 주사위를 세 번 던져서 나온 눈의 수의 최솟값을 m이라고 할 때, $m=1$일 확률을 구하여라.

199 (상 중 하)

주머니 안에 1에서 9까지의 자연수가 각각 하나씩 적혀 있는 9장의 카드가 들어 있다. 이 주머니에서 임의로 2장을 동시에 뽑아 그 수를 각각 a, b라고 할 때, 두 수 $\dfrac{b}{a}$, $\dfrac{a}{b}$가 모두 정수가 아닐 확률을 구하여라.

내신을 꽉 잡는 서술형

200

○표가 적혀 있는 3개의 제비와 ×표가 적혀 있는 3개의 제비가 있다. 이 6개의 제비 중에서 3개의 제비를 동시에 뽑았을 때, ×표가 적혀 있는 제비가 2개 이상 나올 확률을 구하여라.

201

A, B 두 개의 주사위를 동시에 던져서 나온 눈의 수를 각각 a, b라고 할 때, 이차방정식 $x^2 + 2ax + b = 0$이 실근을 가질 확률을 구하여라.

202

흰 공과 검은 공을 합하여 8개의 공이 들어 있는 주머니에서 공 2개를 동시에 꺼낼 때, 2개 모두 흰 공이 나올 확률이 $\dfrac{5}{14}$이다. 흰 공의 개수를 구하여라.

203

단어 triangle에 있는 8개의 문자를 한 줄로 나열할 때, 모음이 모두 홀수 번째 자리에 올 확률을 구하여라.

204

집합 $A = \{n \mid 1 \le n \le 50, \ n$은 자연수$\}$에 대하여 집합 A에서 임의로 하나의 정수 a를 선택할 때, 이차방정식 $6x^2 - 5ax + a^2 = 0$이 정수해를 가질 확률을 구하여라.

205

10개의 제비 중에 당첨 제비가 k개 들어 있다. 이 중에서 2개의 제비를 동시에 뽑을 때, 적어도 한 개가 당첨 제비일 확률은 $\dfrac{8}{15}$이다. 이때, k의 값을 구하여라.

고득점을 향한 도약

206

1에서 10까지의 자연수가 각각 하나씩 적혀 있는 10개의 구슬이 들어 있는 주머니에서 임의로 한 개의 구슬을 꺼낼 때, 그 구슬에 적혀 있는 수를 m이라고 하자. 이때, 직선 $y=m$과 포물선 $y=-x^2+5x-\dfrac{3}{4}$이 만날 확률은?

① $\dfrac{1}{5}$　　　② $\dfrac{3}{10}$　　　③ $\dfrac{2}{5}$

④ $\dfrac{1}{2}$　　　⑤ $\dfrac{3}{5}$

207

오른쪽 그림과 같이 5개의 정사각형 중 한 개에서 두더지 인형이 튀어나왔다 들어가고, 다시 한 정사각형에서 두더지 인형이 튀어나왔다 들어가기를 반복하는 오락 기계가 있다. 매번 각 정사각형에서 두더지 인형이 나올 가능성이 모두 같다. 이 오락 기계의 두더지 인형이 두 번 튀어나왔다가 들어갈 때, 두더지 인형이 나온 두 정사각형이 서로 이웃할 확률은? (단, 한 변을 공유하는 두 정사각형을 이웃하는 정사각형이라고 한다.)

① $\dfrac{4}{25}$　　　② $\dfrac{1}{5}$　　　③ $\dfrac{6}{25}$

④ $\dfrac{7}{25}$　　　⑤ $\dfrac{8}{25}$

208

네 학생 A, B, C, D가 각각 자신의 수학 교과서를 한 권씩 꺼내어 4권을 섞어 놓고, 임의로 한 권씩 선택하기로 하였다. D가 먼저 A의 교과서를 선택하였을 때, 나머지 세 학생이 아무도 자신의 교과서를 선택하지 못할 확률은 $\dfrac{q}{p}$이다. $10(p+q)$의 값은?

(단, p와 q는 서로소인 자연수이다.)

① 30　　　② 40　　　③ 50

④ 60　　　⑤ 70

209 ⟮100점 도전⟯

$1\le m\le 100$, $1\le n\le 100$인 두 자연수 m, n에 대하여 2^m+3^n의 일의 자리의 숫자가 3의 배수일 확률을 구하여라.

210

0, 1, 2, $\cdots$, 9의 정수가 각각 하나씩 적혀 있는 10장의 카드 중 임의로 꺼낸 한 장의 카드에 적혀 있는 수를 a, 남은 9장의 카드 중 임의로 꺼낸 한 장의 카드에 적혀 있는 수를 b라고 하자. 이때, 백의 자리 숫자, 십의 자리 숫자, 일의 자리 숫자가 각각 5, a, b인 세 자리의 자연수가 6의 배수가 될 확률은?

① $\dfrac{7}{45}$　　　② $\dfrac{1}{5}$　　　③ $\dfrac{4}{15}$

④ $\dfrac{14}{45}$　　　⑤ $\dfrac{1}{3}$

211 〔100점 도전〕

3명씩 탑승한 두 대의 자동차 A, B가 어느 휴게소에서 만났다. 이들 6명은 연료 절약을 위하여 좌석 수가 6개인 자동차 B에 모두 승차하려고 한다. 자동차 B의 운전자는 자리를 바꾸지 않고 나머지 5명은 임의로 앉을 때, 처음부터 자동차 B에 탔던 2명이 모두 처음 좌석이 아닌 다른 좌석에 앉게 될 확률은 $\dfrac{q}{p}$이다. 이때, $p+q$의 값은?

(단, p와 q는 서로소인 자연수이다.)

① 31   ② 32   ③ 33
④ 34   ⑤ 35

212

한 평면 위에 서로 다른 10개의 점이 있다. 그중 6개의 점은 직선 l 위에 있고, 나머지 4개는 직선 m 위에 있다. 이 10개의 점 중에서 3개의 점을 택하여 선분으로 이었을 때, 삼각형이 만들어질 확률은?

① $\dfrac{2}{5}$ ② $\dfrac{1}{2}$ ③ $\dfrac{3}{5}$
④ $\dfrac{7}{10}$ ⑤ $\dfrac{4}{5}$

213

한 변의 길이가 1인 정사각형 12개를 오른쪽 그림과 같이 배치했을 때 나타나는 24개의 점 중에서 임의로 2개의 점을 택하여 선분을 만들 때, 선분의 길이가 $\sqrt{10}$일 확률은?

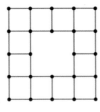

① $\dfrac{2}{69}$ ② $\dfrac{4}{69}$ ③ $\dfrac{2}{23}$
④ $\dfrac{8}{69}$ ⑤ $\dfrac{10}{69}$

214

다음 그림과 같은 10장의 카드가 있다.

    ⋯

카드를 모두 뒤집어 놓고 A, B 두 사람이 각각 두 장의 카드를 동시에 뽑아 카드에 적혀 있는 두 수의 곱이 큰 쪽이 이기는 놀이를 하였다. A가 2^3, 2^{10}이 적혀 있는 카드를 뽑았을 때, A가 이기거나 비길 확률은?

(단, 뽑은 카드는 다시 넣지 않는다.)

① $\dfrac{5}{14}$ ② $\dfrac{7}{14}$ ③ $\dfrac{9}{14}$
④ $\dfrac{11}{14}$ ⑤ $\dfrac{13}{14}$

215

서로 다른 6켤레의 신발 중에서 임의로 오른쪽 신발 2짝과 왼쪽 신발 2짝을 집었을 때, 이 중에서 적어도 1켤레의 신발의 짝이 맞을 확률은?

① $\dfrac{1}{5}$ ② $\dfrac{1}{3}$ ③ $\dfrac{1}{2}$
④ $\dfrac{3}{5}$ ⑤ $\dfrac{5}{7}$

216

한 개의 주사위를 5번 던져서 나오는 눈의 수를 차례로 a, b, c, d, e라고 하자. 이때,
$(a-b)(b-c)(c-d)(d-e)=0$일 확률을 구하여라.

04 조건부확률

더 자세한 개념은 풍산자 확률과 통계 78쪽

1 조건부확률

(1) 조건부확률
확률이 0이 아닌 두 사건 A, B에 대하여 사건 A가 일어났다고 가정할 때, 사건 B가 일어날 확률을 사건 A가 일어났을 때 사건 B의 조건부확률이라 하고, 기호로 $P(B|A)$와 같이 나타낸다.

(2) 조건부확률의 계산
사건 A가 일어났을 때, 사건 B의 조건부확률은
$$P(B|A) = \frac{P(A \cap B)}{P(A)} \text{ (단, } P(A) > 0\text{)}$$

2 확률의 곱셈정리

확률이 0이 아닌 두 사건 A, B가 동시에 일어날 확률은
$$P(A \cap B) = P(A)P(B|A) = P(B)P(A|B)$$

참고 $P(A \cup B) = P(A) + P(B) - P(A)P(B|A)$
$= P(A) + P(B) - P(B)P(A|B)$

3 사건의 독립과 종속

(1) 사건의 독립
두 사건 A, B에 대하여 사건 A가 일어나거나 일어나지 않는 것이 사건 B가 일어날 확률에 영향을 주지 않을 때, 즉
$$P(B|A) = P(B|A^c) = P(B)$$
일 때, 사건 A와 사건 B는 서로 독립이라고 한다.

참고 두 사건 A와 B가 서로 독립이면 A^c과 B, A와 B^c, A^c과 B^c도 모두 서로 독립이다.

(2) 사건의 종속
두 사건 A, B에 대하여 사건 A가 일어나거나 일어나지 않는 것이 사건 B가 일어날 확률에 영향을 줄 때, 즉
$$P(B|A) \neq P(B|A^c)$$
일 때, 사건 A와 사건 B는 서로 종속이라고 한다.

참고 $P(A|B) \neq P(A)$ 또는 $P(B|A) \neq P(B)$일 때, 사건 A와 사건 B는 서로 종속이라고 한다.

(3) 두 사건 A, B가 서로 독립이기 위한 필요충분조건은
$$P(A \cap B) = P(A)P(B) \text{ (단, } P(A) > 0, P(B) > 0\text{)}$$

4 독립시행의 확률

(1) 독립시행
동일한 시행을 여러 번 반복할 때, 각 시행의 결과가 다른 시행의 결과에 아무런 영향을 주지 않을 경우, 즉 각 시행이 모두 서로 독립일 경우에 이 시행을 독립시행이라고 한다.

(2) 독립시행의 확률
어떤 시행에서 사건 A가 일어날 확률을 p라고 할 때, 이 시행을 n회 반복한 독립시행에서 사건 A가 r회 일어날 확률은
① $r = 0$일 때 ${}_nC_0(1-p)^n$, 즉 $(1-p)^n$
② ${}_nC_r p^r(1-p)^{n-r}$ (단, $r = 1, 2, \cdots, n-1$)
③ $r = n$일 때 ${}_nC_n p^n$, 즉 p^n

문제 풀 때 유용한 **풍쌤 비법**

❶ 조건부확률

조건부확률 $P(B|A)$는 A를 새로운 표본공간으로 생각할 때의 사건 $A \cap B$가 일어날 확률이다.

따라서 사건 A가 일어나는 경우의 수를 $n(A)$라고 하면 $P(B|A) = \dfrac{n(A \cap B)}{n(A)}$로 구할 수 있다.

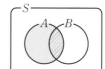

❷ 사건의 독립과 종속의 판정

두 사건 A, B가 독립인지 종속인지는 다음과 같은 순서로 판정한다.
① A, B, $A \cap B$의 경우의 수를 구한다.
② $P(A)$, $P(B)$, $P(A \cap B)$를 구한다.
③ $P(A \cap B) = P(A)P(B)$이면 독립이고, $P(A \cap B) \neq P(A)P(B)$이면 종속이다.

01 조건부확률의 계산

중요도

217 최多빈출

상 중 하

두 사건 A, B에 대하여

$$P(A) = \frac{1}{3}, P(A \cap B) = \frac{1}{6}$$

일 때, $P(B|A)$는?

① $\frac{1}{6}$ ② $\frac{1}{3}$ ③ $\frac{1}{2}$

④ $\frac{2}{3}$ ⑤ $\frac{5}{6}$

218 학평 기출

상 중 하

두 사건 A, B에 대하여

$$P(A \cap B) = \frac{1}{3}, P(A^c \cap B) = \frac{1}{4}$$

일 때, $P(A|B)$는? (단, A^c은 A의 여사건이다.)

① $\frac{1}{7}$ ② $\frac{2}{7}$ ③ $\frac{3}{7}$

④ $\frac{4}{7}$ ⑤ $\frac{5}{7}$

219

상 중 하

두 사건 A, B가 서로 배반사건이고

$$P(A) = \frac{1}{8}, P(B) = \frac{1}{4}$$

일 때, $P(B|A^c)$은? (단, A^c은 A의 여사건이다.)

① $\frac{1}{7}$ ② $\frac{2}{7}$ ③ $\frac{3}{7}$

④ $\frac{4}{7}$ ⑤ $\frac{5}{7}$

220

상 중 하

두 사건 A, B에 대하여

$$P(A) = \frac{2}{3}, P(B) = \frac{2}{5}, P(A \cap B) = \frac{1}{5}$$

일 때, $P(B^c|A^c)$은? (단, A^c은 A의 여사건이다.)

① $\frac{2}{5}$ ② $\frac{1}{2}$ ③ $\frac{3}{5}$

④ $\frac{7}{10}$ ⑤ $\frac{4}{5}$

221

상 중 하

두 사건 A, B에 대하여

$$P(A) = \frac{1}{3}, P(B) = \frac{1}{4}, P(A|B) = \frac{1}{3}$$

일 때, $P(A^c \cap B^c)$은?

(단, A^c은 A의 여사건이다.)

① $\frac{1}{6}$ ② $\frac{1}{4}$ ③ $\frac{1}{3}$

④ $\frac{1}{2}$ ⑤ $\frac{2}{3}$

02 조건부확률

중요도

222

상 중 하

남녀 합반인 어느 반에서 임의로 한 명을 뽑을 때, 여학생이 뽑힐 확률은 $\frac{5}{6}$이고, 혈액형이 O형인 여학생이 뽑힐 확률은 $\frac{1}{3}$이다. 임의로 한 명을 뽑았더니 여학생이었을 때, 그 여학생의 혈액형이 O형일 확률은?

① $\frac{1}{10}$ ② $\frac{1}{5}$ ③ $\frac{3}{10}$

④ $\frac{2}{5}$ ⑤ $\frac{1}{2}$

223 상 중 하

한 개의 주사위를 두 번 던졌더니 첫 번째 나온 수가 두 번째 나온 수보다 컸을 때, 두 눈의 수의 합이 짝수일 확률은?

① $\dfrac{1}{2}$ ② $\dfrac{1}{3}$ ③ $\dfrac{1}{4}$

④ $\dfrac{2}{5}$ ⑤ $\dfrac{5}{6}$

224 ꙯학평 기출 상 중 하

어느 직업 체험 행사에 참가한 300명의 A 고등학교 1, 2학년 학생 중 남학생과 여학생의 수는 다음과 같다.

(단위 : 명)

구분	남학생	여학생
1학년	80	60
2학년	80	70

이 행사에 참가한 A 고등학교 1, 2학년 학생 중에서 임의로 택한 한 명이 여학생일 때, 이 학생이 2학년 학생일 확률은?

① $\dfrac{6}{13}$ ② $\dfrac{7}{13}$ ③ $\dfrac{8}{13}$

④ $\dfrac{9}{13}$ ⑤ $\dfrac{10}{13}$

225 상 중 하

오른쪽 표는 어느 학급에서 동생이 있는지를 조사한 것이다. 이 중에서 임의로 뽑은 한 명이 남학생일 때, 그 학생에게 동생이 있을 확률은 $\dfrac{1}{4}$이다. 이때, x의 값은?

(단위 : 명)

학생 \ 동생	있다	없다
남학생	x	15
여학생	8	7

① 5 ② 6 ③ 7

④ 8 ⑤ 9

226 ꙯풍쌤 비법 ❶ 상 중 하

다음은 설악산 등반 대회에 참가한 어느 등산 동호 회원을 대상으로 등산 모자의 색을 조사한 표이다.

(단위 : 명)

	빨간색	파란색	노란색	합계
남자	8	10	3	21
여자	14	4	6	24
합계	22	14	9	45

이 중에서 임의로 뽑은 한 명의 모자가 노란색이었을 때, 그 사람이 여자일 확률을 p_1, 임의로 뽑은 한 명이 여자이었을 때, 그 여자의 모자가 노란색일 확률을 p_2라고 하자. p_1-p_2의 값은?

① $\dfrac{5}{12}$ ② $\dfrac{1}{3}$ ③ $\dfrac{1}{4}$

④ $\dfrac{1}{6}$ ⑤ 0

227 상 중 하

다음은 두 학생 A, B가 나눈 대화의 일부이다.

> A: 너희 반의 남학생, 여학생은 몇 명이니?
> B: 남학생은 18명이고, 여학생은 16명이야.
> A: 이번 학업성취도 평가 모두 응시했니?
> B: 응. 우리 반 모두 응시했어. 특히, 수학에서 가형을 선택한 남학생은 12명이고, 나형을 선택한 여학생은 7명이야.
> A: 그럼 너희 반에서 가형을 선택한 학생들 중 한 명을 뽑을 때, 그 학생이 여학생일 확률은 얼마일까?

이 대화에서 A의 마지막 질문에 대한 옳은 답은?

① $\dfrac{1}{7}$ ② $\dfrac{2}{7}$ ③ $\dfrac{3}{7}$

④ $\dfrac{4}{7}$ ⑤ $\dfrac{5}{7}$

228 학평 기출 (상 중 하)

어느 고등학교의 전체 학생을 대상으로 생활복 도입에 대한 찬반투표를 한 결과 전체 학생의 80 %가 찬성하였고, 20 %는 반대하였다. 이 고등학교의 전체 학생의 40 %가 여학생이었고, 생활복 도입에 찬성한 학생의 70 %가 남학생이었다. 이 고등학교의 전체 학생 중 임의로 택한 한 학생이 여학생일 때, 이 학생이 생활복 도입에 찬성하였을 확률은?

① $\dfrac{1}{5}$ ② $\dfrac{3}{10}$ ③ $\dfrac{2}{5}$

④ $\dfrac{1}{2}$ ⑤ $\dfrac{3}{5}$

229 (상 중 하)

오른쪽 표는 크기와 모양이 같은 35장의 카드에 a 또는 b 또는 c의 세 문자가 적혀 있는 카드 수를 나타낸 것이다. 이 중에서 임의로 뽑은 한 장의 카드에 a가 적혀 있을 때, 그 카드에 적힌 문자가 2개일 확률은? (단, A는 a가 적힌 것이고, $\overline{A}$는 a가 적히지 않은 것이다.)

(단위 : 장)

	A		$\overline{A}$	
	B	$\overline{B}$	B	$\overline{B}$
C	4	6	0	7
$\overline{C}$	3	2	5	8

① $\dfrac{2}{5}$ ② $\dfrac{1}{2}$ ③ $\dfrac{3}{5}$

④ $\dfrac{7}{10}$ ⑤ $\dfrac{4}{5}$

03 $P(A|B) = \dfrac{P(A \cap B)}{P(A \cap B) + P(A^c \cap B)}$ 중요도 ▮▮▯

230 (상 중 하)

남학생 60명, 여학생 40명 중에서 남학생 15명과 여학생 10명이 모자를 쓰고 있었다. 이 중에서 한 학생을 뽑을 때, 그 학생이 모자를 쓰고 있을 경우 이 학생이 여학생일 확률은?

① $\dfrac{1}{15}$ ② $\dfrac{1}{3}$ ③ $\dfrac{2}{5}$

④ $\dfrac{7}{15}$ ⑤ $\dfrac{3}{5}$

231 최多빈출 (상 중 하)

상자 A에는 흰 공 2개, 검은 공 4개, 상자 B에는 흰 공 3개, 검은 공 2개가 들어 있다. 이때, A, B 중에서 임의로 한 상자를 택하여 2개의 공을 꺼냈더니 흰 공 1개, 검은 공 1개가 나왔다. 택해진 상자가 A이었을 확률은?

① $\dfrac{8}{17}$ ② $\dfrac{10}{17}$ ③ $\dfrac{21}{34}$

④ $\dfrac{12}{17}$ ⑤ $\dfrac{25}{34}$

232 (상 중 하)

어느 회사는 같은 제품을 두 공장 A, B에서 각각 전체 제품의 60 %, 40 %를 생산하고 있다. 두 공장 A, B의 불량률은 각각 1 %, 2 %라고 한다. 임의로 택한 제품이 불량품이었을 때, 이 제품이 B공장에서 생산되었을 확률은?

① $\dfrac{1}{7}$ ② $\dfrac{2}{7}$ ③ $\dfrac{3}{7}$

④ $\dfrac{4}{7}$ ⑤ $\dfrac{5}{7}$

233 (상 중 하)

암을 조기에 발견하는 검사법으로 컴퓨터 단층 촬영이 있다. 다음은 이 촬영에 대한 연구 조사 중 일부를 발췌한 것이다.

> 암에 걸린 사람은 80 %의 확률로 정확하게 암이라고 진단을 받고, 암에 걸리지 않은 사람은 5 %의 확률로 암이라고 오진을 받는다.

암에 걸린 사람의 비율이 10 %인 어떤 집단에서 임의로 한 사람을 택하여 컴퓨터 단층 촬영을 하였더니 암에 걸렸다고 진단받았을 때, 이 사람이 정말로 암에 걸렸을 확률은?

① $\dfrac{3}{5}$ ② $\dfrac{16}{25}$ ③ $\dfrac{17}{25}$

④ $\dfrac{18}{25}$ ⑤ $\dfrac{19}{25}$

234 (상 중 하)

주머니 A에는 흰 공 2개, 검은 공 3개, 주머니 B에는 흰 공 3개, 검은 공 2개가 들어 있다. 주머니 A에서 1개의 공을 꺼내어 주머니 B에 넣은 후, 주머니 B에서 1개의 공을 다시 꺼냈더니 그 공이 흰 공이었다. 이때, 주머니 A에서 꺼낸 공도 흰 공이었을 확률은?

① $\dfrac{8}{17}$ ② $\dfrac{13}{17}$ ③ $\dfrac{14}{31}$

④ $\dfrac{15}{31}$ ⑤ $\dfrac{18}{31}$

235 (상 중 하)

5곳을 방문하면 1곳에서 모자를 잃어버리는 버릇이 있는 영수는 설날에 A, B, C 세 집을 차례로 방문하여 세배를 하고 집에 돌아와 보니 모자를 잃어버렸다. 이때, 모자를 세 번째 집 C에 두고 왔을 확률은?

① $\dfrac{13}{61}$ ② $\dfrac{14}{61}$ ③ $\dfrac{15}{61}$

④ $\dfrac{16}{61}$ ⑤ $\dfrac{17}{61}$

04 확률의 곱셈정리   중요도 ▮▮□

236 (상 중 하)

흰 공이 5개, 검은 공이 4개 들어 있는 주머니에서 공을 한 번씩 두 번 꺼낼 때, 두 번 모두 흰 공이 나올 확률은?
(단, 꺼낸 공은 다시 넣지 않는다.)

① $\dfrac{1}{18}$ ② $\dfrac{1}{6}$ ③ $\dfrac{5}{18}$

④ $\dfrac{7}{18}$ ⑤ $\dfrac{1}{2}$

237 📞 최 多 빈출 (상 중 하)

4개의 흰색 탁구공과 8개의 노란색 탁구공이 들어 있는 상자에서 공을 한 개씩 두 번 꺼낼 때, 첫 번째는 흰색 탁구공, 두 번째는 노란색 탁구공이 나올 확률은?
(단, 꺼낸 탁구공은 다시 넣지 않는다.)

① $\dfrac{5}{33}$ ② $\dfrac{2}{11}$ ③ $\dfrac{7}{33}$

④ $\dfrac{8}{33}$ ⑤ $\dfrac{3}{11}$

05 $P(B)=P(A\cap B)+P(A^c\cap B)$ 중요도 ▮▮▮

238 (상 중 하)

12개의 제비 중에 2개의 당첨 제비가 들어 있다. 갑, 을의 순서로 한 개씩 제비를 뽑을 때, 을이 당첨 제비를 뽑을 확률은? (단, 뽑은 제비는 다시 넣지 않는다.)

① $\dfrac{1}{2}$ ② $\dfrac{1}{3}$ ③ $\dfrac{1}{4}$

④ $\dfrac{1}{5}$ ⑤ $\dfrac{1}{6}$

239 (상 중 하)

주머니 A에는 흰 공 3개, 검은 공 2개가 들어 있고, 주머니 B에는 흰 공 3개, 검은 공 5개가 들어 있다. 주머니 A에서 임의로 1개의 공을 꺼내어 흰 공이면 흰 공 2개를 주머니 B에 넣고 검은 공이면 검은 공 1개를 주머니 B에 넣은 후 주머니 B에서 임의로 1개의 공을 꺼낼 때, 그것이 검은 공일 확률은?

① $\dfrac{3}{10}$ ② $\dfrac{11}{30}$ ③ $\dfrac{13}{30}$

④ $\dfrac{1}{2}$ ⑤ $\dfrac{17}{30}$

240 학평 기출 〈상 중 하〉

어떤 의사가 감기에 걸린 사람을 감기에 걸렸다고 진단할 확률은 98 %이고, 감기에 걸리지 않은 사람을 감기에 걸리지 않았다고 진단할 확률은 92 %라고 한다. 이 의사가 실제로 감기에 걸린 사람 400명과 실제로 감기에 걸리지 않은 사람 600명을 진찰하여 감기에 걸렸는지 아닌지를 진단하였다. 이 중에서 임의로 한 사람을 택하였을 때, 그 사람이 감기에 걸렸다고 진단받을 확률은?

① 39.2 % ② 40.0 % ③ 40.8 %
④ 44.0 % ⑤ 44.8 %

241 최多빈출 〈상 중 하〉

비가 온 다음 날에 비가 올 확률은 $\dfrac{1}{2}$이고, 비가 오지 않은 날의 다음 날에 비가 올 확률은 $\dfrac{1}{3}$이다. 월요일에 비가 왔을 때, 같은 주 목요일에도 비가 올 확률을 구하여라.

242 〈상 중 하〉

어느 음료 회사의 연간 청량음료 판매량은 그해 여름의 평균 기온에 크게 좌우된다. 과거의 자료에 따르면, 한 해의 판매 목표액을 달성할 확률은 그해 여름의 평균 기온이 예년보다 높을 경우에 0.8, 예년과 비슷할 경우에 0.6, 예년보다 낮을 경우에 0.3이다. 일기 예보에 따르면 내년 여름의 평균 기온이 예년보다 높을 확률이 0.4, 예년과 비슷할 확률이 0.5, 예년보다 낮을 확률이 0.1이라고 한다. 이 회사가 내년에 판매 목표액을 달성할 확률은?

① 0.55 ② 0.60 ③ 0.65
④ 0.70 ⑤ 0.75

06 사건의 독립과 종속의 판정
중요도 ▮▮▯

243 〈상 중 하〉

다음은 흡연과 폐암의 관계를 알아보기 위하여 100명의 조사 대상자 중 흡연자와 폐암 환자의 수를 나타낸 표이다.

(단위 : 명)

	폐암 환자(L)	비폐암 환자(L^c)
흡연자(S)	42	28
비흡연자(S^c)	18	12

서로 독립인 사건끼리 짝지은 것을 〈보기〉에서 모두 고른 것은?

보기
ㄱ. S와 L ㄴ. S와 L^c ㄷ. S^c와 L^c

① ㄱ ② ㄴ ③ ㄱ, ㄴ
④ ㄴ, ㄷ ⑤ ㄱ, ㄴ, ㄷ

244 〈상 중 하〉

표본공간 $S=\{1,\ 2,\ 3,\ 4,\ 5,\ 6\}$에 대하여 다음 중 사건 $\{1,\ 2,\ 3\}$과 독립인 사건은?

① $\{2,\ 3\}$ ② $\{3,\ 4\}$ ③ $\{4,\ 5\}$
④ $\{3,\ 4,\ 5\}$ ⑤ $\{4,\ 5,\ 6\}$

245 풍쌤 비법 ❷ 〈상 중 하〉

1에서 10까지의 자연수가 각각 적혀 있는 10장의 카드에서 한 장을 택할 때, 사건 A, B, C를 다음과 같이 정한다.

A : 10의 약수가 적혀 있는 카드가 나온다.
B : 짝수가 적혀 있는 카드가 나온다.
C : 소수가 적혀 있는 카드가 나온다.

이때, 서로 독립인 사건끼리 짝지은 것을 〈보기〉에서 모두 고른 것은?

보기
ㄱ. A와 B ㄴ. B와 C ㄷ. A와 C

① ㄱ ② ㄴ ③ ㄷ
④ ㄱ, ㄴ ⑤ ㄴ, ㄷ

246 (상**중**하)

다음은 어느 학교에서 전체 학생 350명을 대상으로 스마트폰이 있는지를 조사한 표이다.

(단위 : 명)

학생 \ 스마트폰	있다	없다	합계
남학생	a	b	200
여학생	c	d	150
합계	280	70	350

여학생일 사건과 스마트폰이 있을 사건이 서로 독립일 때, c의 값은?

① 90   ② 100   ③ 110
④ 120   ⑤ 130

247 📞 학평 기출 (상**중**하)

어느 회사의 전체 직원은 기혼 남성 6명, 미혼 남성 20명, 기혼 여성 36명, 미혼 여성 x명이다. 이 회사에서 직원 중 한 사람을 임의로 선택하여 선물을 주기로 하였다. 선택된 직원이 남성인 경우를 사건 A, 미혼인 경우를 사건 B라고 하자. 두 사건 A와 B가 서로 독립일 때, x의 값은?

① 6   ② 20   ③ 36
④ 100   ⑤ 120

07 독립과 종속의 성질   중요도 ▮▮▯

248 📞 최多빈출 (상**중**하)

두 사건 A, B에 대하여 〈보기〉에서 옳은 것을 모두 고른 것은? (단, $P(A)>0$, $P(B)>0$)

보기
ㄱ. $A \subset B$이면 $P(B|A)=1$이다.
ㄴ. A, B가 서로 배반이면 $P(B|A)=0$이다.
ㄷ. A, B가 서로 독립이면 A, B는 서로 배반이다.

① ㄱ   ② ㄱ, ㄴ   ③ ㄱ, ㄷ
④ ㄴ, ㄷ   ⑤ ㄱ, ㄴ, ㄷ

249 (상**중**하)

표본공간 S의 임의의 두 사건 A, B에 대하여 $P(A)\neq0$, $P(B)\neq0$일 때, 〈보기〉에서 옳은 것을 모두 고른 것은?

보기
ㄱ. A, B가 서로 독립이면 조건부확률 $P(A|B)$와 조건부확률 $P(B|A)$는 같다.
ㄴ. A, B가 서로 배반이면 $P(A)+P(B)\leq1$이다.
ㄷ. $P(A\cup B)=1$이면 B는 A의 여사건이다.
ㄹ. A, B가 서로 독립이면 A, B는 서로 배반이다.

① ㄱ   ② ㄴ   ③ ㄱ, ㄴ
④ ㄴ, ㄷ   ⑤ ㄱ, ㄴ, ㄹ

250 (상**중**하)

두 사건 A, B가 서로 독립일 때, 〈보기〉에서 옳은 것을 모두 고른 것은? (단, A^c은 A의 여사건이다.)

보기
ㄱ. $P(A^c|B^c)=1-P(A|B^c)$
ㄴ. $P(A|B^c)=1-P(A|B)$
ㄷ. $\{1-P(A)\}\{1-P(B)\}=1-P(A\cup B)$

① ㄱ   ② ㄴ   ③ ㄱ, ㄷ
④ ㄴ, ㄷ   ⑤ ㄱ, ㄴ, ㄷ

251 (상 중**하**)

두 사건 A, B가 서로 독립이고
$$P(A)=\frac{1}{3},\ P(A\cap B)=\frac{1}{12}$$
일 때, $P(B)$는?

① $\frac{1}{6}$ ② $\frac{1}{4}$ ③ $\frac{1}{3}$
④ $\frac{5}{12}$ ⑤ $\frac{1}{2}$

252 　📞최多빈출　　　상중하

두 사건 A, B가 서로 독립이고
$$P(B)=0.5, P(A^C \cap B)=0.2$$
일 때, $P(A \cup B)$는? (단, A^C은 A의 여사건이다.)

① 0.5　　　　② 0.6　　　　③ 0.7
④ 0.8　　　　⑤ 0.9

253 　📞학평 기출　　　상중하

두 사건 A, B가 서로 독립이고
$$P(A)=\frac{1}{6}, P(A \cap B^C)+P(A^C \cap B)=\frac{1}{3}$$
일 때, $P(B)$는? (단, A^C은 A의 여사건이다.)

① $\frac{1}{8}$　　　　② $\frac{1}{4}$　　　　③ $\frac{3}{8}$
④ $\frac{1}{2}$　　　　⑤ $\frac{5}{8}$

254 　　　상중하

두 사건 A, B가 서로 독립이고
$$P(A \cup B)=\frac{7}{10}, P(A \cap B)=\frac{1}{5}, P(A)>P(B)$$
일 때, $P(A)$는?

① $\frac{1}{3}$　　　　② $\frac{2}{5}$　　　　③ $\frac{1}{2}$
④ $\frac{3}{5}$　　　　⑤ $\frac{2}{3}$

255 　　　상중하

두 사건 A, B가 서로 독립이고
$$P(A \cup B)=\frac{1}{3}, P(A|B)=\frac{1}{4}$$
일 때, $P(A \cap B^C)$은? (단, B^C은 B의 여사건이다.)

① $\frac{1}{9}$　　　　② $\frac{2}{9}$　　　　③ $\frac{1}{3}$
④ $\frac{4}{9}$　　　　⑤ $\frac{5}{9}$

08 　독립인 사건의 곱셈정리　　　중요도 ▮▮▯

256 　📞최多빈출　　　상중하

찬우, 영수가 활을 쏘는데 찬우의 명중률은 $\frac{2}{3}$, 영수의 명중률은 $\frac{3}{5}$이라고 한다. 찬우와 영수가 동시에 활을 쏠 때, 두 명 중 한 명만 명중시킬 확률은?

① $\frac{1}{15}$　　　　② $\frac{1}{5}$　　　　③ $\frac{1}{3}$
④ $\frac{7}{15}$　　　　⑤ $\frac{3}{5}$

257 　　　상중하

오른쪽 그림과 같이 6등분한 원 안에 3칸은 흰색, 2칸은 빨간색, 1칸은 파란색으로 칠한 과녁이 있다. 화살을 2번 쏘아 2번 모두 같은 색을 맞히면 상품을 주기로 할 때, 상품을 받을 확률은? (단, 화살이 과녁을 벗어나거나 경계선을 맞히는 경우는 없다.)

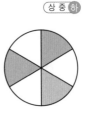

① $\frac{2}{9}$　　　　② $\frac{5}{18}$　　　　③ $\frac{1}{3}$
④ $\frac{7}{18}$　　　　⑤ $\frac{4}{9}$

258

(상 **중** 하)

주사위를 던져서 6의 눈이 나오면 동전을 2개, 6이 아닌 눈이 나오면 동전을 1개 던지기로 한다. 주사위를 한 번 던질 때, 동전의 앞면이 한 번 나올 확률은?

① $\dfrac{1}{5}$ ② $\dfrac{3}{10}$ ③ $\dfrac{2}{5}$

④ $\dfrac{1}{2}$ ⑤ $\dfrac{3}{5}$

259

(상 **중** 하)

A반과 B반이 배구 시합을 하는데 각 세트당 이길 확률은 A반, B반이 각각 $\dfrac{2}{3}$, $\dfrac{1}{3}$이다. 두 세트를 먼저 이기는 반이 우승한다고 할 때, A반이 우승할 확률은?

① $\dfrac{2}{3}$ ② $\dfrac{19}{27}$ ③ $\dfrac{20}{27}$

④ $\dfrac{7}{9}$ ⑤ $\dfrac{22}{27}$

260

(상 **중** 하)

철수와 영희는 볼링 시합에서 두 게임을 연속하여 이기는 사람이 우승하기로 하였다. 매 게임마다 철수가 영희를 이길 확률이 $\dfrac{2}{3}$라고 할 때, 다섯 번째 게임에서 철수가 우승할 확률은 $\dfrac{q}{p}$이다. 이때, $p+q$의 값은?

(단, p와 q는 서로소인 자연수이고, 비기는 경우는 없다.)

① 251 ② 252 ③ 253

④ 254 ⑤ 255

261

(상 **중** 하)

어떤 야구 선수가 상대 팀의 투수 A, B와 대결할 때, 안타를 칠 확률은 각각 0.2, 0.25이다. 한 경기에서 이 선수가 투수 A와 2회 대결한 후 투수 B와 1회 대결한다면 3회의 대결 중 2회 이상 안타를 칠 확률은?

① 0.10 ② 0.12 ③ 0.14

④ 0.15 ⑤ 0.16

262 ☎ 학평 기출

(상 **중** 하)

각 면에 1, 1, 1, 2의 숫자가 하나씩 적혀 있는 정사면체 모양의 상자를 던져서 밑면에 적혀 있는 숫자가 1이면 오른쪽 그림의 영역 A에, 숫자가 2이면 영역 B에 색칠하려고 한다. 두 영역에 모두 색칠할 때까지 이 상자를 계속 던질 때, 3번째에 마칠 확률을 $\dfrac{q}{p}$라고 하자. 이때, $p+q$의 값은?

(단, p와 q는 서로소인 자연수이다.)

① 15 ② 16 ③ 17

④ 18 ⑤ 19

263

(상 **중** 하)

각 면에 1, 2, 2, 3, 3, 3의 숫자가 하나씩 적혀 있는 정육면체 모양의 상자를 던져서 윗면에 적혀 있는 숫자를 읽기로 하자. 이 상자를 3번 던질 때, 첫 번째와 두 번째 나온 수의 합이 4이고, 세 번째 나온 수가 짝수일 확률은?

① $\dfrac{5}{54}$ ② $\dfrac{5}{27}$ ③ $\dfrac{5}{18}$

④ $\dfrac{10}{27}$ ⑤ $\dfrac{25}{54}$

264　　　(상 중 하)

한 개의 주사위를 5번 던질 때, 짝수의 눈이 3번 나올 확률은?

① $\dfrac{3}{16}$　　　② $\dfrac{1}{4}$　　　③ $\dfrac{5}{16}$

④ $\dfrac{3}{8}$　　　⑤ $\dfrac{7}{16}$

265　　　(상 중 하)

흰 공 3개, 빨간 공 6개가 들어 있는 주머니에서 임의로 한 개의 공을 꺼내어 그 색깔을 확인하고 주머니 속에 다시 넣는다. 이와 같은 시행을 10번 반복할 때, 흰 공이 r번 나올 확률을 $P(r)$라고 하자. 이때, $\dfrac{P(2)}{P(9)}$ 의 값은?

① 570　　　② 572　　　③ 574

④ 576　　　⑤ 578

266　　　(상 중 하)

지하 1층에서 5명이 엘리베이터를 탔다. 엘리베이터는 5층까지 연결되어 있고, 1층에서 5층까지 각 사람이 어느 층에 내리는가는 같은 정도로 기대된다. 이때, 3층에서 3명이 내릴 확률은?

① $\dfrac{136}{625}$　　　② $\dfrac{72}{625}$　　　③ $\dfrac{48}{625}$

④ $\dfrac{32}{625}$　　　⑤ $\dfrac{27}{625}$

267　📞최多빈출　　　(상 중 하)

어떤 의약품의 치유율이 $\dfrac{1}{2}$이라고 한다. 이 의약품으로 5명의 환자를 치료할 때, 적어도 2명이 치유될 확률은?

① $\dfrac{7}{16}$　　　② $\dfrac{9}{16}$　　　③ $\dfrac{11}{16}$

④ $\dfrac{13}{16}$　　　⑤ $\dfrac{15}{16}$

268　　　(상 중 하)

수학 문제 3문제를 풀면 2개를 맞힐 수 있는 실력을 가진 어떤 학생이 4개의 수학 문제 중 3문제를 맞히면 합격하는 시험에서 합격할 확률은?

① $\dfrac{14}{27}$　　　② $\dfrac{5}{9}$　　　③ $\dfrac{16}{27}$

④ $\dfrac{17}{27}$　　　⑤ $\dfrac{2}{3}$

269　📞학평 기출　　　(상 중 하)

주사위 1개와 동전 6개를 동시에 던질 때, 나온 주사위의 눈의 수와 앞면이 나온 동전의 개수가 서로 같을 확률은?

① $\dfrac{21}{128}$　　　② $\dfrac{1}{6}$　　　③ $\dfrac{11}{64}$

④ $\dfrac{25}{128}$　　　⑤ $\dfrac{15}{64}$

270 📞 학평 기출 (상 중 하)

주사위를 1개 던져서 나오는 눈의 수가 6의 약수이면 동전을 3개 동시에 던지고, 6의 약수가 아니면 동전을 2개 동시에 던진다. 1개의 주사위를 1번 던진 후 그 결과에 따라 동전을 던질 때, 앞면이 나오는 동전의 개수가 1일 확률은?

① $\dfrac{1}{3}$ ② $\dfrac{3}{8}$ ③ $\dfrac{5}{12}$

④ $\dfrac{11}{24}$ ⑤ $\dfrac{1}{2}$

271 📞 최多빈출 (상 중 하)

화살을 과녁에 명중시킬 확률이 $\dfrac{1}{3}$인 현정이가 흰 공이 3개, 검은 공이 1개 들어 있는 주머니에서 흰 공을 꺼내면 화살을 3번 쏘고, 검은 공을 꺼내면 4번 쏜다고 한다. 현정이가 화살을 과녁에 2번 명중시킬 확률은?

① $\dfrac{11}{54}$ ② $\dfrac{2}{9}$ ③ $\dfrac{13}{54}$

④ $\dfrac{7}{27}$ ⑤ $\dfrac{5}{18}$

272 (상 중 하)

수직선 위를 움직이는 점 P가 점 A에서 출발하여 다음 규칙에 따라 움직인다.

> (개) 두 주사위의 눈의 수의 합이 4 이하이면 +2만큼 이동
> (내) 두 주사위의 눈의 수의 합이 5 이상이면 −1만큼 이동

이때, 두 개의 주사위를 던져서 6회째에 점 P가 다시 점 A로 돌아올 확률을 $k \cdot \left(\dfrac{5}{6}\right)^5$이라고 할 때, k의 값은?

① $\dfrac{1}{2}$ ② 1 ③ $\dfrac{3}{2}$

④ 2 ⑤ $\dfrac{5}{2}$

273 (상 중 하)

한 개의 동전을 던져서 앞면이 나오면 20점, 뒷면이 나오면 10점을 얻을 때, 동전을 8회 던져서 140점을 얻을 확률은?

① $\dfrac{1}{16}$ ② $\dfrac{5}{64}$ ③ $\dfrac{3}{32}$

④ $\dfrac{7}{64}$ ⑤ $\dfrac{1}{8}$

274 (상 중 하)

수직선 위의 원점에 점 P가 있다. 한 개의 주사위를 던져서 소수의 눈이 나오면 오른쪽으로 1만큼, 소수의 눈이 나오지 않으면 왼쪽으로 1만큼 움직인다. 한 개의 주사위를 10회 던질 때, 점 P가 점 A의 위치에 있을 확률이 $\dfrac{q}{p}$이다. 이때, $p+q$의 값을 구하여라.

(단, p와 q는 서로소인 자연수이다.)

275 (상 중 하)

점 P가 좌표평면 위의 원점을 출발하여 한 개의 동전을 던져서 앞면이 나오면 x축의 방향으로 1만큼, 뒷면이 나오면 y축의 방향으로 1만큼 움직인다고 한다. 한 개의 동전을 5번 던져서 위의 규칙에 따라 점 P가 움직였을 때, 원점에서 점 P까지의 거리가 4 이하일 확률은?

① $\dfrac{3}{8}$ ② $\dfrac{1}{2}$ ③ $\dfrac{5}{8}$

④ $\dfrac{3}{4}$ ⑤ $\dfrac{7}{8}$

내신을 꽉잡는 서술형

276

두 사건 A, B에 대하여 $\mathrm{P}(A \cup B) = 0.8$, $\mathrm{P}(A) = 0.4$, $\mathrm{P}(A \mid B) = 0.2$일 때, $\mathrm{P}(B \mid A)$를 소수로 나타내어라.

277

n개의 당첨 제비를 포함한 12개의 제비가 있다. 갑, 을의 순서로 한 개씩 뽑을 때, 을만 당첨 제비를 뽑을 확률이 $\dfrac{5}{33}$가 되도록 하는 모든 n의 값의 합을 구하여라.

(단, 뽑은 제비는 다시 넣지 않는다.)

278

주머니 A에는 1, 2, 3, 4, 5의 자연수가 하나씩 적혀 있는 5장의 카드가 들어 있고, 주머니 B에는 11, 12, 13, 14, 15의 자연수가 하나씩 적혀 있는 5장의 카드가 들어 있다. 두 주머니 A, B에서 각각 임의로 한 장씩 꺼낸 카드에 적혀 있는 두 수의 합이 짝수일 때, 주머니 A에서 꺼낸 카드에 적혀 있는 수가 홀수일 확률을 구하여라.

279

두 사건 A, B에 대하여 $\mathrm{P}(A) = 0.5$, $\mathrm{P}(A \cup B) = 0.8$ 이다. A와 B가 서로 배반일 때의 $\mathrm{P}(B)$를 α, A와 B가 서로 독립일 때의 $\mathrm{P}(A \cup B^C)$을 β라고 할 때, $\alpha\beta$의 값을 소수로 나타내어라.

280

한 개의 동전을 5번 던질 때, 앞면이 나오는 횟수와 뒷면이 나오는 횟수의 곱이 6일 확률이 $\dfrac{q}{p}$이다. 이때, $p+q$의 값을 구하여라. (단, p와 q는 서로소인 자연수이다.)

281

A, B 두 팀이 경기를 할 때, A팀이 이길 확률이 항상 일정하다고 한다. 2번의 경기에서 A팀이 모두 이길 확률이 $\dfrac{1}{16}$일 때, 4번의 경기에서 A팀이 3번 이상 이길 확률을 구하여라.

고득점을 향한 도약

282

여학생 100명과 남학생 200명을 대상으로 영화 A, B의 관람 여부를 조사하였다. 그 결과 모든 학생은 적어도 한 편의 영화를 관람하였고, 영화 A를 관람한 학생 150명 중 여학생이 45명이었으며, 영화 B를 관람한 학생 180명 중 여학생이 72명이었다. 두 영화 A, B를 모두 관람한 학생들 중에서 한 명을 임의로 뽑을 때, 이 학생이 여학생일 확률은?

① $\dfrac{31}{60}$ ② $\dfrac{8}{15}$ ③ $\dfrac{11}{20}$

④ $\dfrac{17}{30}$ ⑤ $\dfrac{7}{12}$

283 ◖100점 도전◗

어느 도시에서 야간에 뺑소니 사건이 일어났다. 이 도시 전체 차량의 80 %는 자가용이고, 20 %는 영업용이다. 그런데 한 목격자가 뺑소니 차량을 자가용이라고 증언하였다. 이 증언의 타당성을 알아보기 위하여 사고와 동일한 상황에서 그 목격자가 자가용 차량과 영업용 차량을 구별할 수 있는 능력을 측정해 본 결과 바르게 구별할 확률이 90 %이었다. 목격자가 본 뺑소니 차량이 실제로 자가용일 확률이 $\dfrac{q}{p}$일 때, $p+q$의 값은?

(단, p와 q는 서로소인 자연수이고, 모든 차량이 뺑소니 사건을 일으킬 가능성은 같다고 가정한다.)

① 71 ② 72 ③ 73

④ 74 ⑤ 75

284

두 사건 A, B는 서로 독립이고

$$P(A \cup B) = a - \frac{1}{4}, \ P(A \cap B) = \frac{1}{4}$$

일 때, 실수 a의 최솟값은?

① $\dfrac{2}{5}$ ② $\dfrac{1}{2}$ ③ $\dfrac{3}{5}$

④ $\dfrac{2}{3}$ ⑤ 1

285

두 사건 A, B에 대하여 갑은 두 사건이 서로 독립이라고 생각하여 $P(A \cup B) = 0.7$을 얻었고, 을은 두 사건이 서로 배반이라고 생각하여 $P(A \cup B) = 0.9$를 얻었다. 이때, $|P(A) - P(B)|$의 값은?

① 0.1 ② 0.2 ③ 0.3

④ 0.4 ⑤ 0.5

286

주머니에 1, 1, 2, 3, 4의 숫사가 하나씩 적혀 있는 5개의 공이 들어 있다. 이 주머니에서 임의로 4개의 공을 동시에 꺼내어 일렬로 나열하고 나열된 순서대로 공에 적혀 있는 수를 a, b, c, d라고 할 때 $a \le b \le c \le d$일 확률을 구하여라.

287

오른쪽 그림과 같이 둘레의 길이가 3인 원을 삼등분하는 세 점 A, B, C가 있고, 각 점 위를 움직이는 말이 있다. 이 말은 한 개의 주사위를 던져서 홀수의 눈이 나오면 시계 방향으로 1만큼 움직이고, 짝수의 눈이 나오면 그 수만큼 시계 방향으로 움직인다. 예를 들어 말이 점 A에서 출발할 때 주사위를 던져서 3이 나오면 점 B로 움직이고, 다시 주사위를 던져서 2가 나오면 점 B에서 점 A로 움직인다. 점 A에서 출발한 말이 주사위를 n번 던진 후 점 A, B, C에 있을 확률을 각각 p_n, q_n, r_n이라고 하면 $p_{n+1}=ap_n+bq_n+cr_n$이 성립한다. 세 상수 a, b, c의 곱 abc의 값은?

① $\dfrac{1}{15}$ ② $\dfrac{1}{18}$ ③ $\dfrac{1}{27}$

④ $\dfrac{1}{36}$ ⑤ $\dfrac{1}{54}$

288

두 팀 A, B가 축구 경기에서 승부차기를 하였다. 각 팀당 5명의 선수가 A팀부터 시작하여 1명씩 교대로 승부차기를 할 때, B팀이 5 : 4로 이길 확률은? (단, 각 선수의 승부차기는 독립시행이고 성공할 확률은 0.8이다.)

① 0.2×0.8^8 ② 0.8^8 ③ 0.2×0.8^9

④ 0.8^9 ⑤ 0.8^{10}

289

한 개의 동전을 10번 던질 때, 첫 번째 던진 동전이 앞면이 나오는 사건을 A, 앞면이 k번 나오는 사건을 B라고 하자. 두 사건 A, B가 서로 독립이 되도록 하는 상수 k의 값을 구하여라.

290 ◖100점 도전◗

다음 그림과 같이 강을 사이에 두고 있는 두 지역 A, B가 0에서 6까지의 번호가 붙여진 7개의 다리로 연결되어 있다. 지수는 동전 6개를 던져서 나오는 앞면의 개수가 n이면 번호가 n인 다리를 건너고, 상우는 주사위 한 개를 던져서 나오는 눈의 수가 m이면 번호가 m인 다리를 건너기로 하였다. 지수는 A에서 B로, 상우는 B에서 A로 건너간다고 할 때, 지수와 상우가 같은 다리를 건너게 될 확률은?

① $\dfrac{1}{7}$ ② $\dfrac{21}{128}$ ③ $\dfrac{1}{6}$

④ $\dfrac{23}{128}$ ⑤ $\dfrac{25}{128}$

291

3개의 동전을 던져서 앞면이 나온 개수만큼의 주사위를 한꺼번에 던진다고 할 때, 5의 눈이 나온 주사위가 1개일 확률은?

① $\dfrac{13}{64}$ ② $\dfrac{59}{288}$ ③ $\dfrac{119}{576}$

④ $\dfrac{5}{24}$ ⑤ $\dfrac{121}{576}$

III

통계

05 확률분포

더 자세한 개념은 풍산자 확률과 통계 105쪽

1 이산확률변수와 확률분포

(1) 이산확률변수

① 확률변수 : 어떤 시행에서 표본공간의 각 원소에 하나의 실수를 대응시키는 함수를 확률변수라 하고, 확률변수 X가 어떤 값 x를 가질 확률을 기호로 $\mathrm{P}(X=x)$와 같이 나타낸다.

② 이산확률변수 : 확률변수 X가 가지는 값이 유한개이거나 자연수와 같이 셀 수 있을 때, X를 이산확률변수라고 한다.

(2) 확률분포 : 확률변수 X가 가지는 값과 X가 이 값을 가질 확률을 대응시킨 것을 X의 확률분포라고 한다.

2 확률질량함수의 성질

─ X가 가지는 값 x_i와 X가 x_i를 가질 확률 p_i의 대응 관계를 나타내는 함수

이산확률변수 X의 <u>확률질량함수</u>가
$\mathrm{P}(X=x_i)=p_i\ (i=1,\ 2,\ 3,\ \cdots,\ n)$일 때
① $0 \leq p_i \leq 1$
② $p_1 + p_2 + p_3 + \cdots + p_n = 1$
③ $\mathrm{P}(x_i \leq X \leq x_j) = p_i + p_{i+1} + p_{i+2} + \cdots + p_j$
  (단, $i, j = 1,\ 2,\ 3,\ \cdots,\ n$이고 $i \leq j$이다.)

3 이산확률변수의 평균(기댓값), 분산, 표준편차

이산확률변수 X의 확률질량함수가
$\mathrm{P}(X=x_i)=p_i\ (i=1,\ 2,\ 3,\ \cdots,\ n)$일 때
① 평균 : $\mathrm{E}(X) = x_1 p_1 + x_2 p_2 + x_3 p_3 + \cdots + x_n p_n$
② 분산 : $\mathrm{V}(X) = \mathrm{E}((X-m)^2) = \mathrm{E}(X^2) - \{\mathrm{E}(X)\}^2$
③ 표준편차 : $\sigma(X) = \sqrt{\mathrm{V}(X)}$

4 확률변수 $aX+b$의 평균, 분산, 표준편차

확률변수 X와 임의의 두 상수 $a\ (a \neq 0), b$에 대하여
① 평균 : $\mathrm{E}(aX+b) = a\mathrm{E}(X) + b$
② 분산 : $\mathrm{V}(aX+b) = a^2 \mathrm{V}(X)$
③ 표준편차 : $\sigma(aX+b) = |a|\sigma(X)$

5 이항분포

(1) 이항분포 : 한 번의 시행에서 사건 A가 일어날 확률이 p로 일정할 때, n번의 독립시행에서 사건 A가 일어나는 횟수를 X라 하고 X의 확률분포를 표로 나타내면 다음과 같다. (단, $q=1-p$)

X	0	1	2	$\cdots$	k	$\cdots$	n	합계
$\mathrm{P}(X=k)$	$_nC_0 q^n$	$_nC_1 p^1 q^{n-1}$	$_nC_2 p^2 q^{n-2}$	$\cdots$	$_nC_k p^k q^{n-k}$	$\cdots$	$_nC_n p^n$	1

이와 같은 확률변수 X의 확률분포를 이항분포라 하고, 기호 $\mathrm{B}(n,\ p)$와 같이 나타낸다.

(2) 확률변수 X가 이항분포 $\mathrm{B}(n,\ p)$를 따를 때
$\mathrm{E}(X) = np,\ \mathrm{V}(X) = npq,\ \sigma(X) = \sqrt{npq}$
(단, $q = 1-p$)

6 큰수의 법칙

어떤 시행에서 사건 A가 일어날 수학적 확률이 p이고, n번의 독립시행에서 사건 A가 일어나는 횟수를 X라고 할 때, 임의의 양수 h에 대하여 n의 값이 한없이 커질수록

$$\mathrm{P}\left(\left|\frac{X}{n}-p\right|<h\right)\text{는 } 1\text{에 가까워진다.}$$

└─ 상대도수 $\dfrac{X}{n}$ 는 n의 값이 커질수록 수학적 확률 p에 가까워진다.

문제 풀 때 유용한 **풍쌤 비법**

❶ **확률질량함수에서 미정계수 구하기**

확률의 총합이 항상 1임을 이용한다.
⇨ $p_1 + p_2 + p_3 + \cdots + p_n = 1$

X	x_1	x_2	x_3	$\cdots$	x_n	합계
$\mathrm{P}(X=x_i)$	p_1	p_2	p_3	$\cdots$	p_n	1

❷ **이산확률변수에 대한 활용 문제에서 표준편차 구하는 순서**

① 확률분포를 표로 나타낸다. ⇨ ② 평균을 구한다. ⇨ ③ 분산을 구한다. ⇨ ④ 표준편차를 구한다.

실력을 기르는 유형

01 이산확률변수와 확률질량함수
중요도 ▭▭▭

292
(상 중 하)

다음은 학생 10명의 수학 점수를 나타낸 도수분포표이다. 이 중에서 한 명을 뽑을 때, 그 학생의 수학 점수를 확률변수 X라고 하자. 이때, X의 확률분포를 표로 나타내어라.

점수(점)	70	80	90	100	합계
학생 수(명)	2	3	4	1	10

293
(상 중 하)

확률변수 X의 확률분포가 주어진 표와 같을 때, 다음을 구하여라.

X	1	2	3	4	합계
$P(X=x)$	$\frac{1}{3}$	$\frac{1}{4}$	a	$\frac{1}{4}$	1

(1) 상수 a의 값
(2) $P(X=2$ 또는 $X=3)$
(3) $P(1 \le X \le 3)$

294 📞최多빈출
(상 중 하)

확률변수 X의 확률분포가 다음 표와 같을 때, $P(X \ge 0)$은? (단, a는 상수이다.)

X	-1	0	1	합계
$P(X=x)$	a	$2a$	$4a$	1

① $\frac{2}{7}$　　② $\frac{3}{7}$　　③ $\frac{4}{7}$

④ $\frac{5}{7}$　　⑤ $\frac{6}{7}$

295
(상 중 하)

확률변수 X의 확률분포가 다음 표와 같을 때, $P(X \le 0)$은? (단, a는 상수이다.)

X	-1	0	1	합계
$P(X=x)$	a	$\frac{a}{2}$	a^2	1

① $\frac{3}{8}$　　② $\frac{1}{2}$　　③ $\frac{5}{8}$

④ $\frac{3}{4}$　　⑤ $\frac{7}{8}$

296 ╲풍쌤 비법❶╱
(상 중 하)

확률변수 X의 확률질량함수가
$$P(X=x)=a(x-1) \, (x=2, 3, 4, 5)$$
일 때, $P(X>3)$은? (단, a는 상수이다.)

① $\frac{1}{2}$　　② $\frac{3}{5}$　　③ $\frac{7}{10}$

④ $\frac{4}{5}$　　⑤ $\frac{9}{10}$

297
(상 중 하)

확률변수 X의 확률질량함수가
$$P(X=x)=\frac{x}{15} \, (x=1, 2, \cdots, 5)$$
일 때, $P(X^2-3X+2=0)$을 구하여라.

298 (상 중 하)

확률변수 X의 확률분포가 다음 표와 같을 때,
$\dfrac{1}{a}\mathrm{P}(X^2+X-2<0)$은? (단, a는 상수이다.)

X	-1	1	2	합계
$\mathrm{P}(X=x)$	$\dfrac{1}{3}$	a	$\dfrac{1}{2}$	1

① $\dfrac{2}{5}$ ② $\dfrac{4}{5}$ ③ $\dfrac{6}{5}$

④ $\dfrac{8}{5}$ ⑤ 2

299 (상 중 하)

1, 2, 3, 4, 5의 숫자가 각각 하나씩 적혀 있는 카드 중에서 2장의 카드를 동시에 뽑을 때, 카드에 적힌 두 수의 차를 확률변수 X라고 하자. 이때, $\mathrm{P}(2 \le X \le 3)$은?

① $\dfrac{3}{8}$ ② $\dfrac{1}{2}$ ③ $\dfrac{5}{8}$

④ $\dfrac{3}{4}$ ⑤ $\dfrac{7}{8}$

300 (상 중 하)

흰 구슬 7개와 검은 구슬 3개가 들어 있는 주머니에서 구슬 5개를 동시에 꺼낼 때, 나오는 흰 구슬의 개수를 확률변수 X라고 하자. 이때, $\mathrm{P}(X \ge a) = \dfrac{1}{2}$을 만족시키는 정수 a의 값은?

① 1 ② 2 ③ 3

④ 4 ⑤ 5

---

02 이산확률변수의 평균, 분산, 표준편차 중요도

301 (상 중 하)

확률변수 X의 확률분포가 아래 표와 같을 때, 다음 값을 구하여라.

X	2	5	8	합계
$\mathrm{P}(X=x)$	$\dfrac{1}{3}$	$\dfrac{1}{3}$	$\dfrac{1}{3}$	1

(1) $\mathrm{E}(X)$ (2) $\mathrm{V}(X)$ (3) $\sigma(X)$

302 최多빈출 (상 중 하)

확률변수 X의 확률분포가 다음 표와 같을 때, X의 평균은? (단, a는 상수이다.)

X	1	3	7	합계
$\mathrm{P}(X=x)$	$\dfrac{1}{6}$	$\dfrac{1}{4}$	a	1

① 1 ② 2 ③ 3

④ 4 ⑤ 5

303 학평 기출 (상 중 하)

다음은 확률변수 X의 확률분포를 나타낸 표이다.

X	0	1	2	3	합계
$\mathrm{P}(X=x)$	p	$\dfrac{1}{4}$	q	$\dfrac{1}{12}$	1

X의 분산이 1이 되는 p와 q에 대하여 $3p+q$의 값은?

① $\dfrac{1}{2}$ ② $\dfrac{3}{4}$ ③ 1

④ $\dfrac{3}{2}$ ⑤ 2

304 ☎ 학평 기출 (상 중 하)

다음은 확률변수 X의 확률분포를 나타낸 표이다.

X	1	2	4	8	합계
$\mathrm{P}(X=x)$	$\dfrac{1}{4}$	a	$\dfrac{1}{8}$	b	1

X의 평균이 5일 때, X의 분산은?

① 9.75　　② 8.5　　③ 7.25
④ 6.5　　⑤ 4.25

305 (상 중 하)

확률변수 X의 확률질량함수가

$$\mathrm{P}(X=x)=\frac{ax+2}{10}\ (x=-1,\ 0,\ 1,\ 2)$$

일 때, X의 표준편차는? (단, a는 상수이다.)

① 1　　② $\sqrt{2}$　　③ $\sqrt{3}$
④ 2　　⑤ $\sqrt{5}$

306 (상 중 하)

오른쪽 표와 같이 상금이 주어
진 복권 100장 중에서 한 장을
살 때, 상금의 기댓값은?

① 800원　　② 1000원
③ 1200원　　④ 1400원
⑤ 1600원

등수	복권 매수	상금(원)
1등	5	10000
2등	10	5000
3등	20	3000
등외	65	0

307 ☎ 학평 기출 (상 중 하)

주사위를 한 번 던져서 나오는 눈의 수를 4로 나눈 나머지
를 확률변수 X라고 하자. 이때, X의 평균은?

① 2　　② $\dfrac{5}{3}$　　③ $\dfrac{3}{2}$
④ $\dfrac{4}{3}$　　⑤ 1

308 (상 중 하)

서로 다른 500원짜리 동전 2개와 100원짜리 동전 1개를
던져서 앞면이 나오면 그 동전을 받기로 하는 게임에서 받
을 수 있는 금액의 기댓값은?

① 500원　　② 550원　　③ 600원
④ 650원　　⑤ 700원

309 ☎ 풍쌤 비법 ❷ (상 중 하)

3개의 동전을 동시에 던져서 앞면이 나온 동전의 개수를
확률변수 X라고 하자. 이때, X의 표준편차는?

① $\dfrac{1}{4}$　　② $\dfrac{1}{2}$　　③ $\dfrac{\sqrt{2}}{2}$
④ $\dfrac{\sqrt{3}}{2}$　　⑤ $\sqrt{2}$

310 _{상 중 하}

우승 상금이 P원, 준우승 상금이 $\dfrac{P}{2}$원인 어느 조기 축구 대회에서 A, B 두 팀이 결승에 진출하여 3전 2선승제로 우승팀을 가리기로 하였다. A팀이 이길 확률은 $\dfrac{3}{4}$이고, 첫 경기에서 A팀이 1패를 한 상황에서 사정이 생겨 대회가 중단되었다. 현재 기록으로 상금을 분배한다고 할 때, A, B 두 팀의 상금의 기댓값의 비는?

(단, 매 시합에서 무승부는 없다.)

① 9 : 7   ② 10 : 9   ③ 12 : 11

④ 13 : 12   ⑤ 25 : 23

---

03 확률변수의 평균, 분산, 표준편차의 성질 중요도

311 _{상 중 하}

확률변수 X의 평균이 5, 분산이 2일 때, 확률변수 $-3X+1$의 평균과 표준편차를 차례대로 나열한 것은?

① -15, $\sqrt{2}$ ② -15, $2\sqrt{2}$ ③ -15, $3\sqrt{2}$

④ -14, $2\sqrt{2}$ ⑤ -14, $3\sqrt{2}$

312 _{상 중 하}

확률변수 X의 평균이 10, 표준편차가 2일 때, 확률변수 $Y=aX+b$의 평균이 0, 분산이 1이다. 이때, 상수 a, b에 대하여 $a+b$의 값은? (단, $a>0$)

① -6 ② $-\dfrac{11}{2}$ ③ -5

④ $-\dfrac{9}{2}$ ⑤ -4

---

313 📞 최多빈출 _{상 중 하}

확률변수 X의 확률분포가 아래 표와 같을 때, 다음 값을 구하여라.

X	-2	0	2	합계
$P(X=x)$	$\dfrac{1}{4}$	$\dfrac{1}{2}$	$\dfrac{1}{4}$	1

(1) $E(-5X+4)$

(2) $V(4X-3)$

(3) $\sigma(3X+2)$

314 📞 학평 기출 _{상 중 하}

확률변수 X의 확률분포를 표로 나타내면 다음과 같다.

X	1	2	3	합계
$P(X=x)$	$\dfrac{1}{6}$	a	b	1

$E(6X)=13$일 때, $2a+3b$의 값은?

① $\dfrac{4}{3}$ ② $\dfrac{3}{2}$ ③ $\dfrac{5}{3}$

④ $\dfrac{11}{6}$ ⑤ 2

315 _{상 중 하}

두 확률변수 X, Y에 대하여 $Y=\dfrac{1}{2}X+5$일 때,

$E(Y)=30$, $E(Y^2)=1000$이다. 이때, $\dfrac{V(X)}{E(X)}$의 값은?

① 5 ② 6 ③ 7

④ 8 ⑤ 9

316 ☎ 학평 기출   (상 중 하)

확률변수 X의 확률분포를 표로 나타내면 다음과 같다.

X	2	4	8	16	합계
$P(X=x)$	$\dfrac{{}_4C_1}{k}$	$\dfrac{{}_4C_2}{k}$	$\dfrac{{}_4C_3}{k}$	$\dfrac{{}_4C_4}{k}$	1

$E(3X+1)$의 값은? (단, k는 상수이다.)

① 13 ② 14 ③ 15
④ 16 ⑤ 17

317 ☎ 최 多 빈출   (상 중 하)

확률변수 X의 확률분포가 다음 표와 같을 때, 확률변수 $Y=aX+5$의 분산은? (단, a는 상수이다.)

X	0	1	2	3	합계
$P(X=x)$	$\dfrac{2}{a}$	$\dfrac{3}{a}$	$\dfrac{3}{a}$	$\dfrac{2}{a}$	1

① 100 ② 105 ③ 110
④ 115 ⑤ 120

318   (상 중 하)

확률변수 X의 확률질량함수가

$$P(X=k)=\frac{k+1}{20}\ (k=1,2,3,4,5)$$

일 때, 확률변수 $Y=2X+8$의 평균은?

① 11 ② 12 ③ 13
④ 14 ⑤ 15

319   (상 중 하)

확률변수 X의 확률분포가 다음 표와 같다.

X	-3	-1	1	3	합계
$P(X=x)$	$\dfrac{1}{10}$	$\dfrac{2}{10}$	$\dfrac{3}{10}$	$\dfrac{4}{10}$	1

확률변수 $Y=aX+b$에 대하여 확률변수 Y의 평균, 표준편차가 각각 25, 10일 때, $b-a$의 값은?
(단, a, b는 상수이고, $a>0$이다.)

① 10 ② 15 ③ 20
④ 25 ⑤ 30

320   (상 중 하)

1이 적혀 있는 구슬이 1개, 2가 적혀 있는 구슬이 2개, 3이 적혀 있는 구슬이 3개, …, 10이 적혀 있는 구슬이 10개 들어 있는 주머니가 있다. 이 주머니에서 임의로 한 개의 구슬을 꺼낼 때, 그 구슬에 적혀 있는 수를 확률변수 X라고 하자. 이때, 확률변수 $5X+2$의 평균은?

① 31 ② 33 ③ 35
④ 37 ⑤ 39

321   (상 중 하)

사과 2개, 귤 3개가 들어 있는 상자에서 2개를 동시에 꺼낼 때, 나오는 사과의 개수를 확률변수 X라고 하자. 이때, $V(5X+1)$의 값은?

① 5 ② 6 ③ 7
④ 8 ⑤ 9

322 ✎ 학평 기출 (상 중 하)

다음과 같이 정의된 확률변수 X, Y, Z의 분산의 대소 관계를 바르게 나타낸 것은?

> X: 연속하는 100개의 자연수에서 임의로 뽑은 두 수의 차
> Y: 연속하는 100개의 홀수에서 임의로 뽑은 두 수의 차
> Z: 연속하는 100개의 짝수에서 임의로 뽑은 두 수의 차

① $V(X) < V(Y) < V(Z)$
② $V(X) = V(Y) = V(Z)$
③ $V(X) > V(Y) = V(Z)$
④ $V(X) = V(Y) < V(Z)$
⑤ $V(X) < V(Y) = V(Z)$

323 (상 중 하)

어느 해의 대학수학능력시험 수학영역의 원점수 X의 평균을 m, 표준편차를 n이라고 할 때, 표준점수 T는

$$T = a\left(\frac{X-m}{n}\right) + b \ (a > 0)$$

꼴로 나타내어진다. 수학영역의 표준점수 T의 평균이 100, 표준편차가 20일 때, $a+b$의 값은?

(단, a, b는 상수이다.)

① 80 ② 90 ③ 100
④ 110 ⑤ 120

---

04 이항분포 중요도 ▢▢▢

324 (상 중 하)

한 개의 주사위를 10번 던질 때, 5의 약수의 눈이 나오는 횟수를 확률변수 X라고 하자. X가 이항분포 $B(n, p)$를 따를 때, n, p의 값을 구하여라.

325 (상 중 하)

확률변수 X는 이항분포 $B(8, p)$를 따르고 $5P(X=2) = 2P(X=4)$가 성립할 때, $P(X=6)$은?

(단, $0 < p < 1$)

① $\dfrac{5}{64}$ ② $\dfrac{3}{32}$ ③ $\dfrac{7}{64}$
④ $\dfrac{1}{8}$ ⑤ $\dfrac{9}{64}$

326 (상 중 하)

이항분포 $B\left(n, \dfrac{1}{2}\right)$을 따르는 확률변수 X에 대하여 $P(X=2) = 5P(X=1)$이 성립할 때, 자연수 n의 값은?

① 11 ② 12 ③ 13
④ 14 ⑤ 15

327 ✎ 최多빈출 (상 중 하)

한 개의 주사위를 6번 던져서 3의 배수의 눈이 나오는 횟수를 확률변수 X라고 할 때, $\dfrac{P(X=3)}{P(X=2)}$의 값은?

① $\dfrac{1}{2}$ ② $\dfrac{2}{3}$ ③ $\dfrac{3}{4}$
④ $\dfrac{4}{5}$ ⑤ $\dfrac{5}{6}$

328 （상중하）

확률변수 X가 이항분포 $B\left(300, \frac{1}{4}\right)$을 따를 때, 다음 값을 구하여라.

(1) $E(X)$ (2) $V(X)$ (3) $\sigma(X)$

329 （학평 기출） （상중하）

확률변수 X가 이항분포 $B(200, p)$를 따르고 X의 평균이 40일 때, X의 분산은?

① 32 ② 33 ③ 34
④ 35 ⑤ 36

330 （상중하）

이항분포 $B(n, p)$를 따르는 확률변수 X의 평균과 표준편차가 모두 $\frac{19}{20}$일 때, 두 상수 n, p의 값을 차례대로 나열한 것은?

① $20, \frac{1}{20}$ ② $19, \frac{1}{20}$ ③ $20, \frac{19}{20}$
④ $19, \frac{10}{20}$ ⑤ $18, \frac{19}{20}$

331 （상중하）

이항분포 $B(10, p)$를 따르는 확률변수 X에 대하여 X의 분산이 최댓값을 가질 때, 그때의 X의 평균은?

① 2 ② 3 ③ 4
④ 5 ⑤ 6

332 （상중하）

이산확률변수 X의 확률분포를 표로 나타내면 다음과 같다.

X	0	1	2	$\cdots$	k	$\cdots$	n	합계
$P(X=k)$	$_nC_0q^n$	$_nC_1p^1q^{n-1}$	$_nC_2p^2q^{n-2}$	$\cdots$	$_nC_kp^kq^{n-k}$	$\cdots$	$_nC_np^n$	1

$E(X)=1, V(X)=\frac{9}{10}$일 때, $P(X<2)$는?

(단, $0<p<1, q=1-p$)

① $\frac{19}{10}\left(\frac{9}{10}\right)^9$ ② $\frac{17}{9}\left(\frac{8}{9}\right)^8$ ③ $\frac{15}{8}\left(\frac{7}{8}\right)^7$
④ $\frac{13}{7}\left(\frac{6}{7}\right)^6$ ⑤ $\frac{11}{6}\left(\frac{5}{6}\right)^5$

333 （상중하）

한 개의 주사위를 90번 던질 때, 3의 배수의 눈이 나오는 횟수를 확률변수 X라고 하자. 이때, 다음 값을 구하여라.

(1) $E(X)$ (2) $V(X)$ (3) $\sigma(X)$

334

(상 중 **하**)

10 %의 불량품을 포함한 제품 중에서 200개를 꺼낼 때, 그중에 포함된 불량품의 개수를 확률변수 X라고 하자. X의 평균과 표준편차를 차례대로 나열한 것은?

① 20, $\sqrt{2}$ 　　② 20, $2\sqrt{2}$ 　　③ 20, $3\sqrt{2}$

④ 40, $2\sqrt{2}$ 　　⑤ 40, $3\sqrt{2}$

335

(상 중 **하**)

한 개의 주사위를 9번 던져서 3의 약수의 눈이 나오는 횟수를 X라고 할 때, X^2의 평균은?

① 7 　　② 9 　　③ 11

④ 13 　　⑤ 15

336

(**상** 중 하)

어느 공장의 제품은 4개 중 1개의 비율로 불량품이 있고, 이 제품을 포장하는 상자는 5개 중 1개의 비율로 불량품이 있다고 한다. 800상자 각각에 제품을 2개씩 넣어 포장할 때, 제품과 포장하는 상자 모두 합격품인 상자의 개수를 확률변수 X라고 하자. 이때, X의 분산은?

① 196 　　② 198 　　③ 200

④ 202 　　⑤ 204

337　📞학평 기출

(상 중 **하**)

확률변수 X가 이항분포 $\mathrm{B}\left(6,\ \dfrac{2}{3}\right)$를 따를 때, $V(-3X+2)$의 값은?

① 8 　　② 9 　　③ 10

④ 11 　　⑤ 12

338

(**상** 중 하)

확률변수 X가 이항분포 $\mathrm{B}\left(n,\ \dfrac{1}{6}\right)$을 따르고 $\mathrm{E}(3X+2)=10$일 때, n의 값은?

① 12 　　② 14 　　③ 16

④ 18 　　⑤ 20

339

(상 중 **하**)

이항분포 $\mathrm{B}\left(18,\ \dfrac{1}{3}\right)$을 따르는 확률변수 X에 대하여 $\mathrm{E}\left(\dfrac{X-\sigma(X)}{\sigma(X)}\right)+\sigma\left(\dfrac{X-\mathrm{E}(X)}{\mathrm{E}(X)}\right)$의 값은?

① $\dfrac{7}{3}$ 　　② $\dfrac{5}{2}$ 　　③ $\dfrac{7}{2}$

④ $\dfrac{11}{3}$ 　　⑤ $\dfrac{9}{2}$

340　📞최多빈출

(상 **중** 하)

한 개의 동전을 10번 던질 때, 앞면이 나오는 횟수 X에 대하여 상금으로 $(2X+1)$원을 받는다고 하자. 이때, 상금의 기댓값은?

① 7원 　　② 9원 　　③ 11원

④ 13원 　　⑤ 15원

341 (상 중 하)

서로 다른 동전 2개를 동시에 던지는 시행을 40회 반복할 때, 동전 2개 모두 뒷면이 나오는 횟수를 확률변수 X라고 하자. 이때, $2X-1$의 분산은?

① 20   ② 30   ③ 40
④ 50   ⑤ 60

342 (상 중 하)

어느 학교에서 학생 회장 선거를 하는데 선거 전에 사전 여론 조사를 하니 K군의 지지율이 25 %였다. 이 결과를 전적으로 신뢰할 때, 한 반 학생 48명 중에서 K군을 지지하는 학생 수를 확률변수 X라고 하자. 이때, $3X-1$의 표준편차는?

① 9   ② 12   ③ 15
④ 18   ⑤ 21

05 큰수의 법칙   중요도 ▮▮▯

343 (상 중 하)

동전 한 개를 던졌을 때, 앞면이 나올 수학적 확률은 $\frac{1}{2}$이다. 큰수의 법칙에 의해 동전 한 개를 1000번 던졌을 때, 앞면은 대략 몇 번 나올 수 있는지 구하여라.

344 (상 중 하)

다음은 큰수의 법칙을 설명하는 내용의 일부이다.

> 어떤 시행에서 사건 A가 일어날 확률이 p이고, n번의 독립시행에서 사건 A가 일어나는 횟수를 X라고 하면 임의의 양수 h에 대하여 n의 값이 한없이 커질수록
>
> $$P\left(\left|\frac{X}{n}-p\right|<h\right)$$ 는 1에 가까워진다.
>
> 즉, 시행 횟수 n을 크게 할수록, 사건 A가 일어나는 횟수에 대한 상대도수인 (가) 확률이 사건 A가 일어나는 (나) 확률에 가까워짐을 뜻한다. 큰수의 법칙에 의해 자연현상이나 사회현상에 대하여 (나) 확률을 알 수 없는 경우에는 (가) 확률을 대신 사용할 수 있다.

위의 설명에서 (가), (나)에 알맞은 것은?

	(가)	(나)		(가)	(나)
①	통계적,	경험적	②	경험적,	통계적
③	통계적,	확률적	④	확률적,	수학적
⑤	통계적,	수학적			

345 (상 중 하)

한 개의 주사위를 10번 던져서 1의 눈이 나오는 횟수를 확률변수 X라고 할 때, 오른쪽 표는 확률

$$P(X=0)={}_{10}C_0\left(\frac{5}{6}\right)^{10}$$

$$P(X=1)={}_{10}C_1\left(\frac{1}{6}\right)^1\left(\frac{5}{6}\right)^9$$

$$\vdots$$

$$P(X=x)={}_{10}C_x\left(\frac{1}{6}\right)^x\left(\frac{5}{6}\right)^{10-x}$$

$$\vdots$$

$$P(X=10)={}_{10}C_{10}\left(\frac{1}{6}\right)^{10}$$

X	$P(X=x)$
0	0.162
1	0.323
2	0.291
3	0.155
4	0.054
5	0.013
6	0.002
7	0.000
8	0.000
9	0.000
10	0.000

의 어림하여 만든 확률분포이다. 이 표를 이용하여

$$P\left(\left|\frac{X}{10}-\frac{1}{6}\right|<0.1\right)$$

을 구하면?

① 0.162   ② 0.323   ③ 0.485
④ 0.614   ⑤ 0.838

내신을 꽉 잡는 서술형

346

확률변수 X의 확률질량함수가

$$P(X=n) = \frac{n^2+n}{a} \ (n=1, \ 2, \ 3)$$

일 때, $P(X^2-4X+3<0)$을 구하여라.

(단, a는 상수이다.)

347

확률변수 X의 확률분포가 다음 표와 같다.

X	1	2	3	4	합계
$P(X=x)$	$\frac{2-a}{6}$	$\frac{1}{6}$	$\frac{2+a}{6}$	$\frac{1}{6}$	1

$P(X \geq 3) = \frac{2}{3}$일 때, $E(6X+5)$의 값을 구하여라.

348

확률변수 X의 확률질량함수가

$$P(X=x) = a(x^2+x+1) \ (x=0, \ 1, \ 2, \ 3)$$

일 때, X의 분산은 $\frac{q}{p}$이다. 이때, $p+q$의 값을 구하여라.

(단, a는 상수이고, p와 q는 서로소인 자연수이다.)

349

책상 위에 서로 다른 7개의 동전이 앞면 4개, 뒷면 3개가 보이도록 놓여 있다. 이 중에서 임의로 3개를 뒤집어 놓을 때, 앞면이 보이는 동전의 개수를 X라고 하자. 확률변수 X의 평균을 $\frac{n}{m}$이라고 할 때, $m+n$의 값을 구하여라.

(단, m과 n은 서로소인 자연수이다.)

350

한 개의 주사위를 20번 던질 때 1의 눈이 나오는 횟수를 확률변수 X라 하고, 한 개의 동전을 n번 던질 때 앞면이 나오는 횟수를 확률변수 Y라고 하자. Y의 분산이 X의 분산보다 크도록 하는 n의 최솟값을 구하여라.

351

이항분포 $B(n, \ p)$를 따르는 확률변수 X에 대하여 $E(2X+1)=129$, $\sigma(2X+1)=8\sqrt{3}$일 때, n의 값을 구하여라.

352

다음은 확률변수 X의 확률분포를 표로 나타낸 것이다.

X	0	1	2	$\cdots$	10	합계
$P(X=x)$	p_0	p_1	p_2	$\cdots$	p_{10}	1

(단, $p_i > 0$, $i = 0, 1, 2, \cdots, 10$)

집합 $\{0, 1, 2, \cdots, 10\}$에서 정의된 두 함수 $F(x)$, $G(x)$가 $F(x) = P(0 \leq X \leq x)$, $G(x) = P(X > x)$일 때, 〈보기〉에서 옳은 것을 모두 고른 것은?

─── 보기 ───
ㄱ. $G(3) = 1 - F(3)$
ㄴ. $P(3 \leq X \leq 8) = F(8) - F(3)$
ㄷ. $P(3 \leq X \leq 8) = G(2) - G(8)$

① ㄱ
② ㄷ
③ ㄱ, ㄴ
④ ㄱ, ㄷ
⑤ ㄴ, ㄷ

353

한 개의 동전을 5번 던져서 앞면과 뒷면이 나온 횟수의 차를 확률변수 X라고 할 때, $E(X)$의 값은?

① $\dfrac{3}{2}$
② $\dfrac{13}{8}$
③ $\dfrac{7}{4}$
④ $\dfrac{15}{8}$
⑤ 2

354 〔100점 도전〕

어떤 학생이 인터넷 사이트에 로그인하기 위하여 비밀번호 6자리를 입력하려고 한다. 비밀번호를 지정할 때 앞의 4자리는 자신의 생일인 1023을, 뒤의 2자리는 5, 6, 7, 8, 9 중에서 서로 다른 두 숫자를 택하여 사용하였는데 뒤의 2자리 수가 생각나지 않는다. 비밀번호 입력을 시작하여 맞는지 확인하는 데 걸리는 시간은 10초이고, 로그인에 실패한 비밀번호는 다시 입력하지 않는다. 처음 입력할 때부터 로그인될 때까지 걸리는 시간의 기댓값은? (단, 비밀번호를 입력하는 데 걸리는 시간은 생각하지 않는다.)

① 1분
② 1분 30초
③ 1분 45초
④ 2분
⑤ 3분 10초

355

오른쪽 그림과 같이 5개의 관광지 A, B, C, D, E를 연결하는 도로망이 있다. P지점을 출발하여 A, B, C, D, E 5개 지역을 모두 방문하거나 일부 지역만을 방문하면서, 한 번 방문한 관광지는 다시 지나지 않고 Q지점에 도착하는 7개의 관광 코스를 만들었다. 그리고 한 관광지를 방문할 때마다 14000원씩 요금을 부가하여 각 코스별 관광 요금을 결정하였다. 예를 들어 코스 P → A → B → E → Q의 요금은 3 × 14000원이다. 한 관광객이 7개의 코스 중 임의로 하나를 선택할 때, 내야 하는 요금의 합을 확률변수 X라고 하자. 이때, 확률변수 $\dfrac{X}{1000}$의 기댓값은?

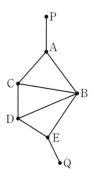

① 40원
② 50원
③ 60원
④ 70원
⑤ 80원

356

한 개의 주사위를 6번 던져서 짝수가 나오는 횟수와 홀수가 나오는 횟수의 차의 제곱을 확률변수 X라고 할 때, $6X+1$의 평균은?

① 34 　　　　② 35 　　　　③ 36
④ 37 　　　　⑤ 38

357 100점 도전

다음 그림과 같이 중심이 원점 O이고 반지름의 길이가 r인 반원 위의 점 P_i $(i=1, 2, 3, 4, 5)$에 대하여 직선 OP_i와 반지름의 길이가 $2r$인 반원의 교점을 Q_i라고 하자. 점 P_1, P_2, P_3, P_4, P_5의 x좌표의 평균이 10, 표준편차가 $\dfrac{5}{2}$일 때, 점 Q_1, Q_2, Q_3, Q_4, Q_5의 x좌표의 평균과 표준편차의 곱은?

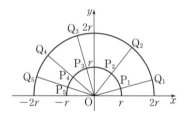

① 100 　　　　② 110 　　　　③ 120
④ 130 　　　　⑤ 140

358

오른쪽 그림과 같이 한 변의 길이가 3인 정사각형을 한 변의 길이가 1인 정사각형 9개로 나누고, 이 중에서 3개를 색칠할 때 나타나는 모양은 다음과 같이 세 가지 유형으로 분류할 수 있다.

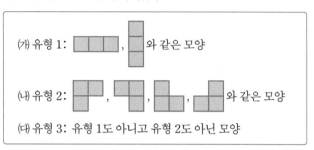

(개) 유형 1: [　] , [　] 와 같은 모양

(내) 유형 2: [　] , [　] , [　] , [　] 와 같은 모양

(대) 유형 3: 유형 1도 아니고 유형 2도 아닌 모양

한 변의 길이가 1인 위의 정사각형 9개 중에서 임의로 3개를 색칠하여 얻은 모양의 유형에 따라 확률변수 X는 다음과 같다고 하자.

$$X=\begin{cases}1 & (\text{유형 1인 경우}) \\ 2 & (\text{유형 2인 경우}) \\ 3 & (\text{유형 3인 경우})\end{cases}$$

이때, $E(42X)$의 값은?

① 111 　　　　② 112 　　　　③ 113
④ 114 　　　　⑤ 115

359

두 주사위 A, B를 동시에 던질 때, 나오는 각각의 눈의 수 a, b에 대하여 $a^2+b^2\leq10$이 되는 사건을 E라고 하자. 두 주사위 A, B를 동시에 던지는 36회의 독립시행에서 사건 E가 일어나는 횟수를 확률변수 X라고 할 때, X의 분산은?

① 2 　　　　② 3 　　　　③ 4
④ 5 　　　　⑤ 6

06 정규분포

더 자세한 개념은 풍산자 확률과 통계 123쪽

1 연속확률변수와 확률밀도함수

(1) **연속확률변수** : 확률변수 X가 어떤 범위에 속하는 모든 실숫값을 가질 때, X를 연속확률변수라고 한다.

(2) **확률밀도함수** : $\alpha \leq X \leq \beta$에서 모든 실숫값을 가지는 연속확률변수 X가 $\alpha \leq x \leq \beta$에서 함수 $f(x)$가 다음 조건을 만족시킬 때, 함수 $f(x)$를 확률변수 X의 확률밀도함수라고 한다.

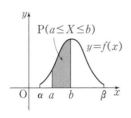

① $f(x) \geq 0$
② $y=f(x)$의 그래프와 x축 및 두 직선 $x=\alpha$, $x=\beta$로 둘러싸인 부분의 넓이가 1이다.
③ $P(a \leq X \leq b)$는 $y=f(x)$의 그래프와 x축 및 두 직선 $x=a$, $x=b$로 둘러싸인 부분의 넓이와 같다.
(단, $\alpha \leq a \leq b \leq \beta$)

2 정규분포

(1) **정규분포** : 실수 전체의 집합에서 정의된 연속확률변수 X의 확률밀도함수 $f(x)$가 두 상수 m, $\sigma(\sigma > 0)$에 대하여

$$f(x) = \frac{1}{\sqrt{2\pi}\sigma} e^{-\frac{(x-m)^2}{2\sigma^2}} \quad (e = 2.71828\cdots)$$

평균 ┘ └ 표준편차

일 때, X의 확률분포를 정규분포라 하고 확률밀도함수 $f(x)$의 그래프를 정규분포곡선이라고 한다.

(2) 평균이 m, 표준편차가 σ인 정규분포를 기호로 $\mathrm{N}(m, \sigma^2)$과 같이 나타낸다.

3 표준정규분포

(1) **표준정규분포** : 평균이 0이고 분산이 1인 정규분포 $\mathrm{N}(0, 1)$을 표준정규분포라 하고, 확률변수 Z가 표준정규분포 $\mathrm{N}(0, 1)$을 따를 때, Z의 확률밀도함수는

$$f(z) = \frac{1}{\sqrt{2\pi}} e^{-\frac{z^2}{2}}$$

(2) 정규분포 $\mathrm{N}(m, \sigma^2)$을 따르는 확률변수 X가 a 이상 b 이하의 값을 가질 확률 $P(a \leq X \leq b)$는 $Z = \dfrac{X-m}{\sigma}$을 이용하여 표준정규분포 $\mathrm{N}(0, 1)$을 따르는 확률변수 Z로 바꾸어 구한다. 즉

$$P(a \leq X \leq b) = P\left(\frac{a-m}{\sigma} \leq \frac{X-m}{\sigma} \leq \frac{b-m}{\sigma}\right)$$
$$= P\left(\frac{a-m}{\sigma} \leq Z \leq \frac{b-m}{\sigma}\right)$$

4 이항분포와 정규분포의 관계

확률변수 X가 이항분포 $\mathrm{B}(n, p)$를 따를 때, n의 값이 충분히 크면 X는 근사적으로 정규분포 $\mathrm{N}(np, npq)$를 따른다. (단, $q = 1-p$)

$np \geq 5$, $nq \geq 5$이면 n을 충분히 큰 값으로 생각한다.

─── 문제 풀 때 유용한 **풍쌤 비법** ───

❶ 정규분포곡선

정규분포 $\mathrm{N}(m, \sigma^2)$을 따르는 확률변수 X의 정규분포곡선에서

(1) 직선 $x=m$(평균)에 대하여 대칭이다.
(2) 평균 m이 일정할 때, 표준편차 σ의 값이 클수록 높이는 낮아지고 폭은 넓어진다. ⇨ $\sigma_1 < \sigma_2 < \sigma_3$
(3) 표준편차 σ의 값이 일정할 때, 평균 m의 값에 따라 대칭축의 위치는 변한다.
   ⇨ $m_1 < m_2$

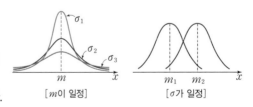

[m이 일정]   [σ가 일정]

❷ 이항분포와 정규분포의 관계에서 확률 구하기

n의 값이 충분히 클 때, 이항분포 $\mathrm{B}(n, p)$에서 $P(a \leq X \leq b)$는 다음과 같은 순서로 구한다.
① (평균)$=m=np$, (표준편차)$=\sigma=\sqrt{np(1-p)}$를 구한다.
② 확률변수 X를 정규분포 $\mathrm{N}(m, \sigma^2)$으로 근사시킨다.
③ 확률변수 X를 $Z = \dfrac{X-m}{\sigma}$을 이용하여 표준정규분포 $\mathrm{N}(0, 1)$로 바꾼다.
④ 표준정규분포표를 이용하여 $P(a \leq X \leq b)$를 구한다.

실력을 기르는 유형

01 연속확률변수와 확률밀도함수   중요도 ▮▮▮

360   상 중 하

다음 확률변수 X, Y, Z 중에서 연속확률변수인 것을 모두 고른 것은?

> X : 어느 회사에서 생산하는 전구의 수명
> Y : 어느 회사에서 생산하는 전구의 무게
> Z : 어느 회사에서 생산하는 전구의 개수

① X ② X, Y ③ Y, Z
④ X, Z ⑤ X, Y, Z

361   상 중 하

연속확률변수 X의 확률밀도함수가
$f(x) = ax \ (0 \le x \le 4)$일 때, 상수 a의 값을 구하여라.

362   상 중 하

연속확률변수 X의 확률밀도함수가
$$f(x) = \begin{cases} ax + a & (0 \le x \le 1) \\ 2a & (1 \le x \le 2) \end{cases}$$
일 때, 상수 a의 값은?

① $\dfrac{1}{7}$ ② $\dfrac{2}{7}$ ③ $\dfrac{3}{7}$
④ $\dfrac{4}{7}$ ⑤ $\dfrac{5}{7}$

363   학평 기출   상 중 하

연속확률변수 X의 확률밀도함수가
$f(x) = \dfrac{1}{2}x \ (0 \le x \le 2)$일 때, $\mathrm{P}(0 \le X \le 1)$을 구하여라.

364   상 중 하

연속확률변수 X의 확률밀도함수 $y = f(x) \ (0 \le x \le 4)$의 그래프가 오른쪽 그림과 같을 때, 다음을 구하여라.

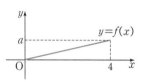

(1) 상수 a의 값
(2) $\mathrm{P}(0 \le X \le 1)$

365   최多빈출   상 중 하

연속확률변수 X의 확률밀도함수 $y = f(x) \ (-1 \le x \le 1)$의 그래프가 오른쪽 그림과 같을 때,
$\mathrm{P}\left(-\dfrac{1}{2} \le X \le \dfrac{1}{2}\right)$은?

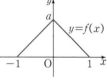

① $\dfrac{1}{4}$ ② $\dfrac{3}{8}$ ③ $\dfrac{1}{2}$
④ $\dfrac{5}{8}$ ⑤ $\dfrac{3}{4}$

366 (상(중)하)

연속확률변수 X의 확률밀도함수가

$f(x)=ax+\dfrac{1}{2}$ $(0\le x\le3)$일 때, 다음을 구하여라.

(1) 상수 a의 값
(2) $P(1\le X\le2)$

367 (상(중)하)

연속확률변수 X의 확률밀도함수가

$f(x)=a(4-x)$ $(0\le x\le4)$일 때, 다음을 구하여라.

(1) 상수 a의 값
(2) $P(1\le X\le3)$

368 (상(중)하)

두 양수 a, b에 대하여 연속확률변수 X가 가지는 값의 범위는 $0<X<8$이고 X의 확률밀도함수의 그래프는 오른쪽 그림과 같다.

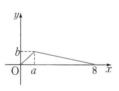

$P(0\le X\le a)=\dfrac{3}{8}$일 때, $a+4b$의 값은?

① 1　　　　② 2　　　　③ 3
④ 4　　　　⑤ 5

369 📞 학평 기출 (상(중)하)

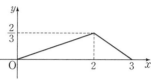

연속확률변수 X가 가지는 값의 범위가 $0\le X\le3$이고, 확률밀도함수의 그래프는 오른쪽 그림과 같다. $P(m\le X\le2)=P(2\le X\le3)$일 때, 상수 m의 값은? (단, $0<m<2$)

① $\dfrac{\sqrt{2}}{2}$　　② $\dfrac{\sqrt{3}}{2}$　　③ 1
④ $\sqrt{2}$　　⑤ $\sqrt{3}$

370 📞 최多빈출 (상(중)하)

다음 중 $-1\le X\le1$에서 정의된 확률밀도함수 $y=f(x)$의 그래프가 될 수 있는 것은?

① 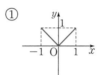　② 　③

④ 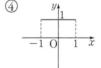　⑤

371 (상(중)하)

연속확률변수 X가 $0\le X\le1$에서 임의의 실숫값을 가질 때, X의 확률밀도함수가 될 수 있는 것을 〈보기〉에서 모두 고른 것은?

──────── 보기 ────────
ㄱ. $f(x)=2$　　　　ㄴ. $f(x)=4x-1$
ㄷ. $f(x)=x+\dfrac{1}{2}$
──────────────────────

① ㄱ　　　　② ㄴ　　　　③ ㄷ
④ ㄱ, ㄴ　　　⑤ ㄴ, ㄷ

372

상 중 하

오른쪽 그림은 $0 \leq X \leq a$에서 정의된 연속확률변수의 확률밀도함수 $y=f(x)$의 그래프이다. $0 \leq X \leq a$에서 정의된 확률밀도함수인 것을 〈보기〉에서 모두 고른 것은?

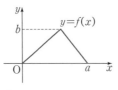

보기

ㄱ. $y=b$　　　　　ㄴ. $y=\dfrac{b}{a}x$

ㄷ. $y=-f(x)+b$

① ㄱ　　　　② ㄴ　　　　③ ㄷ

④ ㄱ, ㄴ　　　⑤ ㄴ, ㄷ

02 정규분포곡선의 성질

중요도 ▮▮▯

373

상 중 하

정규분포를 따르는 연속확률변수 A, B, C, D의 확률밀도함수의 그래프가 다음과 같다. 평균이 가장 큰 것과 표준편차가 가장 큰 것을 차례대로 나열한 것은?

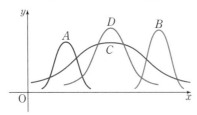

① A, B　　　② A, D　　　③ B, D

④ B, C　　　⑤ C, D

374

상 중 하

다음은 어느 학교 2학년 학생의 수학 성적과 영어 성적의 평균과 표준편차를 나타낸 표이다. 두 과목의 성적이 모두 정규분포를 따른다고 할 때, 다음 중 정규분포곡선으로 알맞은 것은?

	수학	영어
평균	70	79
표준편차	15	22

①
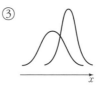

②
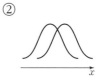

③

④

⑤
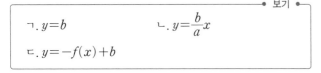

375 ╰ 풍쌤 비법 ❶ ╯

상 중 하

어느 지역의 A, B, C 세 고등학교는 2학년의 학생 수가 각각 500명이다. 각 학교의 2학년 학생의 수학 성적이 정규분포를 따르고 그 곡선이 다음 그림과 같을 때, 〈보기〉에서 옳은 것을 모두 고른 것은?

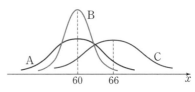

보기

ㄱ. 성적이 우수한 학생들이 A 고등학교보다 B 고등학교에 더 많이 있다.

ㄴ. B 고등학교 학생들은 평균적으로 A 고등학교 학생들보다 성적이 더 우수하다.

ㄷ. C 고등학교 학생들보다 B 고등학교 학생들의 성적이 더 고른 편이다.

① ㄱ　　　　② ㄴ　　　　③ ㄷ

④ ㄱ, ㄷ　　　⑤ ㄴ, ㄷ

376

(상(중)하)

정규분포 $N(2m, 1^2)$, $N(2m, 2^2)$, $N(m, 2^2)$의 정규분포곡선은 다음 그림의 곡선 A, B, C, D 중 어느 하나이다.

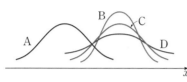

다음 중 정규분포와 그 정규분포곡선이 바르게 짝지어진 것은? (단, $m>0$)

	$N(2m, 1^2)$	$N(2m, 2^2)$	$N(m, 2^2)$
①	A	C	B
②	D	C	A
③	B	A	C
④	B	C	A
⑤	C	A	B

377 최多빈출

(상(중)하)

정규분포를 이루는 연속확률변수 X, Y의 확률밀도함수를 각각 $f(x)$, $g(x)$라고 하자. 두 함수 $f(x)$, $g(x)$의 그래프가 오른쪽 그림과 같을 때, 〈보기〉에서 옳은 것을 모두 고른 것은?

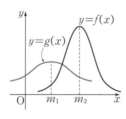

┌─────────────── 보기 ───────────────┐
ㄱ. $E(X)>E(Y)$
ㄴ. $\sigma(X)<\sigma(Y)$
ㄷ. $f(E(X))<g(E(Y))$
└──────────────────────────────────┘

① ㄱ   ② ㄱ, ㄴ   ③ ㄱ, ㄷ
④ ㄴ, ㄷ   ⑤ ㄱ, ㄴ, ㄷ

378

(상(중)하)

확률변수 X가 정규분포 $N(m, \sigma^2)$을 따를 때, 〈보기〉에서 옳은 것을 모두 고른 것은?

┌─────────────── 보기 ───────────────┐
ㄱ. $P(-\infty \leq X \leq \infty)=1$
ㄴ. $P(X \leq m)=P(X \geq m)=0.5$
ㄷ. 임의의 실수 a에 대하여 $P(X=a)=0$
└──────────────────────────────────┘

① ㄱ   ② ㄱ, ㄴ   ③ ㄱ, ㄷ
④ ㄴ, ㄷ   ⑤ ㄱ, ㄴ, ㄷ

379

(상(중)하)

확률변수 X가 정규분포 $N(m, \sigma^2)$을 따를 때, 오른쪽 표를 이용하여 〈보기〉에서 옳은 것을 모두 고른 것은?

x	$P(m \leq X \leq x)$
$m+\sigma$	0.3413
$m+2\sigma$	0.4772
$m+3\sigma$	0.4987

┌─────────────── 보기 ───────────────┐
ㄱ. $P(m-\sigma \leq X \leq m+\sigma)=0.6826$
ㄴ. $P(X \geq m+2\sigma)=0.0228$
ㄷ. $P(X \leq m-3\sigma)=0.0013$
└──────────────────────────────────┘

① ㄱ   ② ㄱ, ㄴ   ③ ㄱ, ㄷ
④ ㄴ, ㄷ   ⑤ ㄱ, ㄴ, ㄷ

380

(상(중)하)

확률변수 X가 정규분포 $N(6, 2^2)$을 따를 때, 오른쪽 표를 이용하여 〈보기〉에서 옳은 것을 모두 고른 것은?

x	$P(m \leq X \leq x)$
$m+\sigma$	0.3413
$m+2\sigma$	0.4772
$m+3\sigma$	0.4987

(단, m은 평균이고, σ는 표준편차이다.)

┌─────────────── 보기 ───────────────┐
ㄱ. $P(4 \leq X \leq 8)=0.6826$
ㄴ. $P(X \geq 12)=0.0013$
ㄷ. $P(X \leq 10)=0.9772$
└──────────────────────────────────┘

① ㄱ   ② ㄱ, ㄴ   ③ ㄱ, ㄷ
④ ㄴ, ㄷ   ⑤ ㄱ, ㄴ, ㄷ

381 ✏ 학평 기출   (상 **중** 하)

확률변수 X가 정규분포 $N(m, \sigma^2)$을 따르고 다음 두 조건을 만족시킨다.

> (가) $P(X \geq 64) = P(X \leq 56)$
> (나) $m^2 + \sigma^2 = 3616$

$P(X \leq 68)$을 오른쪽 표를 이용하여 구한 것은?

x	$P(m \leq X \leq x)$
$m + 1.5\sigma$	0.4332
$m + 2\sigma$	0.4772
$m + 2.5\sigma$	0.4938

① 0.9104   ② 0.9332
③ 0.9544   ④ 0.9772
⑤ 0.9938

---

03   정규분포와 표준정규분포   중요도 ▮▮▯

382   (상 중 **하**)

확률변수 Z가 표준정규분포 $N(0, 1)$을 따를 때, 오른쪽 표준정규분포표를 이용하여 다음을 구하여라.

z	$P(0 \leq Z \leq z)$
0.5	0.1915
1.0	0.3413
1.5	0.4332
2.0	0.4772

(1) $P(-0.5 \leq Z \leq 1)$
(2) $P(Z \geq 2)$
(3) $P(Z \leq -1)$
(4) $P(1.5 \leq Z \leq 2)$

383 ✏ 최 多 빈출   (상 중 **하**)

확률변수 X가 정규분포 $N(70, 10^2)$을 따를 때, 오른쪽 표준정규분포표를 이용하여 $P(60 \leq X \leq 90)$을 구하여라.

z	$P(0 \leq Z \leq z)$
1.0	0.3413
2.0	0.4772
3.0	0.4987

---

384   (상 중 **하**)

확률변수 X가 정규분포 $N(50, 2^2)$을 따를 때, $P(X \leq 53) + P(47 \leq X \leq 49)$의 값을 오른쪽 표준정규분포표를 이용하여 구한 것은?

z	$P(0 \leq Z \leq z)$
0.5	0.1915
1.0	0.3413
1.5	0.4332

① 0.2417   ② 0.4332   ③ 0.7745
④ 0.9932   ⑤ 1.1749

---

385   (상 **중** 하)

확률변수 X가 정규분포 $N(12, 3^2)$을 따를 때, $10000P(6 \leq X \leq 15)$를 오른쪽 표준정규분포표를 이용하여 구한 것은?

z	$P(0 \leq Z \leq z)$
1.0	0.3413
1.5	0.4332
2.0	0.4772

① 6247   ② 7745   ③ 8185
④ 9104   ⑤ 9710

---

386   (상 **중** 하)

두 확률변수 X, Y는 각각 정규분포 $N(0, 1^2)$, $N(1, 2^2)$을 따르고, 확률 a, b, c는 다음과 같다.

$$a = P(-1 < X < 1)$$
$$b = P(1 < Y < 5)$$
$$c = P(-5 < Y < -1)$$

이때, a, b, c의 대소 관계는?

① $a = b = c$ ② $b = c < a$ ③ $a < b < c$
④ $b < a < c$ ⑤ $c < b < a$

387 [상 중 하]

확률변수 K가 정규분포 $N(1, 2^2)$을 따를 때, x에 대한 이차방정식 $2x^2+(K-1)x+2=0$이 실근을 가질 확률을 오른쪽 표준정규분포표를 이용하여 구한 것은?

z	$P(0 \le Z \le z)$
1.0	0.341
2.0	0.477
3.0	0.499

① 0.003 ② 0.023 ③ 0.046
④ 0.123 ⑤ 0.317

388 [상 중 하]

확률변수 Z가 표준정규분포 $N(0, 1)$을 따를 때, 다음을 만족시키는 상수 k의 값을 오른쪽 표준정규분포표를 이용하여 구하여라.

z	$P(0 \le Z \le z)$
0.5	0.1915
1.0	0.3413
1.5	0.4332

(1) $P(0 \le Z \le k)=0.1915$
(2) $P(Z \ge k)=0.9332$
(3) $P(Z \le k)=0.8413$

389 최多빈출 [상 중 하]

확률변수 X가 정규분포 $N(8, 5^2)$을 따를 때, $P(X \ge a)=0.1151$을 만족시키는 상수 a의 값을 오른쪽 표준정규분포표를 이용하여 구한 것은?

z	$P(0 \le Z \le z)$
1.1	0.3643
1.2	0.3849
1.3	0.4032

① 11 ② 12 ③ 13
④ 14 ⑤ 15

390 [상 중 하]

확률변수 X가 정규분포 $N(5, 1.2^2)$을 따를 때,
$$P(5-1.2k \le X \le 5+1.2k)=0.4972$$
를 만족시키는 상수 k의 값을 오른쪽 표준정규분포표를 이용하여 구한 것은?

z	$P(0 \le Z \le z)$
0.67	0.2486
1.77	0.4616
2.77	0.4972

① 0.67 ② 1.25 ③ 1.34
④ 1.77 ⑤ 2.77

391 [상 중 하]

확률변수 X가 정규분포 $N(m, 8^2)$을 따를 때, $P(X \ge 90)=0.1587$을 만족시키는 상수 m의 값은? (단, Z가 표준정규분포를 따르는 확률변수일 때, $P(|Z| \le 1)=0.6826$으로 계산한다.)

① 70 ② 74 ③ 78
④ 82 ⑤ 96

392 학평 기출 [상 중 하]

어느 세차장에서 승용차 한 대를 세차하는 데 걸리는 시간은 평균이 30분, 표준편차가 2분인 정규분포를 따른다고 한다. 한 대의 승용차를 이 세차장에서 세차할 때, 세차 시간이 33분 이상일 확률을 오른쪽 표준정규분포표를 이용하여 구한 것은?

z	$P(0 \le Z \le z)$
0.5	0.1915
1.0	0.3413
1.5	0.4332
2.0	0.4772

① 0.0228 ② 0.0668 ③ 0.1587
④ 0.2708 ⑤ 0.3085

393 📞 학평 기출 (상)(중)(하)

어느 제과 회사에서 만든 과자 1개의 무게는 평균이 16, 표준편차가 0.3인 정규분포를 따른다고 한다. 이 제과 회사에서 만든 과자 중 임의로 1개를 택할 때, 이 과자의 무게가 15.25 이하일 확률을 오른쪽 표준정규분포표를 이용하여 구한 것은?

(단, 무게의 단위는 g이다.)

z	$P(0 \le Z \le z)$
1.0	0.34
1.5	0.43
2.0	0.48
2.5	0.49

① 0.01　　　② 0.02　　　③ 0.03
④ 0.04　　　⑤ 0.05

394 📞 최(多)빈출 (상)(중)(하)

어느 고등학교 2학년 남학생의 키는 평균이 167 cm, 표준편차가 7 cm인 정규분포를 따른다고 한다. 이 학생들 중에서 임의로 한 명을 뽑았을 때, 이 학생의 키가 160 cm 이상 174 cm 이하일 확률을 오른쪽 표준정규분포표를 이용하여 구한 것은?

z	$P(0 \le Z \le z)$
0.5	0.19
1.0	0.34
1.5	0.43

① 0.64　　　② 0.65　　　③ 0.66
④ 0.67　　　⑤ 0.68

395 (상)(중)(하)

어느 과자 공장에서 생산되는 과자 한 봉지의 무게는 평균이 160 g, 표준편차가 3 g인 정규분포를 따른다고 한다. 이 공장에서는 과자 한 봉지의 무게가 152.5 g 이하이면 불량품으로 판정한다고 한다. 이 공장에서 생산된 과자 봉지 중 임의로 한 봉지를 택했을 때, 이 과자 봉지가 불량품일 확률을 오른쪽 표준정규분포표를 이용하여 구하면 p이다. 이때, $10000p$의 값을 구하여라.

z	$P(0 \le Z \le z)$
1.0	0.3413
1.5	0.4332
2.0	0.4772
2.5	0.4938

396 (상)(중)(하)

어느 고속국도의 한 지점을 통과하는 자동차들의 속력은 평균이 104 km/h, 표준편차가 8 km/h인 정규분포를 따른다고 한다. 이 지점을 통과하는 순간의 속력이 120 km/h를 초과하면 과속으로 단속된다고 할 때, 이 지점을 통과하는 두 자동차 A, B가 모두 과속으로 단속될 확률을 오른쪽 표준정규분포표를 이용하여 구한 것은?
(단, A와 B의 속력은 서로 영향을 주지 않는다.)

z	$P(0 \le Z \le z)$
1.0	0.34
1.5	0.43
2.0	0.48

① $\dfrac{1}{2500}$　　② $\dfrac{1}{400}$　　③ $\dfrac{9}{2500}$
④ $\dfrac{49}{10000}$　　⑤ $\dfrac{16}{625}$

397 (상)(중)(하)

어느 고등학교 학생 500명의 수학 점수는 평균이 62점, 표준편차가 8점인 정규분포를 따른다고 한다. 이때, 수학 점수가 54점 이상 74점 이하인 학생 수를 오른쪽 표준정규분포표를 이용하여 구한 것은?

z	$P(0 \le Z \le z)$
1.0	0.341
1.5	0.433
2.0	0.477

① 385명　　　② 387명　　　③ 389명
④ 391명　　　⑤ 393명

398 (상)(중)(하)

어느 고등학교의 신입생 300명의 키를 조사하였더니 평균이 170 cm, 표준편차가 4 cm인 정규분포를 따른다고 한다. 이때, 키가 178 cm인 학생은 몇 번째로 큰지 오른쪽 표준정규분포표를 이용하여 구한 것은?

z	$P(0 \le Z \le z)$
0.5	0.19
1.0	0.34
1.5	0.43
2.0	0.48

① 6번째　　　② 7번째　　　③ 8번째
④ 9번째　　　⑤ 10번째

399 ✎ 최多빈출 (상 중 하)

어느 시험에 응시한 수험생 10만 명의 시험 점수는 평균이 50점, 표준편차가 20점인 정규분포를 따른다고 한다. 이때, 성적이 상위 4 % 이내에 속하기 위한 최소 점수를 오른쪽 표준정규분포표를 이용하여 구한 것은?

z	$P(0 \leq Z \leq z)$
1.28	0.40
1.75	0.46
2.05	0.48

① 85점   ② 87점   ③ 89점
④ 91점   ⑤ 93점

400 (상 중 하)

모집 정원이 1340명인 어느 학교의 입학시험에 20000명이 응시하였다. 입학시험을 치른 응시자들의 점수는 평균이 250점, 표준편차가 40점인 정규분포를 따른다고 한다. 이때, 입학시험에 합격하기 위한 최소 점수를 오른쪽 표준정규분포표를 이용하여 구한 것은?

z	$P(0 \leq Z \leq z)$
1.0	0.341
1.5	0.433
2.0	0.477

① 300점   ② 305점   ③ 310점
④ 315점   ⑤ 320점

401 (상 중 하)

어느 농장의 생후 7개월된 돼지 200마리의 무게는 평균이 110 kg, 표준편차가 10 kg인 정규분포를 따른다고 한다. 이 200마리의 돼지 중 무거운 것부터 차례로 3마리를 뽑아 우량 돼지 선발 대회에 보내려고 한다. 우량 돼지 선발 대회에 보낼 돼지의 최소 무게를 오른쪽 표준정규분포표를 이용하여 구한 것은?

z	$P(0 \leq Z \leq z)$
2.12	0.483
2.17	0.485
2.29	0.489

① 121.6 kg   ② 126.7 kg   ③ 130.7 kg
④ 131.7 kg   ⑤ 132.9 kg

402 ✎ 학평 기출 (상 중 하)

어느 공장에서 생산되는 제품 A의 무게는 정규분포 $N(m, 1)$을 따르고 제품 B의 무게는 정규분포 $N(2m, 4)$를 따른다. 이 공장에서 생산된 제품 A와 제품 B에서 임의로 제품 1개씩 택할 때, 택한 제품 A의 무게가 k 이상일 확률과 택한 제품 B의 무게가 k 이하일 확률이 같다. 이때, $\dfrac{k}{m}$의 값은?

① $\dfrac{11}{9}$ ② $\dfrac{5}{4}$ ③ $\dfrac{23}{18}$
④ $\dfrac{47}{36}$ ⑤ $\dfrac{4}{3}$

403 (상 중 하)

어느 대학수학능력시험에서 정치와 경제를 각각 선택한 학생들의 점수를 조사하여 100점으로 환산하였더니 정치 점수는 평균이 60점, 표준편차가 10점인 정규분포를 따르고, 경제 점수는 평균이 52점, 표준편차가 8점인 정규분포를 따른다고 한다. 정치를 선택한 학생들 중 성적이 70점 이상인 학생이 p %라고 할 때, 경제를 선택한 학생의 성적이 상위 p % 이내에 들기 위한 최소 점수는?

① 45점   ② 50점   ③ 55점
④ 60점   ⑤ 65점

이항분포와 정규분포의 관계 　중요도 ▭▭▭

404 　상 중 하

다음 (가), (나)에 알맞은 수를 차례대로 적어라.

> 확률변수 X가 이항분포 $B\left(100, \dfrac{1}{5}\right)$을 따를 때,
>
> $np = 100 \cdot \dfrac{1}{5} = 20 \geq 5$, $nq = 100 \cdot \dfrac{4}{5} = 80 \geq 5$
>
> 이므로 확률변수 X는 근사적으로 정규분포
>
> $N(\boxed{\text{(가)}}, \boxed{\text{(나)}})$을 따른다.

405 　상 중 하

다음 값을 오른쪽 표준정규분포표를 이용하여 구한 것은?

z	$P(0 \leq Z \leq z)$
0.5	0.1915
1.0	0.3413
1.5	0.4332
2.0	0.4772

$$
{}_{100}C_{100}\left(\frac{9}{10}\right)^{100} + {}_{100}C_{99}\left(\frac{9}{10}\right)^{99}\left(\frac{1}{10}\right)^{1} + {}_{100}C_{98}\left(\frac{9}{10}\right)^{98}\left(\frac{1}{10}\right)^{2}
$$
$$
+ {}_{100}C_{97}\left(\frac{9}{10}\right)^{97}\left(\frac{1}{10}\right)^{3} + {}_{100}C_{96}\left(\frac{9}{10}\right)^{96}\left(\frac{1}{10}\right)^{4}
$$

① 0.0228　　② 0.1126　　③ 0.2321
④ 0.3413　　⑤ 0.4772

406 　상 중 하

한 개의 동전을 n번 던져서 앞면이 나오는 횟수를 확률변수 X라고 하자. 충분히 큰 자연수 n에 대하여

$$
P\left(\left|X - \frac{n}{2}\right| \leq \frac{21}{2}\right) \geq 0.954
$$

를 만족시키는 n의 최댓값을 구하여라.
(단, Z가 표준정규분포를 따르는 확률변수일 때, $P(0 \leq Z \leq 2) = 0.477$로 계산한다.)

407 　📞최 多 빈출 　상 중 하

한 개의 주사위를 720번 던져서 1의 눈이 나오는 횟수를 확률변수 X라고 할 때, $P(X \geq 135)$를 오른쪽 표준정규분포표를 이용하여 구하여라.

z	$P(0 \leq Z \leq z)$
1.0	0.3413
1.5	0.4332
2.0	0.4772

408 　풍쌤 비법 ❷ 　상 중 하

한 개의 동전을 900번 던질 때, 앞면이 나올 횟수가 435회 이상 480회 이하일 확률을 오른쪽 표준정규분포표를 이용하여 구한 것은?

z	$P(0 \leq Z \leq z)$
0.5	0.1915
1.0	0.3413
1.5	0.4332
2.0	0.4772

① 0.6915　　② 0.7745　　③ 0.8185
④ 0.9332　　⑤ 0.9772

409 　상 중 하

어느 대학의 2014학년도 합격자 1차 등록 비율은 75 %이었다고 한다. 그 합격자들 중에서 임의로 192명을 뽑아 등록 여부를 조사하였을 때, 132명 이상이 등록했을 확률을 오른쪽 표준정규분포표를 이용하여 구한 것은?

z	$P(0 \leq Z \leq z)$
0.5	0.1915
1.0	0.3413
1.5	0.4332
2.0	0.4772

① 0.6915　　② 0.7745　　③ 0.8413
④ 0.9332　　⑤ 0.9772

410

(상)중(하)

어느 해운 회사의 통계 자료에 의하면 예약 고객 10명 중 8명의 비율로 승선한다고 한다. 정원이 340명인 어느 여객선의 예약 고객이 400명일 때, 승선한 고객이 예약 고객만으로 정원을 초과하지 않을 확률을 오른쪽 표준정규분포표를 이용하여 구한 것은?

z	$P(0 \le Z \le z)$
2.1	0.4821
2.2	0.4861
2.3	0.4893
2.4	0.4918
2.5	0.4938

① 0.9938 　　② 0.9918 　　③ 0.9893
④ 0.9861 　　⑤ 0.9821

411

(상)중(하)

어느 영화관에서 영화관람권을 예매한 사람 중 예매를 취소하는 비율은 10 %라고 한다. 이때, 예매한 사람 100명 중에서 16명 이상이 예매를 취소할 확률을 오른쪽 표준정규분포표를 이용하여 구한 것은?

z	$P(0 \le Z \le z)$
1.0	0.3413
1.5	0.4332
2.0	0.4772

① 0.0228 　　② 0.0668 　　③ 0.1587
④ 0.3413 　　⑤ 0.4772

412

(상)중(하)

어느 게임에서 10점을 얻을 확률이 $\frac{1}{5}$, 2점을 잃을 확률이 $\frac{4}{5}$이다. 처음 0점에서 시작하여 이 게임을 1600번 독립적으로 시행할 때, 얻은 점수가 832점 이상이 될 확률을 오른쪽 표준정규분포표를 이용하여 구한 것은?

z	$P(0 \le Z \le z)$
0.5	0.19
1.0	0.34
1.5	0.43
2.0	0.48

① 0.05 　　② 0.09 　　③ 0.16
④ 0.24 　　⑤ 0.31

413

(상)중(하)

만드는 과자 가운데 10 %가 중량 미달인 어느 제과점에서 100개의 과자의 무게를 조사했을 때, 중량 미달인 과자가 a개 이상일 확률이 0.0228이라고 한다. 이때, a의 값을 오른쪽 표준정규분포표를 이용하여 구한 것은?

z	$P(0 \le Z \le z)$
0.5	0.1915
1.0	0.3413
1.5	0.4332
2.0	0.4772

① 12 　　② 14 　　③ 16
④ 18 　　⑤ 20

414

(상)중(하)

대학 진학률이 80 %인 어느 고등학교에서 금년 졸업예정자 400명이 대학 시험에 응시할 때, k명 이상 합격할 확률이 7 %라고 한다. 이때, k의 값을 오른쪽 표준정규분포표를 이용하여 구한 것은?

z	$P(0 \le Z \le z)$
0.5	0.19
1.0	0.34
1.5	0.43
2.0	0.48

① 330 　　② 332 　　③ 334
④ 336 　　⑤ 338

정답과 풀이 058쪽

내신을 꽉 잡는 서술형

415

$0 \le X \le 3$에서 정의된 연속확률변수 X의 확률밀도함수 $f(x)$가 다음과 같다.

$$f(x) = \begin{cases} a(1-x) & (0 \le x \le 1) \\ \dfrac{b}{2}(x-1) & (1 \le x \le 3) \end{cases}$$

$P(1 \le X \le 3) = \dfrac{a}{4}$일 때, $a+b$의 값을 구하여라.

(단, a, b는 상수이다.)

416

확률변수 X는 정규분포 $N(m, \sigma^2)$을 따른다. $\dfrac{1}{5}X$의 분산이 1이고, $P(X \le 80) = P(X \ge 120)$일 때, $m + \sigma^2$의 값을 구하여라.

417

확률변수 X가 정규분포 $N(5, 2^2)$을 따를 때, 오른쪽 표준정규분포표를 이용하여

$$f(x) = P(x \le X \le x+4)$$

의 최댓값을 구하여라.

z	$P(0 \le Z \le z)$
0.5	0.19
1.0	0.34
1.5	0.43
2.0	0.48

418

어느 회사에서 신입 사원 300명을 평가하여 그 점수에 따라 상위 36명에게 해외 연수의 기회를 제공하려고 한다. 신입 사원 전체의 평가 점수는 평균이 83점, 표준편차가 5점인 정규분포를 따른다고 할 때, 해외 연수의 기회를 얻기 위한 최소 점수를 오른쪽 표준정규분포표를 이용하여 구하여라. (단, 평가 점수는 0점 이상 100점 이하이다.)

z	$P(0 \le Z \le z)$
1.0	0.34
1.1	0.36
1.2	0.38
1.3	0.40

419

1개의 주사위를 n번 던져서 1의 눈이 나온 횟수를 확률변수 X라고 할 때, X의 표준편차는 10이다. 이때, 1의 눈이 110회 이상 140회 이하 나올 확률을 구하여라.
(단, Z가 표준정규분포를 따르는 확률변수일 때, $P(0 \le Z \le 1) = 0.3413$, $P(0 \le Z \le 2) = 0.4772$로 계산한다.)

420

어떤 양궁 선수가 과녁을 명중시킬 확률이 0.8이라고 한다. 100발을 쏘았을 때, n발 이상을 명중시킬 확률이 0.02일 때, n의 값을 구하여라.
(단, Z가 표준정규분포를 따르는 확률변수일 때, $P(0 \le Z \le 1) = 0.34$, $P(0 \le Z \le 2) = 0.48$로 계산한다.)

고득점을 향한 도약

421

두 연속확률변수 X, Y가 가지는 값의 범위는 각각 $0 \leq X \leq 4$, $0 \leq Y \leq 4$이고, X의 확률밀도함수 $f(x)$와 Y의 확률밀도함수 $g(x)$가

$$f(x) = ax(x-4) \ (0 \leq x \leq 4)$$

$$g(x) = \begin{cases} b & (0 \leq x \leq 2) \\ f(x-2) + b & (2 \leq x \leq 4) \end{cases}$$

일 때, 〈보기〉에서 옳은 것을 모두 고른 것은?

(단, a, b는 상수이다.)

● 보기 ●

ㄱ. $P(2 \leq X \leq 4) = \dfrac{1}{2}$

ㄴ. $b = \dfrac{1}{8}$

ㄷ. $P(1 \leq Y \leq 4) = \dfrac{5}{8}$

① ㄱ　　　　② ㄱ, ㄴ　　　　③ ㄱ, ㄷ
④ ㄴ, ㄷ　　　⑤ ㄱ, ㄴ, ㄷ

422 ◖100점 도전◗

두 양수 a, b에 대하여 연속확률변수 X가 가지는 값의 범위는 $0 \leq X \leq a$이고 확률밀도함수의 그래프는 다음 그림과 같다.

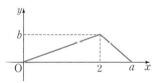

$P\left(0 \leq X \leq \dfrac{a}{2}\right) = \dfrac{b}{2}$일 때, $a^2 + 4b^2$의 값은?

① 10　　　　② 11　　　　③ 12
④ 13　　　　⑤ 14

423

어느 회사에서 5 m 길이로 표시하여 생산한 파이프의 실제 길이를 측정하여 그 오차를 확률변수 X라고 하자. 이때, X의 확률밀도함수 $f(x)$의 그래프는 다음 그림과 같다.

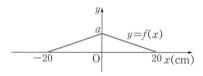

이 회사에서 5 m 길이의 파이프 1600개를 생산할 때, 실제 길이가 510 cm 이상인 파이프의 개수를 구하여라.

424

연속확률변수 X_i는 정규분포 $N(m, \sigma_i^2)$을 따르고, 확률밀도함수는 $f_i(x)$이다. 확률밀도함수 $y = f_i(x)$의 그래프가 다음 그림과 같을 때, 〈보기〉에서 옳은 것을 모두 고른 것은? (단, $i = 1, 2, 3$이고, $\sigma_i > 0$이다.)

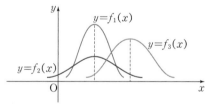

● 보기 ●

ㄱ. $\sigma_1 < \sigma_2$

ㄴ. $m_2 = m_3$

ㄷ. $f_3(m_3) < f_1(m_1)$

① ㄱ　　　　② ㄴ　　　　③ ㄱ, ㄷ
④ ㄴ, ㄷ　　　⑤ ㄱ, ㄴ, ㄷ

425

어느 농장에서 생산한 포도 한 송이의 무게는 평균이 500 g, 표준편차가 50 g인 정규분포를 따른다고 한다. 포도 한 송이의 가격은 다음 표와 같이 무게를 기준으로 정하였다.

무게(g)	가격(원)
500 미만	1000
500 이상 550 미만	1100
550 이상	1200

이때, 포도 한 송이의 가격의 기댓값을 구하여라. (단, Z가 표준정규분포를 따르는 확률변수일 때, $P(0 \le Z \le 1) = 0.34$로 계산한다.)

427

어느 공장에서 생산되는 제품 한 개의 무게는 평균이 30 g, 표준편차가 5 g인 정규분포를 따른다고 한다. 이 공장에서는 한 개의 무게가 40 g 이상인 제품을 불량품으로 판정한다고 한다. 이 공장에서 생산된 제품 중에서 2500개를 임의로 택했을 때, 불량품이 57개 이상일 확률을 오른쪽 표준정규분포표를 이용하여 구한 것은?

z	$P(0 \le Z \le z)$
0.5	0.19
1.0	0.34
1.5	0.43
2.0	0.48

① 0.12 ② 0.14 ③ 0.16
④ 0.18 ⑤ 0.2

426

어느 회사의 전체 신입 사원 1000명을 대상으로 신체검사를 한 결과, 키는 평균이 m cm, 표준편차가 10 cm인 정규분포를 따른다고 한다. 전체 신입 사원 중에서 키가 177 cm 이상인 사원이 242명이었다. 전체 신입 사원 중에서 임의로 택한 한 명의 키가 180 cm 이상일 확률을 오른쪽 표준정규분포표를 이용하여 구한 것은?

z	$P(0 \le Z \le z)$
0.7	0.2580
0.8	0.2881
0.9	0.3159
1.0	0.3413

① 0.1587 ② 0.1841 ③ 0.2119
④ 0.2267 ⑤ 0.2420

428

100원짜리 동전 100개를 한 번에 던져서 앞면이 55개 이상 나오면 동전 100개를 모두 가져가고, 그렇지 않으면 2000원을 내는 게임을 하기로 하였다. 이때, 한 번의 시행에서 얻을 수 있는 기댓값은? (단, Z가 표준정규분포를 따르는 확률변수일 때, $P(0 \le Z \le 1) = 0.34$, $P(0 \le Z \le 2) = 0.48$, $P(0 \le Z \le 3) = 0.49$로 계산한다.)

① −80원 ② −40원 ③ 0원
④ 40원 ⑤ 80원

07 통계적 추정

더 자세한 개념은 풍산자 확률과 통계 141쪽

1 모집단과 표본

(1) **전수조사** : 모집단 전체를 조사하는 것
    └ 조사하고자 하는 대상 전체

(2) **표본조사** : 표본을 조사하는 것
    └ 조사하기 위하여 뽑은 모집단의 일부분

(3) **임의추출** : 모집단의 각 자료가 같은 확률로 독립적으로 추출하는 것

2 모평균과 표본평균

(1) 모집단의 확률변수 X의 평균, 분산, 표준편차를 각각 모평균, 모분산, 모표준편차라 하고, 각각 기호로 m, σ^2, σ 와 같이 나타낸다.

(2) 모집단에서 크기가 n인 표본 $X_1, X_2, \cdots, X_n$을 임의추출하였을 때, 이 표본의 평균, 분산, 표준편차를 각각 표본평균, 표본분산, 표본표준편차라 하고, 각각 기호로 $\overline{X}$, S^2, S와 같이 나타낸다.

3 표본평균의 평균, 분산, 표준편차

(1) **표본평균의 평균, 분산, 표준편차** : 모평균이 m, 모표준편차가 σ인 모집단에서 크기가 n인 표본을 임의추출할 때, 표본평균 $\overline{X}$에 대하여

① $\mathrm{E}(\overline{X})=m$

② $\mathrm{V}(\overline{X})=\dfrac{\sigma^2}{n}$

③ $\sigma(\overline{X})=\dfrac{\sigma}{\sqrt{n}}$

(2) **표본평균의 분포** : 정규분포 $\mathrm{N}(m, \sigma^2)$을 따르는 모집단에서 크기가 n인 표본을 임의추출할 때, 표본평균 $\overline{X}$는 정규분포 $\mathrm{N}\!\left(m, \dfrac{\sigma^2}{n}\right)$을 따른다.
    └ 모집단의 분포가 정규분포 아닐 때에도 표본의 크기 n $(n \ge 30)$이 충분히 크면 표본평균 $\overline{X}$는 정규분포 $\mathrm{N}\!\left(m, \dfrac{\sigma^2}{n}\right)$을 따른다.

4 모평균의 추정

(1) **추정** : 모평균, 모표준편차와 같이 모집단의 특성을 나타내는 값을 확률적으로 추측하는 것

(2) **모평균의 신뢰구간** : 정규분포 $\mathrm{N}(m, \sigma^2)$을 따르는 모집단에서 크기가 n인 표본을 임의추출하여 구한 표본평균 $\overline{X}$의 값을 $\overline{x}$라고 하면 모평균 m의 신뢰구간은 다음과 같다.

① 신뢰도 95 %일 때

$$\overline{x}-1.96\dfrac{\sigma}{\sqrt{n}} \le m \le \overline{x}+1.96\dfrac{\sigma}{\sqrt{n}}$$

② 신뢰도 99 %일 때

$$\overline{x}-2.58\dfrac{\sigma}{\sqrt{n}} \le m \le \overline{x}+2.58\dfrac{\sigma}{\sqrt{n}}$$

(3) **신뢰구간의 길이**

정규분포 $\mathrm{N}(m, \sigma^2)$을 따르는 모집단에서 크기가 n인 표본을 임의추출할 때, 모평균 m의 신뢰구간의 길이는 다음과 같다.

① 신뢰도 95 %일 때 : $2 \cdot 1.96 \cdot \dfrac{\sigma}{\sqrt{n}}$

② 신뢰도 99 %일 때 : $2 \cdot 2.58 \cdot \dfrac{\sigma}{\sqrt{n}}$

> **참고** 신뢰도가 α %인 신뢰구간의 길이 $2k\dfrac{\sigma}{\sqrt{n}}\left(\mathrm{P}(|Z| \le k) = \dfrac{\alpha}{100}\right)$에서
> ① 신뢰도가 일정할 때, n의 값이 커지면 신뢰구간의 길이는 짧아지고, n의 값이 작아지면 신뢰구간의 길이는 길어진다.
> ② n의 값이 일정할 때, 신뢰도가 커지면 신뢰구간의 길이는 길어지고, 신뢰도가 작아지면 신뢰구간의 길이는 짧아진다.

문제 풀 때 유용한 풍쌤 비법

❶ **표본평균의 평균, 분산, 표준편차**

모집단의 확률분포에서 크기가 n인 표본의 표본평균 $\overline{X}$의 평균, 분산, 표준편차를 구하려면 먼저 모집단의 평균 m, 분산 σ^2, 표준편차 σ를 구해야 한다.

⇨ $\mathrm{E}(\overline{X})=m$, $\mathrm{V}(\overline{X})=\dfrac{\sigma^2}{n}$, $\sigma(\overline{X})=\dfrac{\sigma}{\sqrt{n}}$

❷ **신뢰구간의 길이**

신뢰도가 α %인 신뢰구간의 길이 $2k\dfrac{\sigma}{\sqrt{n}}$는 $\dfrac{\sigma}{\sqrt{n}}$에 정비례한다. $\left(\text{단, } \mathrm{P}(|Z| \le k) = \dfrac{\alpha}{100}\right)$

01 표본의 추출
중요도 ▨☐☐

429
상 중 **하**

표본조사로 적합한 것을 〈보기〉에서 모두 고른 것은?

──────────● 보기 ●─

ㄱ. 어느 회사에서 생산되는 스마트폰 품질 검사

ㄴ. 우리 나라 인구 조사

ㄷ. 드라마 시청률 조사

① ㄱ   ② ㄱ, ㄴ   ③ ㄱ, ㄷ

④ ㄴ, ㄷ   ⑤ ㄱ, ㄴ, ㄷ

430
상 중 **하**

1, 2, 3, 4가 각각 하나씩 적혀 있는 4개의 공 중에서 크기가 2인 표본을 추출할 때, 다음 각 경우에 가능한 표본을 모두 나열하고 그 가짓수를 구하여라.

(1) 복원추출하는 경우

(2) 1개씩 2번 꺼내는 경우(비복원추출)

(3) 동시에 2개를 꺼내는 경우

02 모평균과 표본평균
중요도 ▨☐☐

431
상 중 **하**

모집단 $\{1,\ 2,\ 3,\ \cdots,\ 10\}$에서 크기가 3인 표본 2, 4, 6을 추출하였을 때, 모평균 m과 표본평균 $\overline{X}$를 각각 구하여라.

432
상 중 **하**

모집단 $\{1,\ 2,\ 3,\ 4,\ 5\}$에서 크기가 2인 표본을 복원추출할 때, 표본평균 $\overline{X}$에 대하여 $P(\overline{X}=2)$를 구하여라.

433 📞최 多 빈출
상 **중** 하

모집단 $\{1,\ 5,\ 9\}$에서 크기가 2인 표본을 복원추출할 때, 표본평균 $\overline{X}$의 확률분포가 다음 표와 같다. 이때, 상수 a, b, c의 값을 구하여라.

$\overline{X}$	1	3	5	7	9	합계
$P(\overline{X}=x)$	$\frac{1}{9}$	a	$\frac{1}{3}$	b	c	1

03 표본평균의 평균, 분산, 표준편차
중요도 ▨▨☐

434
상 중 **하**

모평균이 30, 모표준편차가 5인 어떤 모집단에서 크기가 4인 표본을 임의추출할 때, 표본평균 $\overline{X}$에 대하여 다음 값을 구하여라.

(1) $E(\overline{X})$ (2) $V(\overline{X})$ (3) $\sigma(\overline{X})$

435 (상중하)

모평균이 10, 모표준편차가 σ인 어떤 모집단에서 크기가 36인 표본을 임의추출할 때, 표본평균 $\overline{X}$의 표준편차는 $\dfrac{5}{3}$라고 한다. 이때, $\sigma E(\overline{X})$의 값은?

① 60   ② 80   ③ 100
④ 120   ⑤ 140

436 📞 학평 기출 (상중하)

모표준편차가 14인 모집단에서 크기가 n인 표본을 임의추출할 때, 표본평균을 $\overline{X}$라고 하자. $\sigma(\overline{X})=2$일 때, n의 값은?

① 9   ② 16   ③ 25
④ 36   ⑤ 49

437 (상중하)

모평균이 10, 모분산이 8인 정규분포를 따르는 모집단에서 크기가 4인 표본을 복원추출할 때, 그 표본의 합을 Y라고 하자. 이때, $E(Y)+V(Y)$의 값은?

① 48   ② 52   ③ 64
④ 72   ⑤ 80

438 (상중하)

모집단의 확률변수 X의 확률분포가 다음 표와 같다. 이 모집단에서 크기가 4인 표본을 복원추출할 때, 표본평균 $\overline{X}$에 대하여 다음 값을 구하여라.

X	0	1	2	합계
$P(X=x)$	$\dfrac{1}{2}$	$\dfrac{3}{10}$	$\dfrac{1}{5}$	1

(1) $E(\overline{X})$ (2) $V(\overline{X})$ (3) $\sigma(\overline{X})$

439 (상중하)

정규분포 $N(m, \sigma^2)$을 따르는 모집단에서 크기가 24인 표본을 임의추출할 때, 표본평균 $\overline{X}$의 평균과 분산은 다음 자료 5개의 평균, 분산과 각각 같다. 이때, $m+\sigma$의 값은?

8, 9, 11, 12, 15

① 19   ② 21   ③ 23
④ 25   ⑤ 27

440 📞 풍쌤 비법 ❶ (상중하)

다음은 어느 모집단의 확률분포를 표로 나타낸 것이다.

X	1	2	3	4	합계
$P(X=x)$	$\dfrac{1}{4}$	$\dfrac{1}{8}$	a	$\dfrac{1}{8}$	1

이 모집단에서 크기가 9인 표본을 임의추출할 때, 표본평균 $\overline{X}$의 표준편차는?

① $\dfrac{1}{9}$ ② $\dfrac{1}{8}$ ③ $\dfrac{1}{6}$
④ $\dfrac{1}{3}$ ⑤ $\dfrac{1}{2}$

441

(상중하)

모집단의 확률변수 X의 확률분포가 다음 표와 같다. 이 모집단에서 크기가 n인 표본을 복원추출할 때, 그 표본평균 $\overline{X}$의 분산이 $\dfrac{1}{10}$이라고 한다. 이때, n의 값은?

X	1	2	3	합계
$\mathrm{P}(X=x)$	$\dfrac{1}{4}$	$\dfrac{1}{2}$	$\dfrac{1}{4}$	1

① 2   ② 3   ③ 4
④ 5   ⑤ 6

442 최多빈출

(상중하)

크기가 25인 표본의 표본평균 $\overline{X}$의 확률분포가 다음 표와 같을 때, 모집단의 분산은?

$\overline{X}$	1	2	4	5	합계
$\mathrm{P}(\overline{X}=\overline{x})$	0.3	0.2	0.2	0.3	1

① 50   ② 60   ③ 70
④ 80   ⑤ 90

443

(상중하)

주머니 안에 1에서 9까지의 숫자가 각각 하나씩 적혀 있는 9개의 공이 들어 있다. 이 주머니에서 크기가 4인 표본을 복원추출하여 공에 적혀 있는 수의 표본평균을 $\overline{X}$라고 할 때, $\overline{X}$의 분산은?

① $\dfrac{3}{8}$ ② $\dfrac{5}{3}$ ③ $\dfrac{8}{3}$
④ 5   ⑤ $\dfrac{20}{3}$

444

(상중하)

주머니 안에 1, 3, 5, 7, 9의 숫자가 각각 하나씩 적혀 있는 5장의 카드가 들어 있다. 이 주머니에서 크기가 2인 표본을 복원추출할 때, 카드에 적혀 있는 수의 표본평균 $\overline{X}$의 표준편차는?

① 1   ② $\sqrt{2}$ ③ $\sqrt{3}$
④ 2   ⑤ $\sqrt{5}$

445

(상중하)

주머니 안에 n에서 $n+6$까지의 자연수가 각각 하나씩 적혀 있는 7개의 공이 들어 있다. 이 주머니에서 크기가 2인 표본을 복원추출하여 공에 적힌 수의 평균을 $\overline{X}$라고 하자. $\mathrm{E}(\overline{X})=6$일 때, $\sigma(\overline{X})$의 값은?

① 1   ② $\sqrt{2}$ ③ $\sqrt{3}$
④ 2   ⑤ $\sqrt{5}$

04 표본평균의 확률분포

중요도

446

(상중하)

정규분포 $\mathrm{N}(20, 5^2)$을 따르는 모집단에서 크기가 25인 표본을 임의추출할 때, 표본평균 $\overline{X}$의 분포에 대하여 〈보기〉에서 옳은 것을 모두 고른 것은?

보기
ㄱ. $\mathrm{E}(\overline{X})=4$
ㄴ. $\mathrm{V}(\overline{X})=1$
ㄷ. $\overline{X}$는 정규분포 $\mathrm{N}(4, 5^2)$을 따른다.

① ㄱ   ② ㄴ   ③ ㄱ, ㄷ
④ ㄴ, ㄷ   ⑤ ㄱ, ㄴ, ㄷ

447

상 중 **하**

정규분포 $N(32, 6^2)$을 따르는 모집단에서 크기가 9인 표본을 임의추출한 표본평균을 $\overline{X}$라고 할 때, 다음을 오른쪽 표준정규분포표를 이용하여 구하여라.

z	$P(0 \leq Z \leq z)$
1.0	0.3413
1.5	0.4332
2.0	0.4772
2.5	0.4938

(1) $P(\overline{X} \leq 28)$

(2) $P(29 \leq \overline{X} \leq 37)$

(3) $P(\overline{X} \geq 30)$

448 📞 최 多 빈출

상 **중** 하

어느 공장에서 생산한 제품의 무게는 평균이 30 g, 표준편차가 5 g인 정규분포를 따른다고 한다. 이 제품 중에서 임의로 택한 100개의 무게의 평균이 29.5 g 이상 31 g 이하일 확률을 오른쪽 표준정규분포표를 이용하여 구한 것은?

z	$P(0 \leq Z \leq z)$
0.5	0.19
1.0	0.34
1.5	0.43
2.0	0.48

① 0.77   ② 0.82   ③ 0.86

④ 0.91   ⑤ 0.96

449 📞 학평 기출

상 **중** 하

어느 항공편 탑승객들의 1인당 수하물 무게는 평균이 15 kg, 표준편차가 4 kg인 정규분포를 따른다고 한다. 이 항공편 탑승객들을 대상으로 16명을 임의추출하여 조사한 1인당 수하물 무게의 평균이 17 kg 이상일 확률을 오른쪽 표준정규분포표를 이용하여 구한 것은?

z	$P(0 \leq Z \leq z)$
0.5	0.1915
1.0	0.3413
1.5	0.4332
2.0	0.4772

① 0.0228   ② 0.0668   ③ 0.1587

④ 0.3085   ⑤ 0.3413

450

상 중 **하**

평균이 9.27, 표준편차가 4인 정규분포를 따르는 모집단에서 임의추출한 크기가 64인 표본의 평균을 $\overline{X}$라고 하자. 이때, $P(\overline{X} \geq c) = 0.985$를 만족시키는 상수 c의 값을 오른쪽 표준정규분포표를 이용하여 구한 것은?

z	$P(0 \leq Z \leq z)$
1.65	0.450
1.96	0.475
2.17	0.485
2.58	0.495

① 8.120   ② 8.122   ③ 8.185

④ 8.195   ⑤ 8.215

451

상 **중** 하

정규분포 $N(120, 10^2)$을 따르는 모집단에서 임의추출한 크기가 25인 표본의 평균을 $\overline{X}$라고 하자. 이때, $P(|\overline{X} - 120| \leq a) = 0.99$를 만족시키는 상수 a의 값을 오른쪽 표준정규분포표를 이용하여 구한 것은?

z	$P(0 \leq Z \leq z)$
1.64	0.450
1.96	0.475
2.58	0.495

① 5.14   ② 5.16   ③ 5.18

④ 5.20   ⑤ 5.22

452

상 **중** 하

어느 회사에서 생산하는 제품의 무게는 평균이 m g, 표준편차가 12 g인 정규분포를 따른다고 한다. 이 제품 중에서 36개를 임의추출할 때, 표본평균 $\overline{X}$에 대하여 $P(\overline{X} \geq 4) = 0.975$를 만족시키는 상수 m의 값을 오른쪽 표준정규분포표를 이용하여 구한 것은?

z	$P(0 \leq Z \leq z)$
1.64	0.450
1.96	0.475
2.58	0.495

① 5.64   ② 5.96   ③ 6.56

④ 7.28   ⑤ 7.92

453 (상)(중)(하)

어느 공장에서 만든 제품의 무게는 평균이 120 g, 표준편차가 σ g인 정규분포를 따른다고 한다. 이 공장에서 만든 제품 중에서 임의추출한 4개의 무게의 표본평균 $\overline{X}$에 대하여 $P(\overline{X} \geq 130) = 0.0228$을 만족시키는 σ의 값을 오른쪽 표준정규분포표를 이용하여 구하여라.

z	$P(0 \leq Z \leq z)$
0.5	0.1915
1.0	0.3413
1.5	0.4332
2.0	0.4772

454 (상)(중)(하)

어느 공장에서 생산하는 전구의 수명은 평균이 1400시간, 표준편차가 100시간인 정규분포를 따른다고 한다. 이 전구 중에서 n개를 임의추출할 때, 표본평균 $\overline{X}$에 대하여 $P\left(\overline{X} \geq 1350 + \dfrac{164}{\sqrt{n}}\right) \geq 0.9$를 만족시키는 자연수 n의 최솟값을 오른쪽 표준정규분포표를 이용하여 구하여라.

z	$P(0 \leq Z \leq z)$
1.28	0.400
1.64	0.450
1.96	0.475

05 모평균의 추정

중요도 ▩▩▩

455 (상)(중)(하)

정규분포 $N(m, 3^2)$을 따르는 모집단에서 크기가 36인 표본을 임의추출하여 조사한 결과 표본평균이 60이었다. 신뢰도 95 %로 모평균 m을 추정할 때, 다음을 구하여라. (단, Z가 표준정규분포를 따르는 확률변수일 때, $P(|Z| \leq 1.96) = 0.95$로 계산한다.)

(1) 신뢰구간
(2) 신뢰구간의 길이

456 (상)(중)(하)

정규분포 $N(m, 20^2)$을 따르는 모집단에서 크기가 100인 표본을 임의추출하여 조사한 결과 표본평균이 60이었다. 신뢰도 99 %로 모평균 m을 추정할 때, 다음을 구하여라. (단, Z가 표준정규분포를 따르는 확률변수일 때, $P(|Z| \leq 2.58) = 0.99$로 계산한다.)

(1) 신뢰구간
(2) 신뢰구간의 길이

457 ☎ 최多빈출 (상)(중)(하)

어느 학교 학생의 키는 표준편차가 5인 정규분포를 따른다고 한다. 이 학교 학생 중에서 400명을 임의추출하여 키를 조사하였더니 평균이 168이었을 때, 오른쪽 표준정규분포표를 이용하여 이 학교 학생의 평균 키 m을 신뢰도 95 %로 추정하면?

z	$P(0 \leq Z \leq z)$
1.65	0.450
1.96	0.475
2.17	0.485
2.58	0.495

(단, 키의 단위는 cm이다.)

① $160.57 \leq m \leq 161.83$
② $163.37 \leq m \leq 165.63$
③ $165.37 \leq m \leq 166.63$
④ $165.02 \leq m \leq 166.98$
⑤ $167.51 \leq m \leq 168.49$

458 (상)(중)(하)

전국 고등학교 3학년 학생들의 수학 점수는 표준편차가 5점인 정규분포를 따른다고 한다. 이 중에서 임의추출한 100명의 수학 점수의 평균이 42점일 때, 오른쪽 표준정규분포표를 이용하여 전국 고등학교 3학년 학생 전체의 수학 점수의 평균 m을 신뢰도 99 %로 추정하면?

z	$P(0 \leq Z \leq z)$
1.65	0.450
1.96	0.475
2.17	0.485
2.58	0.495

① $41.85 \leq m \leq 42.15$
② $40.71 \leq m \leq 43.29$
③ $39.64 \leq m \leq 44.36$
④ $38.79 \leq m \leq 45.21$
⑤ $37.83 \leq m \leq 46.17$

459 (상 중 하)

정규분포 $N(m, 3^2)$을 따르는 모집단에서 9개의 표본을 임의추출하여 그 값을 조사하였더니 다음과 같았다. 이때, 모평균 m을 신뢰도 95 %로 추정하면?

(단, Z가 표준정규분포를 따르는 확률변수일 때, $P(|Z| \leq 1.96) = 0.95$로 계산한다.)

10, 11, 11, 8, 9, 9, 11, 10, 11

① $8.04 \leq m \leq 11.96$ ② $8.14 \leq m \leq 11.86$

③ $8.24 \leq m \leq 12.86$ ④ $8.34 \leq m \leq 12.76$

⑤ $8.44 \leq m \leq 12.66$

460 (상 중 하)

어느 공장에서 생산하는 탁구공을 일정한 높이에서 바닥에 떨어뜨렸을 때, 탁구공이 튀어 오른 높이는 정규분포를 따른다고 한다. 이 탁구공 중에서 임의추출한 100개에 대하여 튀어 오른 높이를 측정하였더니 평균이 245 mm, 표준편차가 20 mm이었다. 이 공장에서 생산하는 탁구공 전체의 튀어 오른 높이의 평균 m을 신뢰도 95 %로 추정할 때, 신뢰구간에 속하는 정수의 개수를 구하여라.

(단, Z가 표준정규분포를 따르는 확률변수일 때, $P(0 \leq Z \leq 1.96) = 0.475$로 계산한다.)

461 (상 중 하)

어느 회사가 판매하는 스마트폰 배터리는 표준편차가 100시간인 정규분포를 따른다고 한다. 크기가 100인 표본을 임의추출하여 신뢰도 95 %로 추정한 모평균의 신뢰구간의 길이와 크기가 n인 표본을 임의추출하여 신뢰도 99 %로 추정한 모평균의 신뢰구간의 길이가 같을 때, n의 값은?

(단, Z가 표준정규분포를 따르는 확률변수일 때, $P(|Z| \leq 2) = 0.95$, $P(|Z| \leq 3) = 0.99$로 계산한다.)

① 215 ② 225 ③ 235

④ 245 ⑤ 255

462 (상 중 하)

어느 도시에 있는 전체 고등학교 학생들의 몸무게는 표준편차가 5 kg인 정규분포를 따른다고 한다. 이 도시의 고등학교 학생 전체에 대한 몸무게의 평균을 신뢰도 95 %로 추정할 때, 신뢰구간의 길이를 1 kg 이하가 되도록 하려고 한다. 조사하여야 할 표본의 크기의 최솟값은?

(단, Z가 표준정규분포를 따르는 확률변수일 때, $P(0 \leq Z \leq 1.96) = 0.475$로 계산한다.)

① 370 ② 375 ③ 380

④ 385 ⑤ 390

463 (상 중 하)

어느 공장에서 생산하는 빵의 무게는 표준편차가 5 g인 정규분포를 따른다고 한다. 이 공장에서 생산하는 빵 전체에 대한 무게의 평균을 신뢰도 99 %로 추정하려고 할 때, 신뢰구간의 길이가 3 g 이상이 되도록 하는 표본의 크기의 최댓값을 구하여라.

(단, Z가 표준정규분포를 따르는 확률변수일 때, $P(|Z| \leq 2.58) = 0.99$로 계산한다.)

464 📞 학평 기출 (상 중 하)

어느 나라에서 작년에 운행된 택시의 연간 주행거리는 모평균이 m인 정규분포를 따른다고 한다. 이 나라에서 작년에 운행된 택시 중에서 16대를 임의추출하여 구한 연간 주행거리의 표본평균이 $\bar{x}$이고, 이 결과를 이용하여 신뢰도 95 %로 추정한 m에 대한 신뢰구간이 $\bar{x} - c \leq m \leq \bar{x} + c$이다. 이 나라에서 작년에 운행된 택시 중에서 임의로 1대를 선택할 때, 이 택시의 연간 주행거리가 $m + c$ 이하일 확률을 오른쪽 표준정규분포 표를 이용하여 구한 것은?

z	$P(0 \leq Z \leq z)$
0.49	0.1879
0.98	0.3365
1.47	0.4292
1.96	0.4750

(단, 주행거리의 단위는 km이다.)

① 0.6242 ② 0.6635 ③ 0.6879

④ 0.8365 ⑤ 0.9292

465 (상 중 하)

정규분포 $N(m, 3^2)$을 따르는 모집단에서 임의추출한 크기가 4인 표본과 크기가 9인 표본의 표본평균을 각각 $\overline{X_A}$, $\overline{X_B}$라 하고, $\overline{X_A}$와 $\overline{X_B}$의 분포를 이용하여 추정한 모평균 m에 대한 신뢰도 99 %의 신뢰구간을 각각 $a \le m \le b$, $c \le m \le d$라고 하자. 다음 〈보기〉에서 옳은 것을 모두 고른 것은?

보기

ㄱ. $V(\overline{X_A}) < V(\overline{X_B})$
ㄴ. $P(\overline{X_A} \le m+3) < P(\overline{X_B} \le m+3)$
ㄷ. $d-c < b-a$

① ㄱ   ② ㄱ, ㄴ   ③ ㄱ, ㄷ
④ ㄴ, ㄷ   ⑤ ㄱ, ㄴ, ㄷ

466 (상 중 하)

다음 □ 안에 알맞은 것을 차례대로 나열한 것은?

신뢰구간을 추정할 때에는 신뢰도가 □수록, 신뢰구간의 길이는 □수록 더 의미가 있다. 그러나 표본의 크기가 고정되어 있을 때 신뢰도를 높이면 신뢰구간의 길이가 길어지고, 신뢰구간의 길이를 짧게 하면 신뢰도가 낮아진다. 따라서 신뢰도를 고정시키고 신뢰구간의 길이를 □ 하려면 표본의 크기를 크게 하여야 한다.

① 낮을, 짧을, 짧게   ② 낮을, 길, 짧게
③ 높을, 짧을, 짧게   ④ 높을, 길, 길게
⑤ 높을, 짧을, 길게

467 (상 중 하)

정규분포 $N(m, 3^2)$을 따르는 모집단에서 표본을 추출하여 모평균 m을 추정할 때, 다음 설명 중 옳은 것은?

① 신뢰도를 낮추면서 표본의 크기를 크게 하면 신뢰구간의 길이는 짧아진다.
② 신뢰도를 낮추면서 표본의 크기를 작게 하면 신뢰구간의 길이는 짧아진다.
③ 신뢰도를 높이면서 표본의 크기를 작게 하면 신뢰구간의 길이는 짧아진다.
④ 신뢰도를 높이면서 표본의 크기를 크게 하면 신뢰구간의 길이는 짧아진다.
⑤ 신뢰구간의 길이는 신뢰도와 표본의 크기에 관계없이 항상 일정하다.

468 📞 최多빈출 (상 중 하)

표준편차가 1인 어떤 정규분포를 따르는 모집단의 평균에 대한 일정한 신뢰도의 신뢰구간을 표본평균을 이용하여 구하려고 한다. 신뢰구간의 길이를 2로 하려면 표본의 크기가 5이어야 할 때, 신뢰구간의 길이를 1로 하려면 표본의 크기를 얼마로 해야 하는가?

① 20   ② 24   ③ 28
④ 32   ⑤ 36

469 풍쌤 비법 ❷ (상 중 하)

표준편차가 σ인 모집단에서 n개의 표본을 임의추출하여 모평균을 추정할 때, 다음 중 모평균의 신뢰구간의 길이가 가장 긴 것은? (단, 신뢰도는 모두 일정하다.)

① $n=36, \sigma=4$ ② $n=36, \sigma=9$
③ $n=81, \sigma=9$ ④ $n=81, \sigma=12$
⑤ $n=100, \sigma=12$

내신을 꽉 잡는 서술형

470

정규분포 $N(30, 16)$을 따르는 어느 모집단에서 크기가 4인 표본을 복원추출할 때, 표본평균을 $\overline{X}$라고 하자. 이때, $E(\overline{X}^2)$의 값을 구하여라.

471

정규분포 $N(30, 5^2)$을 따르는 모집단에서 임의추출한 크기가 n인 표본의 표본평균을 $\overline{X}$라고 할 때, 다음 물음에 답하여라.

(1) 표본평균 $\overline{X}$가 정규분포 $N\left(m, \left(\dfrac{1}{2}\right)^2\right)$을 따를 때, m, n의 값을 구하여라.

(2) 오른쪽 표준정규분포표를 이용하여 $P(29.5 \leq \overline{X} \leq 31)$을 구하여라.

z	$P(0 \leq Z \leq z)$
1.0	0.34
1.5	0.43
2.0	0.48

472

모평균이 0, 모표준편차가 σ인 정규분포를 따르는 어느 모집단에서 임의추출한 크기가 n인 표본의 표본평균 $\overline{X}$에 대하여 $f(\sigma) = P\left(\overline{X} \leq \dfrac{\sigma^2}{n}\right)$이라고 하자. 이때, $f(1) \leq 0.67$을 만족시키는 자연수 n의 최솟값을 구하여라.
(단, Z가 표준정규분포를 따르는 확률변수일 때, $P(0 \leq Z \leq 0.44) = 0.17$로 계산한다.)

473

정규분포 $N(m, \sigma^2)$을 따르는 어느 모집단에서 표본을 임의추출하여 모평균을 신뢰도 95 %로 추정할 때, 모평균과 표본평균의 차를 모표준편차의 $\dfrac{1}{5}$ 이하로 하려고 한다. 이때, 필요한 표본의 크기의 최솟값을 구하여라.
(단, Z가 표준정규분포를 따르는 확률변수일 때, $P(|Z| \leq 2) = 0.95$로 계산한다.)

474

어느 공장에서 생산하는 배터리의 수명을 측정한 결과 평균이 1400시간, 표준편차가 10시간인 정규분포를 따른다고 한다. 이 공장에서 생산하는 배터리 100개를 임의추출하여 조사한 배터리의 수명의 표본평균을 $\overline{X}$라고 하자. $P(|\overline{X} - 1400| \leq a) = 0.8664$를 만족시키는 상수 a의 값을 오른쪽 표준정규분포표를 이용하여 구하여라.

z	$P(0 \leq Z \leq z)$
1.0	0.3413
1.5	0.4332
2.0	0.4772
2.5	0.4938

475

어떤 모집단에서 30개의 표본 $x_1, x_2, \cdots, x_{30}$을 임의로 택하여 조사한 결과
$$x_1 + x_2 + \cdots + x_{30} = 150, \quad x_1^2 + x_2^2 + \cdots + x_{30}^2 = 1200$$
을 얻었다. 이 모집단이 정규분포를 따른다고 할 때, 이 모집단의 평균 m을 신뢰도 95 %로 추정한 신뢰구간을 구하여라.
(단, Z가 표준정규분포를 따르는 확률변수일 때, $P(|Z| \leq 1.96) = 0.95$이고, $\sqrt{2} = 1.4$로 계산한다.)

고득점을 향한 도약

476

모평균이 2, 모분산이 1인 정규분포를 따르는 모집단에서 크기가 n인 표본을 임의추출할 때, 표본평균 $\overline{X}$에 대하여 $f(n)=E(\overline{X}^2-4\overline{X}+4)$라고 하자. 이때, $y=f(n)$의 그래프의 개형으로 가장 적당한 것은?

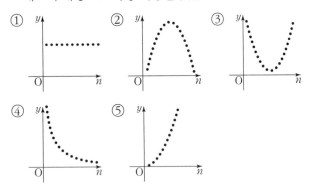

477

모평균이 75, 모표준편차가 5인 정규분포를 따르는 모집단에서 크기가 25인 표본을 임의추출할 때, 표본평균을 $\overline{X}$라고 하자. 표준정규분포를 따르는 확률변수 Z에 대하여 양의 상수 c가 $P(|Z|>c)=0.06$을 만족시킬 때, 〈보기〉에서 옳은 것을 모두 고른 것은?

● 보기 ●
ㄱ. $P(Z>a)=0.05$인 상수 a에 대하여 $c>a$이다.
ㄴ. $P(\overline{X}\le c+75)=0.97$
ㄷ. $P(\overline{X}>b)=0.01$인 상수 b에 대하여 $c<b-75$이다.

① ㄱ ② ㄷ ③ ㄱ, ㄴ
④ ㄴ, ㄷ ⑤ ㄱ, ㄴ, ㄷ

478

A 고등학교 학생의 몸무게는 평균이 60 kg, 표준편차가 6 kg인 정규분포를 따른다고 한다. 적재 중량이 549 kg 이상이 되면 경고음을 내도록 설계되어 있는 엘리베이터에 A 고등학교 학생 중 임의추출한 9명이 탑승하였을 때, 경고음이 울릴 확률을 오른쪽 표준정규분포표를 이용하여 구한 것은?

z	$P(0\le Z\le z)$
0.5	0.1915
1.0	0.3413
1.5	0.4332
2.0	0.4772

① 0.1587 ② 0.1915 ③ 0.3085
④ 0.3413 ⑤ 0.4332

479 (100점 도전)

정규분포 $N(30, 4^2)$을 따르는 모집단에서 크기가 4인 표본을 임의추출하여 구한 표본평균을 $\overline{X}$, 정규분포 $N(75, \sigma^2)$을 따르는 모집단에서 크기가 9인 표본을 임의추출하여 구한 표본평균을 $\overline{Y}$라고 하자. $P(\overline{X}\le33)+P(\overline{Y}\le69)=1$일 때, $P(\overline{Y}\le83)$을 오른쪽 표준정규분포표를 이용하여 구한 것은?

z	$P(0\le Z\le z)$
1.0	0.3413
1.5	0.4332
2.0	0.4772

① 0.8413 ② 0.8644 ③ 0.8849
④ 0.9452 ⑤ 0.9772

480

어느 양계장에서 8월에 생산된 달걀 10000개의 무게는 평균이 50 g이고 표준편차가 4 g인 정규분포를 따른다고 한다. 이 달걀을 임의로 4개씩 한 꾸러미에 넣어서 포장할 때, 무게가 상위 10 % 이내에 속하는 것은 최상품으로 분류하여 판매한다고 한다. 이때, 8월에 생산된 최상품 한 꾸러미에 들어 있는 달걀의 평균 무게는 몇 g 이상인가?
(단, Z가 표준정규분포를 따르는 확률변수일 때, $P(0 \le Z \le 1.28) = 0.4$로 계산한다.)

① 51.28 g ② 52.56 g ③ 53.84 g
④ 55.12 g ⑤ 56.40 g

481

모평균이 20, 모표준편차가 3인 정규분포를 따르는 확률변수 X에 대하여 크기가 n인 표본을 임의추출할 때, 표본평균을 $\overline{X_n}$라고 하자. 이때,

$$P(20 \le \overline{X_n} \le 23) = P(20 \le X \le 32)$$

를 만족시키는 자연수 n의 값을 구하여라.

482

정규분포 $N(m, 4^2)$을 따르는 모집단에서 크기가 n인 표본을 임의추출하여 구한 표본평균 $\overline{X}$에 대하여

$$f(m) = P\left(\overline{X} \le 5.16 \cdot \frac{2}{\sqrt{n}}\right)$$

라고 하자. 이때, $f(0) + f(1) \le 1.332$를 만족시키는 자연수 n의 최솟값은?
(단, Z가 표준정규분포를 따르는 확률변수일 때, $P(0 \le Z \le 0.42) = 0.163$, $P(0 \le Z \le 2.58) = 0.495$로 계산한다.)

① 136 ② 140 ③ 144
④ 148 ⑤ 152

483 〈 100점 도전 〉

어떤 두 직업에 종사하는 전체 근로자 중 한 직업에서 표본 A를, 또 다른 직업에서 표본 B를 추출하여 월급을 조사한 결과가 다음 표와 같았다.

표본	표본의 크기	평균 (만 원)	표준 편차	신뢰도 (%)	모평균 m의 추정
A	n_1	240	12	α	$237 \le m \le 243$
B	n_2	230	10	α	$228 \le m \le 232$

위의 자료에 대한 설명으로 〈보기〉에서 옳은 것을 모두 고른 것은?
(단, 표본 A, B의 월급의 분포는 정규분포를 따른다.)

──── 보기 ────
ㄱ. 표본 A보다 표본 B의 분포가 더 고르다.
ㄴ. 표본 A의 크기가 표본 B의 크기보다 작다.
ㄷ. 신뢰도를 α보다 크게 하면 신뢰구간의 길이도 길어진다.

① ㄱ ② ㄱ, ㄴ ③ ㄱ, ㄷ
④ ㄴ, ㄷ ⑤ ㄱ, ㄴ, ㄷ

484

정규분포 $N(m, \sigma^2)$을 따르는 모집단에서 크기가 n인 표본을 임의추출하여 신뢰도 95 %로 추정한 모평균 m의 신뢰구간의 길이를 l이라고 하자. 〈보기〉에서 옳은 것을 모두 고른 것은?
(단, Z가 표준정규분포를 따르는 확률변수일 때, $P(|Z| \le 2) = 0.95$, $P(|Z| \le 3) = 0.99$로 계산한다.)

──── 보기 ────
ㄱ. 크기가 $9n$인 표본을 임의추출하여 신뢰도 95 %로 추정할 때, 신뢰구간의 길이는 l이다.
ㄴ. 크기가 $4n$인 표본을 임의추출하여 신뢰도 99 %로 추정할 때, 신뢰구간의 길이는 $\frac{3}{4}l$이다.
ㄷ. 신뢰도 95 %로 추정할 때, 신뢰구간의 길이가 $\frac{1}{2}l$이 되려면 표본의 크기는 $4n$이어야 한다.

① ㄱ ② ㄴ ③ ㄱ, ㄴ
④ ㄱ, ㄷ ⑤ ㄴ, ㄷ

표준정규분포표

z	0	1	2	3	4	5	6	7	8	9
0.0	.0000	.0040	.0080	.0120	.0160	.0199	.0239	.0279	.0319	.0359
0.1	.0398	.0438	.0478	.0517	.0557	.0596	.0636	.0675	.0714	.0753
0.2	.0793	.0832	.0871	.0910	.0948	.0987	.1026	.1064	.1103	.1141
0.3	.1179	.1217	.1255	.1293	.1331	.1368	.1406	.1443	.1480	.1517
0.4	.1554	.1591	.1628	.1664	.1700	.1736	.1772	.1808	.1844	.1879
0.5	.1915	.1950	.1985	.2019	.2054	.2088	.2123	.2157	.2190	.2224
0.6	.2257	.2291	.2324	.2357	.2389	.2422	.2454	.2486	.2518	.2549
0.7	.2580	.2611	.2642	.2673	.2704	.2734	.2764	.2794	.2823	.2852
0.8	.2881	.2910	.2939	.2967	.2995	.3023	.3051	.3078	.3106	.3133
0.9	.3159	.3186	.3212	.3238	.3264	.3289	.3315	.3340	.3365	.3389
1.0	.3413	.3438	.3461	.3485	.3508	.3531	.3554	.3577	.3599	.3621
1.1	.3643	.3665	.3686	.3708	.3729	.3749	.3770	.3790	.3810	.3830
1.2	.3849	.3869	.3888	.3907	.3925	.3944	.3962	.3980	.3997	.4015
1.3	.4032	.4049	.4066	.4082	.4099	.4115	.4131	.4147	.4162	.4177
1.4	.4192	.4207	.4222	.4236	.4251	.4265	.4279	.4292	.4306	.4319
1.5	.4332	.4345	.4357	.4370	.4382	.4394	.4406	.4418	.4429	.4441
1.6	.4452	.4463	.4474	.4484	.4495	.4505	.4515	.4525	.4535	.4545
1.7	.4554	.4564	.4573	.4582	.4591	.4599	.4608	.4616	.4625	.4633
1.8	.4641	.4649	.4656	.4664	.4671	.4678	.4686	.4693	.4699	.4706
1.9	.4713	.4719	.4726	.4732	.4738	.4744	.4750	.4756	.4761	.4767
2.0	.4772	.4778	.4783	.4788	.4793	.4798	.4803	.4808	.4812	.4817
2.1	.4821	.4826	.4830	.4834	.4838	.4842	.4846	.4850	.4854	.4857
2.2	.4861	.4864	.4868	.4871	.4875	.4878	.4881	.4884	.4887	.4890
2.3	.4893	.4896	.4898	.4901	.4904	.4906	.4909	.4911	.4913	.4916
2.4	.4918	.4920	.4922	.4925	.4927	.4929	.4931	.4932	.4934	.4936
2.5	.4938	.4940	.4941	.4943	.4945	.4946	.4948	.4949	.4951	.4952
2.6	.4953	.4955	.4956	.4957	.4959	.4960	.4961	.4962	.4963	.4964
2.7	.4965	.4966	.4967	.4968	.4969	.4970	.4971	.4972	.4973	.4974
2.8	.4974	.4975	.4976	.4977	.4977	.4978	.4979	.4980	.4980	.4981
2.9	.4981	.4982	.4983	.4983	.4984	.4984	.4985	.4985	.4986	.4986
3.0	.4987	.4987	.4987	.4988	.4988	.4989	.4989	.4989	.4990	.4990
3.1	.4990	.4991	.4991	.4991	.4992	.4992	.4992	.4992	.4993	.4993
3.2	.4993	.4993	.4994	.4994	.4994	.4994	.4994	.4995	.4995	.4995
3.3	.4995	.4995	.4996	.4996	.4996	.4996	.4996	.4996	.4996	.4997

I 경우의 수

001 ⑤	**002** ②	**003** ③	**004** ①	**005** 12
006 12	**007** 24	**008** ②	**009** ①	**010** ①
011 ④	**012** 30	**013** ①	**014** ④	**015** ⑤
016 ①	**017** ④	**018** 729	**019** ③	**020** 22
021 432	**022** 126	**023** ⑤	**024** ④	**025** 375
026 1600	**027** 37	**028** ⑤	**029** ⑤	**030** ③
031 ⑤	**032** ③	**033** ③	**034** ①	**035** 6
036 ⑤	**037** ⑤	**038** 150	**039** 12	**040** ④
041 ②	**042** ②	**043** ③	**044** ②	**045** ②
046 ①	**047** ①	**048** ③	**049** ②	**050** 36

051 ⑤　　**052** (1) 1　(2) 20　(3) 4　(4) 3

053 (1) $n=3$　(2) $r=2$　　**054** 6　　**055** ④　　**056** ④

057 (1) 6　(2) 28　　**058** ⑤　　**059** ②　　**060** ③

061 ①	**062** 66	**063** ④	**064** ③	**065** ①
066 210	**067** ⑤	**068** ②	**069** 180	**070** 360
071 10	**072** 69	**073** 530	**074** 10	**075** 70
076 657번	**077** 36	**078** ②	**079** 101	**080** ⑤
081 ⑤	**082** ②	**083** 30	**084** ③	**085** ③

086 75　　**087** 풀이 참조

088 (1) 15　(2) 24　(3) -540　(4) 4　　**089** 45　　**090** ①

091 ⑤	**092** ④	**093** ④	**094** ②	**095** ⑤
096 ①	**097** ①	**098** ②	**099** ①	**100** ⑤
101 ②	**102** ②	**103** ②	**104** 3	**105** ①
106 ①	**107** ②	**108** ④	**109** ②	**110** ②
111 ⑤	**112** ⑤	**113** ④	**114** ①	**115** ③
116 ⑤	**117** ⑤	**118** ④	**119** ②	**120** 풀이 참조

121 (1) 16　(2) 0　(3) 128　(4) 256　　**122** ④　　**123** ③

124 7	**125** ④	**126** ③	**127** ③	**128** ②
129 70	**130** 1	**131** 5	**132** -420	**133** 14
134 50	**135** ⑤	**136** ⑤	**137** ④	**138** 12
139 ②	**140** ⑤			

II 확률

141 (1) {1, 2, 3, 4, 5, 6}　(2) {2, 4, 6}　(3) {1}, {2}, {3}, {4}, {5}, {6}

142 (1) {1, 3, 5, 6}　(2) {3}　(3) {1, 2, 4, 5}　**143** ⑤　　**144** ⑤

145 ③	**146** ③	**147** ②	**148** ③	**149** ①
150 ④	**151** ③	**152** $\frac{1}{21}$	**153** $\frac{1}{5}$	**154** ③
155 ④	**156** ④	**157** ①	**158** 20	**159** ②
160 ③	**161** $\frac{5}{14}$	**162** ②	**163** ①	**164** ②
165 ③	**166** ③	**167** ⑤	**168** ③	**169** ④
170 154	**171** ⑤	**172** ②	**173** ①	**174** ③
175 ③	**176** ③	**177** ④	**178** $\frac{3}{2}$	**179** ③

180 (1) $\frac{3}{5}$　(2) $\frac{9}{10}$　　**181** ④　　**182** ⑤　　**183** ④

184 ①	**185** ②	**186** ③	**187** ④	**188** ②
189 ②	**190** $\frac{5}{18}$	**191** ⑤	**192** ②	**193** ②
194 ⑤	**195** ⑤	**196** ②	**197** ⑤	**198** $\frac{91}{216}$
199 $\frac{11}{18}$	**200** $\frac{1}{2}$	**201** $\frac{29}{36}$	**202** 5	**203** $\frac{1}{14}$
204 $\frac{33}{50}$	**205** 3	**206** ④	**207** ⑤	**208** ①
209 $\frac{3}{8}$	**210** ①	**211** ③	**212** ⑤	**213** ④
214 ④	**215** ④	**216** $\frac{671}{1296}$	**217** ③	**218** ④
219 ②	**220** ①	**221** ②	**222** ④	**223** ④
224 ②	**225** ①	**226** ①	**227** ③	**228** ⑤
229 ③	**230** ③	**231** ①	**232** ④	**233** ②
234 ①	**235** ④	**236** ③	**237** ④	**238** ⑤
239 ⑤	**240** ④	**241** $\frac{29}{72}$	**242** ④	**243** ⑤
244 ②	**245** ①	**246** ④	**247** ⑤	**248** ②
249 ②	**250** ④	**251** ②	**252** ④	**253** ②
254 ③	**255** ②	**256** ④	**257** ④	**258** ④
259 ③	**260** ①	**261** ②	**262** ⑤	**263** ①
264 ③	**265** ④	**266** ④	**267** ④	**268** ③
269 ①	**270** ③	**271** ③	**272** ①	**273** ④
274 617	**275** ③	**276** 0.25	**277** 12	**278** $\frac{9}{13}$
279 0.21	**280** 13	**281** $\frac{13}{256}$	**282** ④	**283** ③
284 ⑤	**285** ①	**286** $\frac{1}{15}$	**287** ⑤	**288** ④
289 5	**290** ②	**291** ⑤		

III 통계

292 풀이 참조　　**293** (1) $\dfrac{1}{6}$　(2) $\dfrac{5}{12}$　(3) $\dfrac{3}{4}$　**294** ⑤

295 ④　　**296** ③　　**297** $\dfrac{1}{5}$　　**298** ⑤　　**299** ②

300 ④　　**301** (1) 5　(2) 6　(3) $\sqrt{6}$　**302** ⑤　　**303** ④

304 ①　　**305** ①　　**306** ⑤　　**307** ③　　**308** ②

309 ④　　**310** ⑤　　**311** ⑤　　**312** ④

313 (1) 4　(2) 32　(3) $3\sqrt{2}$　**314** ⑤　　**315** ④　　**316** ⑤

317 ②　　**318** ⑤　　**319** ②　　**320** ④　　**321** ⑤

322 ⑤　　**323** ⑤　　**324** $n=10$, $p=\dfrac{1}{3}$　　**325** ③

326 ①　　**327** ②　　**328** (1) 75　(2) $\dfrac{225}{4}$　(3) $\dfrac{15}{2}$　**329** ①

330 ②　　**331** ④　　**332** ①　　**333** (1) 30　(2) 20　(3) $2\sqrt{5}$

334 ③　　**335** ③　　**336** ②　　**337** ⑤　　**338** ③

339 ①　　**340** ③　　**341** ②　　**342** ①　　**343** 500번

344 ⑤　　**345** ④　　**346** $\dfrac{3}{10}$　　**347** 21　　**348** 31

349 32　　**350** 12　　**351** 256　　**352** ④　　**353** ④

354 ③　　**355** ③　　**356** ④　　**357** ①　　**358** ②

359 ④　　**360** ②　　**361** $\dfrac{1}{8}$　　**362** ②　　**363** $\dfrac{1}{4}$

364 (1) $\dfrac{1}{2}$　(2) $\dfrac{1}{16}$　**365** ⑤　　**366** (1) $-\dfrac{1}{9}$　(2) $\dfrac{1}{3}$

367 (1) $\dfrac{1}{8}$　(2) $\dfrac{1}{2}$　**368** ④　　**369** ④　　**370** ①

371 ③　　**372** ⑤　　**373** ④　　**374** ⑤　　**375** ③

376 ④　　**377** ②　　**378** ⑤　　**379** ⑤　　**380** ⑤

381 ④　　**382** (1) 0.5328　(2) 0.0228　(3) 0.1587　(4) 0.044

383 0.8185　**384** ⑤　　**385** ③　　**386** ④　　**387** ③

388 (1) 0.5　(2) -1.5　(3) 1　**389** ④　　**390** ①　　**391** ④

392 ②　　**393** ①　　**394** ⑤　　**395** 62　　**396** ①

397 ②　　**398** ①　　**399** ①　　**400** ③　　**401** ④

402 ⑤　　**403** ④　　**404** (가) : 20, (나) : 16　**405** ①

406 110　　**407** 0.0668　**408** ③　　**409** ⑤　　**410** ①

411 ①　　**412** ③　　**413** ③　　**414** ②　　**415** $\dfrac{5}{3}$

416 125　　**417** 0.68　　**418** 89점　　**419** 0.8185　**420** 88

421 ②　　**422** ①　　**423** 200　　**424** ③　　**425** 1066원

426 ①　　**427** ③　　**428** ①　　**429** ③　　**430** 풀이 참조

431 $m=\dfrac{11}{2}$, $\overline{X}=4$　　**432** $\dfrac{3}{25}$　　**433** $a=\dfrac{2}{9}$, $b=\dfrac{2}{9}$, $c=\dfrac{1}{9}$

434 (1) 30　(2) $\dfrac{25}{4}$　(3) $\dfrac{5}{2}$　**435** ③　　**436** ⑤　　**437** ④

438 (1) $\dfrac{7}{10}$　(2) $\dfrac{61}{400}$　(3) $\dfrac{\sqrt{61}}{20}$　**439** ③　　**440** ④

441 ④　　**442** ③　　**443** ②　　**444** ④　　**445** ②

446 ②　　**447** (1) 0.0228　(2) 0.927　(3) 0.8413　**448** ②

449 ①　　**450** ③　　**451** ②　　**452** ⑤　　**453** 10

454 35　　**455** (1) $59.02 \le m \le 60.98$　(2) 1.96

456 (1) $54.84 \le m \le 65.16$　(2) 10.32　**457** ⑤　　**458** ②

459 ①　　**460** 7　　**461** ②　　**462** ④　　**463** 73

464 ③　　**465** ④　　**466** ③　　**467** ①　　**468** ①

469 ②　　**470** 904　　**471** (1) $m=30$, $n=100$　(2) 0.82

472 6　　**473** 100　　**474** 1.5　　**475** $3.6 \le m \le 6.4$

476 ④　　**477** ⑤　　**478** ③　　**479** ⑤　　**480** ②

481 16　　**482** ③　　**483** ⑤　　**484** ⑤

고등 풍산자와 함께하면
개념부터 ~ 고난도 문제까지!
어떤 시험 문제도 익숙해집니다!

고등 풍산자 1등급 로드맵

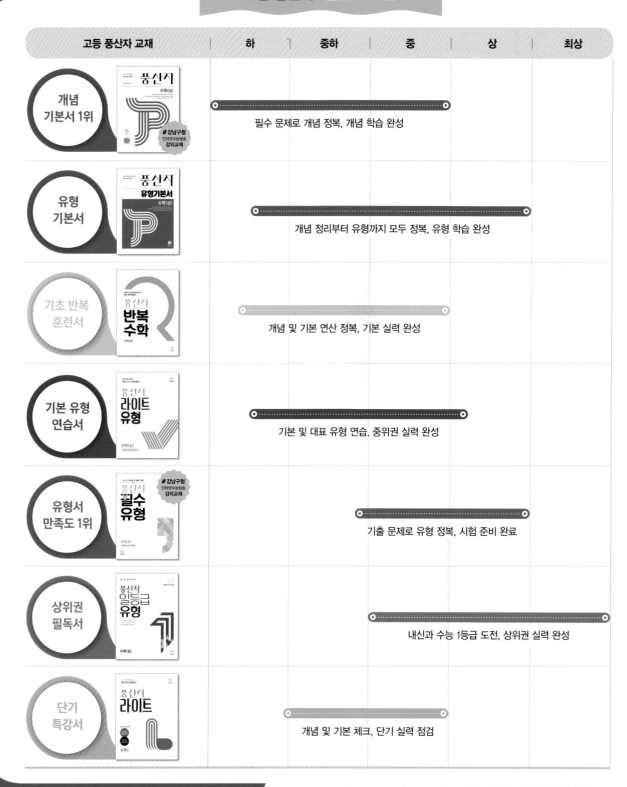

고등 풍산자 교재	하	중하	중	상	최상
개념 기본서 1위 (풍산자 수학(상))	●━━━━━━━━━━━━━━━●				
	필수 문제로 개념 정복, 개념 학습 완성				
유형 기본서 (풍산자 유형기본서 수학(상))		●━━━━━━━━━━━━━━━●			
	개념 정리부터 유형까지 모두 정복, 유형 학습 완성				
기초 반복 훈련서 (풍산자 반복수학)		●━━━━━━━━●			
	개념 및 기본 연산 정복, 기본 실력 완성				
기본 유형 연습서 (풍산자 라이트유형 수학(상))		●━━━━━━━━━━●			
	기본 및 대표 유형 연습, 중위권 실력 완성				
유형서 만족도 1위 (풍산자 필수유형 수학(상))			●━━━━━━━●		
	기출 문제로 유형 정복, 시험 준비 완료				
상위권 필독서 (풍산자 일등급유형 수학(상))			●━━━━━━━━●		
	내신과 수능 1등급 도전, 상위권 실력 완성				
단기 특강서 (풍산자 라이트 수학Ⅰ)		●━━━━━●			
	개념 및 기본 체크, 단기 실력 점검				

엄선된 유형을 한 권에 가득!

풍산자
필수
유형

정답과 풀이

확률과 통계

지학사

풍산자
필수유형

확률과 통계 정답과 풀이

I 경우의 수

01 순열과 조합

001

A, B, C, D 네 명의 학생이 원탁에 둘러앉는 방법의 수는

$(4-1)!=3!=6$　　　　　　　　　　　　정답_⑤

002

조부모 2명을 1명으로 생각하면 5명이 원탁에 둘러앉는 방법의
수는　$(5-1)!=4!=24$

조부모끼리 자리를 바꾸는 방법의 수는　$2!=2$

따라서 구하는 방법의 수　$24 \cdot 2 = 48$　　　　　정답_②

003

한 쌍의 부부를 한 사람으로 생각하면 3명이 원탁에 둘러앉는 방
법의 수는

$(3-1)!=2!=2$

한 쌍의 부부에서 부부끼리 자리를 바꾸는 방법의 수는　$2!=2$

따라서 구하는 방법의 수　$2 \cdot 2 \cdot 2 \cdot 2 = 16$　　　정답_③

004

어른 4명이 원탁에 둘러앉는 방법의 수는

$(4-1)!=3!=6$

어른들 사이사이 4개의 자리에 아이 3명을 앉히는 방법의 수는
$_4P_3 = 24$

따라서 구하는 방법의 수　$6 \cdot 24 = 144$　　　정답_①

005

한국인 3명이 원탁에 둘러앉는 방법의 수는

$(3-1)!=2!=2$

한국인들 사이사이 3개의 자리에 미국인 3명을 앉히는 방법의 수
는　$3!=6$

따라서 구하는 방법의 수　$2 \cdot 6 = 12$　　　정답_12

006

조부모와 경주를 한 사람으로 생각하면 4명이 원탁에 둘러앉는
방법의 수는　$(4-1)!=3!=6$

조부모가 자리를 바꾸는 방법의 수는　$2!=2$

따라서 구하는 방법의 수　$6 \cdot 2 = 12$　　　정답_12

007

윤서의 아버지 자리가 결정되면 어머니 자리는 마주 보는 자리에
고정되므로 구하는 방법의 수는 2쌍의 부부와 윤서의 아버지가
원탁에 둘러앉는 방법의 수, 즉 5명이 원탁에 둘러앉는 방법의 수

와 같다.

따라서 구하는 방법의 수는　$(5-1)!=4!=24$　　정답_24

008

1부터 5까지의 자연수를 원형으로 나열하는 방법의 수와 같으므
로　$(5-1)!=4!=24$　　　　　　　　　　정답_②

009

6명이 원형으로 둘러앉는 방법의 수는　$(6-1)!=5!$

이때, 원형으로 둘러앉는 한 가지 방법에 대하여 직사각형 모양의
탁자에서는 다음 그림과 같이 서로 다른 경우가 3가지씩 존재한
다.

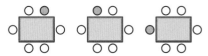

따라서 구하는 방법의 수는　$5! \cdot 3$

$\therefore a = 3$　　　　　　　　　　　　　　정답_①

010

8명이 원형으로 둘러앉는 방법의 수는　$(8-1)!=7!$

이때, 원형으로 둘러앉는 한 가지 방법에 대하여 정사각형 모양의
탁자에서는 다음 그림과 같이 서로 다른 경우가 2가지씩 존재한다.

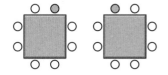

따라서 구하는 방법의 수는　$7! \cdot 2$

$\therefore a = 2$　　　　　　　　　　　　　　정답_①

011

6명이 원형으로 둘러앉는 방법의 수는　$(6-1)!=5!=120$

이때, 원형으로 둘러앉는 한 가지 방법에 대하여 정삼각형 모양의
탁자에서는 다음 그림과 같이 서로 다른 경우가 2가지씩 존재한다.

따라서 구하는 방법의 수는　$120 \cdot 2 = 240$　　　정답_④

012

사각뿔의 밑면을 칠하는 방법의 수는 5이고, 밑면에 칠한 색을 제
외한 4가지 색을 옆면에 칠하는 방법의 수는　$(4-1)!=3!=6$

따라서 구하는 방법의 수는　$5 \cdot 6 = 30$　　　정답_30

013

정육면체의 윗면에 한 가지 색을 칠하면 아랫면을 칠하는 방법의
수는 5이고, 옆면을 칠하는 방법의 수는　$(4-1)!=3!=6$

따라서 구하는 방법의 수는　$5 \cdot 6 = 30$　　　정답_①

014

서로 다른 3개에서 5개를 택하는 중복순열의 수와 같으므로

$_3\Pi_5=3^5=243$

정답_ ④

015

서로 다른 4개에서 3개를 택하는 중복순열의 수와 같으므로

$_4\Pi_3=4^3=64$

정답_ ⑤

016

서로 다른 4개에서 5개를 택하는 중복순열의 수와 같으므로

$_4\Pi_5=4^5=1024$

정답_ ①

017

2개의 답안 ○, ×에서 4개를 택하는 중복순열의 수와 같으므로

$_2\Pi_4=2^4=16$

정답_ ④

018

서로 다른 3개에서 6개를 택하는 중복순열의 수와 같으므로

$_3\Pi_6=3^6=729$

정답_ 729

019

서로 다른 4개의 놀이기구에서 3개를 택하는 중복순열의 수와 같으므로 $_4\Pi_3=4^3=64$

정답_ ③

020

문자 a, b, c에서 중복을 허락하여 3개를 택하여 나열하는 방법의 수는 $_3\Pi_3=3^3=27$

이 중에서 a가 연속되는 경우의 수는

aab, baa, aac, caa, aaa

의 5이다.

따라서 수신 가능한 단어의 개수는

$27-5=22$

정답_ 22

021

남학생이 각각 배정받을 수 있는 고등학교의 수는 여자 고등학교 1개를 제외한 나머지 4개이고, 여학생이 각각 배정받을 수 있는 고등학교의 수는 남자 고등학교 2개를 제외한 나머지 3개이다.

따라서 구하는 경우의 수는

$_4\Pi_2 \cdot {_3}\Pi_3=4^2 \cdot 3^3=432$

정답_ 432

022

모스 부호를 1번 사용하여 만들 수 있는 신호의 개수는

$_2\Pi_1=2^1=2 \Leftrightarrow$ ●, ㅡ의 2개

모스 부호를 2번 사용하여 만들 수 있는 신호의 개수는

$_2\Pi_2=2^2 \Leftrightarrow$ ● ●, ● ㅡ, ㅡ ●, ㅡ ㅡ의 4개

같은 방법으로 모스 부호를 3번, 4번, 5번, 6번 사용하여 만들 수 있는 신호의 개수는 각각 $_2\Pi_3, {_2}\Pi_4, {_2}\Pi_5, {_2}\Pi_6$이므로 구하는 신호의 개수는

$2+2^2+2^3+2^4+2^5+2^6=2+4+8+16+32+64$

$=126$

정답_ 126

023

손가락을 한 번 펼쳐서 만들 수 있는 신호의 개수는

$_3\Pi_1=3^1=3$

손가락을 두 번 펼쳐서 만들 수 있는 신호의 개수는

$_3\Pi_2=3^2=9$

같은 방법으로 손가락을 세 번, 네 번, 다섯 번 펼쳐서 만들 수 있는 신호의 개수는 각각 $_3\Pi_3, {_3}\Pi_4, {_3}\Pi_5$이므로 구하는 신호의 개수는

$3+3^2+3^3+3^4+3^5=3+9+27+81+243=363$

정답_ ⑤

024

천의 자리 숫자가 될 수 있는 것은 1, 2, 3의 3개

백의 자리, 십의 자리, 일의 자리 숫자를 택하는 방법의 수는 0, 1, 2, 3의 4개에서 3개를 택하는 중복순열의 수와 같으므로

$_4\Pi_3=4^3=64$

따라서 구하는 네 자리 자연수의 개수는

$3 \cdot 64=192$

정답_ ④

025

네 자리의 비밀번호에서 일의 자리 숫자가 될 수 있는 것은

1, 3, 5의 3개

천의 자리, 백의 자리, 십의 자리 숫자를 택하는 방법의 수는 1, 2, 3, 4, 5의 5개에서 3개를 택하는 중복순열의 수와 같으므로

$_5\Pi_3=5^3=125$

따라서 구하는 비밀번호의 개수는

$3 \cdot 125=375$

정답_ 375

026

일의 자리 숫자가 될 수 있는 것은 0, 5의 2개

천의 자리 숫자가 될 수 있는 것은 2, 3, $\cdots$, 9의 8개

백의 자리, 십의 자리 숫자를 택하는 방법의 수는 0, 1, 2, 3, $\cdots$, 9의 10개에서 2개를 택하는 중복순열의 수와 같으므로

$_{10}\Pi_2=10^2=100$

따라서 구하는 5의 배수의 개수는

$2 \cdot 8 \cdot 100=1600$

정답_ 1600

027

4개의 숫자에서 3개를 택하는 중복순열의 수는

$_4\Pi_3=4^3=64$

3을 제외한 나머지 3개의 숫자에서 3개를 택하는 중복순열의 수는 $_3\Pi_3=3^3=27$

따라서 구하는 세 자리의 정수의 개수는

$64-27=37$

정답_ 37

028

세 숫자를 중복을 허락하여 만들 수 있는 네 자리의 자연수의 개수는

$_3\Pi_4=3^4=81$

이 중에서 1이 포함되지 않은 자연수의 개수는

$_2\Pi_4=2^4=16$

2가 포함되지 않은 자연수의 개수는

$_2\Pi_4=2^4=16$

1과 2가 모두 포함되지 않은 자연수의 개수는

$_1\Pi_4=1^4=1$

따라서 1과 2가 모두 포함되어 있는 자연수의 개수는

$81-16-16+1=50$

정답_⑤

029

한 자리의 자연수의 개수는 5

두 자리의 자연수의 개수는 $5\cdot_6\Pi_1=5\cdot6=30$

세 자리의 자연수의 개수는 $5\cdot_6\Pi_2=5\cdot6^2=180$

3000보다 작은 네 자리의 자연수의 개수는 $_6\Pi_3=6^3=216$

따라서 3000보다 작은 자연수의 개수는

$5+30+180+216=431$

이므로 3000은 432번째 수이다.

정답_⑤

030

X에서 Y로의 함수의 개수는 Y의 원소 2, 4, 6의 3개에서 5개를 택하는 중복순열의 수와 같으므로

$_3\Pi_5=3^5$

정답_③

031

$f(1)=1$이므로 Y의 원소 1, 2, 3의 3개에서 중복을 허락하여 3개를 택하여 X의 원소 2, 3, 4에 대응시키면 된다.

따라서 구하는 함수의 개수는

$_3\Pi_3=3^3=27$

정답_⑤

032

X에서 Y로의 함수의 개수는

$_5\Pi_3=5^3=125$

X에서 Y로의 함수 중 $f(y)=1$인 함수의 개수는

$_5\Pi_2=5^2=25$

따라서 구하는 함수의 개수는

$125-25=100$

정답_③

033

6개의 문자 c, o, f, f, e, e를 한 줄로 나열하는 방법의 수는 f가 2개, e가 2개 있으므로 $\dfrac{6!}{2!2!}=180$

정답_③

034

2개의 흰색 깃발을 양 끝에 놓고 그 사이에 흰색 깃발 3개, 파란색 깃발 5개를 일렬로 나열하는 경우의 수와 같으므로

$\dfrac{8!}{3!5!}=56$

정답_①

035

s와 r를 제외한 3개의 문자 t, a, t를 한 줄로 나열하는 방법의 수는 $\dfrac{3!}{2!}=3$

양 끝에 s와 r를 나열하는 방법의 수는 $2!=2$

따라서 구하는 방법의 수는 $3\cdot2=6$

정답_6

036

자음 f, t, b, l, l을 한 문자 C로 생각하면 C, o, o, a를 한 줄로 나열하는 방법의 수는 $\dfrac{4!}{2!}=12$

자음끼리 자리를 바꾸는 방법의 수는 $\dfrac{5!}{2!}=60$

따라서 구하는 방법의 수는 $12\cdot60=720$

정답_⑤

037

7개의 문자 s, u, c, c, e, s, s를 한 줄로 나열하는 방법의 수는

$\dfrac{7!}{3!2!}=420$

u, e를 한 문자 V로 생각하여 6개의 문자 V, s, c, c, s, s를 한 줄로 나열하는 방법의 수는 $\dfrac{6!}{3!2!}=60$

u와 e가 자리를 바꾸는 방법의 수는 2이므로 u와 e가 이웃하도록 나열하는 방법의 수는 $60\cdot2=120$

따라서 구하는 방법의 수는 $420-120=300$

정답_⑤

038

6개의 숫자 0, 1, 1, 2, 2, 3을 한 줄로 나열하는 방법의 수는

$\dfrac{6!}{2!2!}=180$

이때, 맨 앞자리에 0이 오는 경우의 수는 1, 1, 2, 2, 3을 한 줄로 나열하는 방법의 수와 같으므로

$\dfrac{5!}{2!2!}=30$

따라서 구하는 정수의 개수는 $180-30=150$

정답_150

039

오른쪽과 같이 홀수 3, 5, 5, 5는 홀, 짝수 4, 4, 6은 짝 의 위치에 놓으면 된다.

| 홀 | 짝 | 홀 | 짝 | 홀 | 짝 | 홀 |

이때, 4개의 숫자 3, 5, 5, 5를 한 줄로 나열하는 방법의 수는

$$\frac{4!}{3!}=4$$

3개의 숫자 4, 4, 6을 한 줄로 나열하는 방법의 수는 $\frac{3!}{2!}=3$

따라서 구하는 방법의 수는 $4 \cdot 3 = 12$ 정답_ 12

040

일의 자리의 숫자가 1 또는 3일 때 홀수가 된다.

(i) 일의 자리의 숫자가 1인 경우

0, 1, 3, 3, 3이 적혀 있는 카드를 한 줄로 나열하는 방법의 수는

$$\frac{5!}{3!}=20$$

이때, 맨 앞자리에 0이 오는 경우의 수는 $\frac{4!}{3!}=4$

∴ 20 − 4 = 16

(ii) 일의 자리의 숫자가 3인 경우

0, 1, 1, 3, 3이 적혀 있는 카드를 한 줄로 나열하는 방법의 수는

$$\frac{5!}{2!2!}=30$$

이때, 맨 앞자리에 0이 오는 경우의 수는 $\frac{4!}{2!2!}=6$

∴ 30 − 6 = 24

(i), (ii)에서 구하는 홀수의 개수는 16 + 24 = 40   정답_ ④

041

t, c, h, r의 순서가 정해져 있으므로 같은 문자 V로 생각하여 7개의 문자 V, e, a, V, V, e, V를 한 줄로 나열한 후, 첫 번째 V는 t, 두 번째 V는 c, 세 번째 V는 h, 네 번째 V는 r로 바꾸면 된다.

따라서 구하는 방법의 수는

$$\frac{7!}{4!2!}=105$$ 정답_ ②

042

n, m과 s, l의 순서가 각각 정해져 있으므로 n, m을 모두 A로, s, l을 모두 B로 생각하여 8개의 문자 e, A, B, e, A, b, B, e를 한 줄로 나열한 후, 첫 번째 A는 n, 두 번째 A는 m, 첫 번째 B는 s, 두 번째 B는 l로 바꾸면 된다.

따라서 구하는 방법의 수는 $\frac{8!}{2!2!3!}=1680$ 정답_ ②

043

1, 2, 3의 순서가 정해져 있으므로 1, 2, 3을 모두 x로 생각하여 x, x, x, 4, 4, 5, 5를 한 줄로 나열한 후, 첫 번째 x는 1, 두 번째 x는 2, 세 번째 x는 3으로 바꾸면 된다.

따라서 구하는 방법의 수는

$$\frac{7!}{2!2!3!}=210$$ 정답_ ③

044

2, 4와 홀수 1, 3, 5의 순서가 각각 정해져 있으므로 2, 4를 모두 a, 1, 3, 5를 모두 b로 생각하면 구하는 경우의 수는 $b, a, b, a, b, 6$을 일렬로 나열하는 경우의 수와 같다.

따라서 구하는 경우의 수는

$$\frac{6!}{2!3!}=60$$ 정답_ ②

045

A에서 B까지 최단 거리로 가는 방법의 수는

$$\frac{7!}{4!3!}=35$$ 정답_ ②

046

(i) A에서 P까지 최단 거리로 가는 방법의 수는

$$\frac{4!}{2!2!}=6$$

(ii) P에서 B까지 최단 거리로 가는 방법의 수는

$$\frac{3!}{2!}=3$$

(i), (ii)에서 구하는 방법의 수는

6 · 3 = 18   정답_ ①

047

(i) A에서 P까지 최단 거리로 가는 방법의 수는

$$\frac{4!}{3!}=4$$

(ii) P에서 B까지 최단 거리로 가는 방법의 수는

$$\frac{7!}{4!3!}=35$$

P에서 Q를 지나 B까지 최단 거리로 가는 방법의 수는

$$\frac{4!}{2!2!} \cdot \frac{3!}{2!}=6 \cdot 3=18$$

이므로 P에서 Q를 지나지 않고 B까지 최단 거리로 가는 방법의 수는 35 − 18 = 17

(i), (ii)에서 구하는 방법의 수는

4 · 17 = 68   정답_ ①

048

오른쪽 그림과 같이 네 지점 P, Q, R, S 를 잡으면 A에서 B까지 최단 거리로 가는 방법은 A→P→B, A→Q→B, A→R→B, A→S→B이다.

(ⅰ) A→P→B인 경우 : $1 \cdot 1=1$

(ⅱ) A→Q→B인 경우 : $\dfrac{5!}{4!} \cdot \dfrac{4!}{3!}=5 \cdot 4=20$

(ⅲ) A→R→B인 경우 : $\dfrac{5!}{3!2!} \cdot \dfrac{4!}{3!}=10 \cdot 4=40$

(ⅳ) A→S→B인 경우 : $\dfrac{5!}{4!} \cdot 1=5 \cdot 1=5$

(ⅰ)～(ⅳ)에서 구하는 방법의 수는

$1+20+40+5=66$ 정답_ ③

049

오른쪽 그림과 같이 세 지점 P, Q, R를 잡으면 A에서 B까지 최단 거리로 가는 방법은 A→P→B, A→Q→B, A→R→B이다.

(ⅰ) A→P→B인 경우 : $1 \cdot 1=1$

(ⅱ) A→Q→B인 경우 : $\dfrac{4!}{3!} \cdot \dfrac{4!}{3!}=4 \cdot 4=16$

(ⅲ) A→R→B인 경우 : $\left(\dfrac{4!}{2!2!}-1\right)\left(\dfrac{4!}{2!2!}-1\right)=25$

(ⅰ), (ⅱ), (ⅲ)에서 구하는 방법의 수는

$1+16+25=42$ 정답_ ②

050

갑은 A에서 C로, 을은 C에서 A로 굵은 선을 따라 걸으므로 갑과 을은 오른쪽 그림의 $\overline{PQ}$의 중점에서 만나게 된다.

즉, 갑, 을, 병 세 사람이 모두 만나려면 병이 B에서 출발하여 $\overline{PQ}$를 거쳐 D까지 최단 거리로 가면 된다.

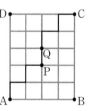

따라서 구하는 방법의 수는

$\dfrac{4!}{2!2!} \cdot 1 \cdot \dfrac{4!}{2!2!}=6 \cdot 1 \cdot 6=36$ 정답_ 36

051

꼭짓점 A에서 꼭짓점 B로 가려면 가로, 세로, 높이의 방향으로 각각 3번, 2번, 3번 이동해야 하므로 구하는 방법의 수는

$\dfrac{8!}{3!2!3!}=560$ 정답_ ⑤

052

(1) ${}_3H_0={}_{3+0-1}C_0={}_2C_0=1$

(2) ${}_4H_3={}_{4+3-1}C_3={}_6C_3=20$

(3) ${}_2H_3={}_{2+3-1}C_3={}_4C_3=4$

(4) ${}_2H_2={}_{2+2-1}C_2={}_3C_2=3$ 정답_ (1) 1 (2) 20 (3) 4 (4) 3

053

(1) ${}_nH_4={}_{n+4-1}C_4={}_{n+3}C_4$이므로

$$\dfrac{(n+3)(n+2)(n+1)n}{4 \cdot 3 \cdot 2 \cdot 1}=15$$

$$n(n+1)(n+2)(n+3)=3 \cdot 4 \cdot 5 \cdot 6$$

$$\therefore n=3$$

(2) ${}_5H_r={}_{5+r-1}C_r={}_{4+r}C_r={}_{4+r}C_4$이므로

$$\dfrac{(4+r)(3+r)(2+r)(1+r)}{4 \cdot 3 \cdot 2 \cdot 1}=15$$

$$(r+1)(r+2)(r+3)(r+4)=3 \cdot 4 \cdot 5 \cdot 6$$

$$\therefore r=2$$ 정답_ (1) $n=3$ (2) $r=2$

054

${}_3H_2={}_{3+2-1}C_2={}_4C_2=6$ 정답_ 6

055

(ⅰ) 숫자 6을 0개 선택하는 경우

2, 4의 2개의 숫자 중에서 중복을 허락하여 4개를 선택하면 되므로

${}_2H_4={}_{2+4-1}C_4={}_5C_4={}_5C_1=5$

(ⅱ) 숫자 6을 1개 선택하는 경우

2, 4의 2개의 숫자 중에서 중복을 허락하여 3개를 선택하면 되므로

${}_2H_3={}_{2+3-1}C_3={}_4C_3={}_4C_1=4$

(ⅰ), (ⅱ)에서 구하는 경우의 수는 $5+4=9$ 정답_ ④

056

3에서 10까지의 8개의 자연수 중에서 중복을 허락하여 4개의 자연수를 뽑는 중복조합의 수와 같으므로

${}_8H_4={}_{8+4-1}C_4={}_{11}C_4=330$ 정답_ ④

057

(1) $(a+b)^5$의 전개식의 각 항은 모두

$a^x b^y$ ($x+y=5$, x, y는 음이 아닌 정수) 꼴이다. 즉,

$a^5=aaaaa$, $a^4b=aaaab$, $a^3b^2=aaabb$, $\cdots$, $b^5=bbbbb$

따라서 구하는 항의 개수는 2개의 문자 a, b에서 5개를 뽑는 중복조합의 수와 같으므로

${}_2H_5={}_{2+5-1}C_5={}_6C_5={}_6C_1=6$

(2) $(a+b+c)^6$의 전개식의 각 항은 모두

$a^x b^y c^z$ ($x+y+z=6$, x, y, z는 음이 아닌 정수) 꼴이다. 즉,

$a^6=aaaaaa$, $a^5b=aaaaab$, $a^4bc=aaaabc$, $\cdots$,

$b^6=bbbbbb$

따라서 구하는 항의 개수는 3개의 문자 a, b, c에서 6개를 뽑는 중복조합의 수와 같으므로

$_3H_6=\,_{3+6-1}C_6=\,_8C_6=\,_8C_2=28$

정답_ (1) 6 (2) 28

058

$(x+y)^3$의 전개식에서 서로 다른 항의 개수는 2개의 문자 x, y에서 3개를 뽑는 중복조합의 수와 같으므로

$_2H_3=\,_{2+3-1}C_3=\,_4C_3=\,_4C_1=4$

$(a+b+c)^5$의 전개식에서 서로 다른 항의 개수는 3개의 문자 a, b, c에서 5개를 뽑는 중복조합의 수와 같으므로

$_3H_5=\,_{3+5-1}C_5=\,_7C_5=\,_7C_2=21$

따라서 구하는 항의 개수는

$4\cdot21=84$

정답_ ⑤

059

2명의 후보를 A, B라고 하면 구하는 경우는 다음과 같다.

AAAAAAAAAA, AAAAAAAAAB,

AAAAAAAABB, $\cdots$, BBBBBBBBBB

따라서 2명의 후보 A, B에서 중복을 허락하여 10명을 뽑는 중복조합의 수와 같으므로

$_2H_{10}=\,_{2+10-1}C_{10}=\,_{11}C_{10}=\,_{11}C_1=11$

정답_ ②

060

구하는 방법의 수는 서로 다른 4개에서 중복을 허락하여 8개를 뽑는 중복조합의 수와 같으므로

$_4H_8=\,_{4+8-1}C_8=\,_{11}C_8=\,_{11}C_3=165$

정답_ ③

061

색연필, 볼펜, 형광펜을 1개씩 선택한 후, 색연필, 볼펜, 형광펜 중에서 중복을 허락하여 4개를 뽑는 중복조합의 수와 같으므로

$_3H_4=\,_{3+4-1}C_4=\,_6C_4=\,_6C_2=15$

정답_ ①

062

구하는 순서쌍의 개수는 3개의 문자 x, y, z에서 10개를 뽑는 중복조합의 수와 같으므로

$_3H_{10}=\,_{3+10-1}C_{10}=\,_{12}C_{10}=\,_{12}C_2=66$

정답_ 66

063

구하는 순서쌍의 개수는 4개의 문자 a, b, c, d에서 $(9-4)$개를 뽑는 중복조합의 수와 같으므로

$_4H_{9-4}=\,_4H_5=\,_{4+5-1}C_5=\,_8C_5=\,_8C_3=56$

정답_ ④

064

음이 아닌 정수해의 개수는 3개의 문자 x, y, z에서 8개를 뽑는 중복조합의 수와 같으므로

$_3H_8=\,_{3+8-1}C_8=\,_{10}C_8=\,_{10}C_2=45$

양의 정수해의 개수는 3개의 문자 x, y, z에서 $(8-3)$개를 뽑는 중복조합의 수와 같으므로

$_3H_{8-3}=\,_3H_5=\,_{3+5-1}C_5=\,_7C_5=\,_7C_2=21$

따라서 $m=45$, $n=21$이므로

$m-n=24$

정답_ ③

065

조건 ㈎에 의해

$a+b+c=10-3d$

조건 ㈏에서 $a+b+c\leq5$이므로 $0\leq10-3d\leq5$

$\therefore \dfrac{5}{3}\leq d\leq\dfrac{10}{3}$

d는 음이 아닌 정수이므로 $d=2$ 또는 $d=3$

(ⅰ) $d=2$일 때

$a+b+c=4$를 만족시키는 음이 아닌 정수 a, b, c의 순서쌍 (a, b, c)의 개수는

$_3H_4=\,_{3+4-1}C_4=\,_6C_4=\,_6C_2=15$

(ⅱ) $d=3$일 때

$a+b+c=1$을 만족시키는 음이 아닌 정수 a, b, c의 순서쌍 (a, b, c)의 개수는

$_3H_1=\,_{3+1-1}C_1=\,_3C_1=3$

(ⅰ), (ⅱ)에서 구하는 순서쌍의 개수는

$15+3=18$

정답_ ①

066

$x_1<x_2$이면 $f(x_1)\geq f(x_2)$이므로 $X=\{1, 2, 3, 4\}$의 원소 x의 값이 커지면 그에 대응하는 $Y=\{1, 2, 3, 4, 5, 6, 7\}$의 원소 $f(x)$의 값은 작거나 같다는 것을 의미한다. 7개의 수 1, 2, 3, 4, 5, 6, 7에서 중복을 허락하여 4개를 뽑아 크기가 큰 것부터 순서대로 $f(1)$, $f(2)$, $f(3)$, $f(4)$에 대응시키면 된다.

따라서 구하는 함수의 개수는

$_7H_4=\,_{7+4-1}C_4=\,_{10}C_4=210$

정답_ 210

067

(ⅰ) 조건 ㈎는 X의 서로 다른 원소에 Y의 서로 다른 원소가 대응하는 것이므로 함수 f는 일대일함수이다.

따라서 조건 ㈎를 만족시키는 함수의 개수는

$_4P_3=4\cdot3\cdot2=24$

(ⅱ) 조건 ㈏는 X의 원소 x의 값이 커지면 그에 대응하는 Y의 원소 $f(x)$의 값도 커짐을 의미하므로 4개의 수 4, 5, 6, 7에서 3개를 뽑아 크기가 작은 것부터 순서대로 $f(1)$, $f(2)$, $f(3)$에 대응시키면 된다.

따라서 조건 ㈏를 만족시키는 함수의 개수는 $_4C_3=4$

(iii) 조건 (대는 X의 원소 x의 값이 커지면 그에 대응하는 Y의 원소 $f(x)$의 값은 크거나 같다는 것을 의미하므로 4개의 수 4, 5, 6, 7에서 중복을 허락하여 3개를 뽑아 크기가 작은 것부터 순서대로 $f(1)$, $f(2)$, $f(3)$에 대응시키면 된다.

따라서 조건 (대를 만족시키는 함수의 개수는

$$_4H_3 = {}_{4+3-1}C_3 = {}_6C_3 = 20$$

(i), (ii), (iii)에서 $a=24$, $b=4$, $c=20$이므로

$a+b+c=48$ 정답_ ⑤

068

조건 (내는 X의 원소 x의 값이 커지면 그에 대응하는 Y의 원소 $f(x)$의 값은 크거나 같다는 것을 의미한다.

이때, 조건 (캐에서 $f(3)=7$이므로

(i) $f(4)$의 값이 될 수 있는 경우는 7 또는 8 또는 9의 3가지

(ii) $f(1)$, $f(2)$의 값이 될 수 있는 경우의 수는 3개의 수 5, 6, 7에서 중복을 허락하여 2개를 뽑아 크기가 작은 것부터 순서대로 1, 2에 대응시키는 것과 같으므로

$$_3H_2 = {}_{3+2-1}C_2 = {}_4C_2 = 6$$

(i), (ii)에서 구하는 함수의 개수는 $3 \cdot 6 = 18$ 정답_ ②

069

사각뿔대의 윗면과 아랫면을 칠하는 방법의 수는

$_6P_2 = 30$ ·· ❶

윗면과 아랫면에 칠한 색을 제외한 4가지 색을 옆면에 칠하는 방법의 수는

$(4-1)! = 3! = 6$ ·· ❷

따라서 구하는 방법의 수는 $30 \cdot 6 = 180$ ·········· ❸

정답_ 180

단계	채점 기준	비율
❶	사각뿔대의 윗면과 아랫면을 칠하는 방법의 수 구하기	40%
❷	사각뿔대의 옆면을 칠하는 방법의 수 구하기	40%
❸	사각뿔대를 6가지 색으로 칠하는 방법의 수 구하기	20%

070

일의 자리의 숫자가 0 또는 2일 때 짝수가 된다.

(i) 일의 자리의 숫자가 0인 경우

천의 자리의 숫자가 될 수 있는 것은 1, 2, 3, 5, 7의 5개

백의 자리, 십의 자리 숫자를 택하는 방법의 수는 0, 1, 2, 3, 5, 7의 6개에서 2개를 택하는 중복순열의 수와 같으므로

$$_6\Pi_2 = 6^2 = 36$$

$\therefore 5 \cdot 36 = 180$ ··· ❶

(ii) 일의 자리의 숫자가 2인 경우

천의 자리의 숫자가 될 수 있는 것은 1, 2, 3, 5, 7의 5개

백의 자리, 십의 자리 숫자를 택하는 방법의 수는 0, 1, 2, 3, 5, 7의 6개에서 2개를 택하는 중복순열의 수와 같으므로

$$_6\Pi_2 = 6^2 = 36$$

$\therefore 5 \cdot 36 = 180$ ··· ❷

(i), (ii)에서 구하는 짝수의 개수는

$180 + 180 = 360$ ··· ❸

정답_ 360

단계	채점 기준	비율
❶	일의 자리의 숫자가 0인 경우의 수 구하기	40%
❷	일의 자리의 숫자가 2인 경우의 수 구하기	50%
❸	짝수의 개수 구하기	10%

071

각 자리의 숫자의 합이 3의 배수일 때 3의 배수가 된다.

6개의 숫자 1, 1, 2, 2, 2, 3에서 4개를 택하여 그 합이

6이 되는 경우는   1, 1, 2, 2

9가 되는 경우는   2, 2, 2, 3 ····························· ❶

(i) 4개의 숫자 1, 1, 2, 2를 한 줄로 나열하는 방법의 수는

$$\frac{4!}{2!2!} = 6$$ ··· ❷

(ii) 4개의 숫자 2, 2, 2, 3을 한 줄로 나열하는 방법의 수는

$$\frac{4!}{3!} = 4$$ ··· ❸

(i), (ii)에서 구하는 3의 배수의 개수는

$6 + 4 = 10$ ··· ❹

정답_ 10

단계	채점 기준	비율
❶	각 자리의 숫자의 합이 6 또는 9가 되는 4개의 숫자 선택하기	30%
❷	각 자리의 숫자의 합이 6인 수를 나열하는 방법의 수 구하기	30%
❸	각 자리의 숫자의 합이 9인 수를 나열하는 방법의 수 구하기	30%
❹	3의 배수의 개수 구하기	10%

072

A에서 B까지 최단 거리로 가는 방법의 수는

$$\frac{9!}{6!3!} = 84$$ ··· ❶

A에서 $\overline{PQ}$를 지나 B까지 최단 거리로 가는 방법의 수는

$$\frac{3!}{2!} \cdot 1 \cdot \frac{5!}{4!} = 3 \cdot 1 \cdot 5 = 15$$ ···················· ❷

따라서 A에서 $\overline{PQ}$를 거치지 않고 B까지 최단 거리로 가는 방법의 수는

$84 - 15 = 69$ ·· ❸

정답_ 69

단계	채점 기준	비율
❶	A에서 B까지 최단 거리로 가는 방법의 수 구하기	40%
❷	A에서 $\overline{PQ}$를 지나 B까지 최단 거리로 가는 방법의 수 구하기	40%
❸	A에서 $\overline{PQ}$를 지나지 않고 B까지 최단 거리로 가는 방법의 수 구하기	20%

073

5명의 학생들이 같은 종류의 사탕 8개를 나누어 가지는 방법의 수는 서로 다른 5개에서 중복을 허락하여 8개를 뽑는 중복조합의 수와 같으므로

$a = {}_5H_8 = {}_{5+8-1}C_8 = {}_{12}C_8 = {}_{12}C_4 = 495$ ⸺⸺⸺ ❶

5명의 학생들이 적어도 하나씩의 사탕을 모두 가질 때의 방법의 수는 먼저 5명의 학생이 사탕을 한 개씩 나누어 가진 후 서로 다른 5개에서 중복을 허락하여 3개를 뽑는 중복조합의 수와 같으므로

$b = {}_5H_{8-5} = {}_5H_3 = {}_{5+3-1}C_3 = {}_7C_3 = 35$ ⸺⸺⸺ ❷

$\therefore a+b = 495+35 = 530$ ⸺⸺⸺⸺⸺ ❸

정답_ 530

단계	채점 기준	비율
❶	a의 값 구하기	40%
❷	b의 값 구하기	50%
❸	$a+b$의 값 구하기	10%

074

$x=2X$, $y=2Y$, $z=2Z$ (X, Y, Z는 양의 정수)로 놓으면
⸺⸺⸺⸺⸺⸺⸺⸺⸺⸺ ❶

$x+y+z=12$에서 $2X+2Y+2Z=12$

$\therefore X+Y+Z=6$

따라서 구하는 순서쌍 (x, y, z)의 개수는 방정식 $X+Y+Z=6$을 만족시키는 양의 정수 X, Y, Z의 순서쌍 (X, Y, Z)의 개수와 같다. ⸺⸺⸺ ❷

$\therefore {}_3H_{6-3} = {}_3H_3 = {}_{3+3-1}C_3 = {}_5C_3 = {}_5C_2 = 10$ ⸺⸺ ❸

정답_ 10

단계	채점 기준	비율
❶	$x=2X$, $y=2Y$, $z=2Z$로 놓기	10%
❷	$X+Y+Z=6$의 양의 정수해가 구하는 해와 같음을 보이기	40%
❸	주어진 방정식을 만족시키는 순서쌍의 개수 구하기	50%

075

(ⅰ) 2가지 색을 사용하는 경우

　5가지 색 중 2가지 색을 선택하는 방법의 수는 ${}_5C_2 = 10$

　2가지 색을 사용하여 원판을 칠하는 방법의 수는　1

　따라서 2가지 색을 선택하여 칠하는 방법의 수는

　　$10 \cdot 1 = 10$

(ⅱ) 3가지 색을 사용하는 경우

　5가지 색 중 3가지 색을 선택하는 방법의 수는 ${}_5C_3 = 10$

　3가지 색을 사용하여 원판을 칠하는 방법의 수는　3

　따라서 3가지 색을 선택하여 칠하는 방법의 수는

　　$10 \cdot 3 = 30$

(ⅲ) 4가지 색을 사용하는 경우

　5가지 색 중 4가지 색을 선택하는 방법의 수는 ${}_5C_4 = 5$

　4가지 색을 사용하여 원판을 칠하는 방법의 수는

　　$(4-1)! = 6$

　따라서 4가지 색을 선택하여 칠하는 방법의 수는

　　$5 \cdot 6 = 30$

(ⅰ), (ⅱ), (ⅲ)에서 구하는 방법의 수는

　$10+30+30 = 70$

정답_ 70

076

3, 6, 9를 제외한 0, 1, 2, 4, 5, 7, 8의 7개의 숫자에서 중복을 허락하여 만들 수 있는 999 이하의 자연수의 개수는

(ⅰ) 한 자리의 자연수 : 6

(ⅱ) 두 자리의 자연수 : $6 \cdot {}_7\Pi_1 = 6 \cdot 7 = 42$

(ⅲ) 세 자리의 자연수 : $6 \cdot {}_7\Pi_2 = 6 \cdot 7^2 = 294$

(ⅰ), (ⅱ), (ⅲ)에서 1부터 999까지의 자연수 중에서 3, 6, 9가 포함되지 않은 수의 개수는

$6+42+294 = 342$

따라서 3 또는 6 또는 9가 포함된 수의 개수는 $999-342 = 657$이므로 박수를 모두 657번 친다. 정답_ 657번

077

X에서 Y로의 함수의 개수는　${}_3\Pi_4 = 3^4 = 81$

(ⅰ) 치역의 원소가 2개인 경우

　치역이 $\{1, 2\}$인 함수의 개수는 치역의 원소 1, 2의 2개에서 4개를 택하는 중복순열의 수에서 치역이 $\{1\}$ 또는 $\{2\}$인 함수의 개수를 빼면 되므로 ${}_2\Pi_4 - 2 = 2^4 - 2 = 14$

　치역이 $\{2, 3\}$ 또는 $\{1, 3\}$인 함수의 개수도 각각 14이므로 치역의 원소가 2개인 함수의 개수는　$14 \cdot 3 = 42$

(ⅱ) 치역의 원소가 1개인 경우

　치역이 $\{1\}$ 또는 $\{2\}$ 또는 $\{3\}$인 함수의 개수는　3

(ⅰ), (ⅱ)에서 구하는 함수의 개수는

$81-(42+3) = 36$

정답_ 36

078

기호를 1개 사용하여 만들 수 있는 부호의 개수는

${}_2\Pi_1 = 2^1 = 2$

기호를 2개 사용하여 만들 수 있는 부호의 개수는

${}_2\Pi_2 = 2^2$

기호를 3개 사용하여 만들 수 있는 부호의 개수는

${}_2\Pi_3 = 2^3$

　　⋮

기호를 n개까지 사용할 때, 100개의 부호를 만들 수 있다고 하면

$2+2^2+2^3+\cdots+2^n \geq 100$

$2+2^2+2^3+2^4+2^5 = 62$

$2+2^2+2^3+2^4+2^5+2^6 = 126$

따라서 구하는 n의 최솟값은 6이다. 정답_ ②

079

오른쪽 그림과 같이 네 점 P, Q, R, S를 잡으면 A에서 B까지 최단 거리로 가는 방법은 A → Q → B, A → P → B, A → S → B, A → R → B이다.

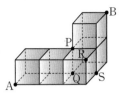

(i) A → Q → B인 경우 : $\dfrac{3!}{2!} \cdot \dfrac{4!}{2!} = 3 \cdot 12 = 36$

(ii) A → P → B인 경우 : $\dfrac{4!}{2!} \cdot 3! = 12 \cdot 6 = 72$

(iii) A → S → B인 경우 : $\dfrac{4!}{3!} \cdot \dfrac{3!}{2!} = 4 \cdot 3 = 12$

(iv) A → R → B인 경우 : $\dfrac{4!}{3!} \cdot 1 \cdot 2! = 4 \cdot 2 = 8$

이때, (i), (ii)에서 A → Q → P → B인 경우, (i), (iii)에서
A → Q → S → B인 경우가 중복되며, 그 방법의 수는 각각

$\dfrac{3!}{2!} \cdot 1 \cdot 3! = 3 \cdot 6 = 18$, $\dfrac{3!}{2!} \cdot 1 \cdot \dfrac{3!}{2!} = 3 \cdot 3 = 9$

따라서 구하는 방법의 수는

$36 + 72 + 12 + 8 - (18 + 9) = 101$

정답_ 101

080

1계단씩 오르는 것을 a, 2계단씩 오르는 것을 b라고 하자.

(i) 2계단씩 0번 오르는 경우 9개의 계단을 올라가는 방법의 수는
a를 9개 한 줄로 나열하는 경우의 수와 같으므로   1

(ii) 2계단씩 1번 오르는 경우 9개의 계단을 올라가는 방법의 수는
a를 7개, b를 1개 한 줄로 나열하는 경우의 수와 같으므로

$\dfrac{8!}{7!} = 8$

(iii) 2계단씩 2번 오르는 경우 9개의 계단을 올라가는 방법의 수는
a를 5개, b를 2개 한 줄로 나열하는 경우의 수와 같으므로

$\dfrac{7!}{5!2!} = 21$

(iv) 2계단씩 3번 오르는 경우 9개의 계단을 올라가는 방법의 수는
a를 3개, b를 3개 한 줄로 나열하는 경우의 수와 같으므로

$\dfrac{6!}{3!3!} = 20$

(v) 2계단씩 4번 오르는 경우 9개의 계단을 올라가는 방법의 수는
a를 1개, b를 4개 한 줄로 나열하는 경우의 수와 같으므로

$\dfrac{5!}{4!} = 5$

(i)~(v)에서 구하는 방법의 수는

$1 + 8 + 21 + 20 + 5 = 55$

정답_ ⑤

081

$a_1 < a_2 < a_3 < a_4 < a_5$인 경우의 수는 주사위의 6개의 눈의 수 1, 2, 3, 4, 5, 6에서 5개를 뽑아 크기 순서대로 나열하는 경우의 수와 같으므로

$m = {}_6C_5 = 6$

$a_1 \le a_2 \le a_3 \le a_4 \le a_5$인 경우의 수는 주사위의 6개의 눈의 수 1, 2, 3, 4, 5, 6에서 중복을 허락하여 5개를 뽑아 크기 순서대로 나열하는 경우의 수와 같으므로

$n = {}_6H_5 = {}_{6+5-1}C_5 = {}_{10}C_5 = 252$

$\therefore m + n = 6 + 252 = 258$

정답_ ⑤

082

20문항의 정답 중 ①, ②, ③, ④, ⑤가 각각 들어 있는 개수의 구성이 달라질 때마다 5명의 학생은 다른 점수를 받게 된다.
따라서 이 구성이 몇 종류가 존재하는지 구하면 된다.
①, ②, ③, ④, ⑤ 중에서 중복을 허락하여 20개를 뽑는 경우의 수는 ${}_5H_{20} = {}_{5+20-1}C_{20} = {}_{24}C_4$

정답_ ②

083

$(a+b-c)^5$의 전개식에서 서로 다른 항의 개수는

${}_3H_5 = {}_{3+5-1}C_5 = {}_7C_5 = {}_7C_2 = 21$

$(b-c+d)^5$의 전개식에서 서로 다른 항의 개수는

${}_3H_5 = {}_{3+5-1}C_5 = {}_7C_5 = {}_7C_2 = 21$

이때, $(a+b-c)^5$과 $(b-c+d)^5$을 전개할 때 나타나는 항 중에서 $(b-c)^5$을 전개할 때 생기는 항이 중복된다.
$(b-c)^5$의 전개식에서 서로 다른 항의 개수는

${}_2H_5 = {}_{2+5-1}C_5 = {}_6C_5 = {}_6C_1 = 6$

따라서 구하는 서로 다른 항의 개수는

$21 + 21 - 6 - 6 = 30$

정답_ 30

084

주어진 조건을 만족시키기 위해서는 a, b, c가 3 이상의 3의 거듭제곱의 수가 되어야 한다.
즉, 세 자연수 α, β, γ에 대하여 $a = 3^\alpha$, $b = 3^\beta$, $c = 3^\gamma$이 되어야 한다.
$abc = 3^{\alpha+\beta+\gamma} = 3^n$에서 $\alpha + \beta + \gamma = n$을 만족시키는 자연수 α, β, γ의 순서쌍 (α, β, γ)의 개수가 15이므로

${}_3H_{n-3} = {}_{3+(n-3)-1}C_{n-3} = {}_{n-1}C_{n-3} = {}_{n-1}C_2 = 15$

$\dfrac{(n-1)(n-2)}{2 \cdot 1} = 15, \ n^2 - 3n - 28 = 0$

$(n+4)(n-7) = 0 \qquad \therefore n = 7 \ (\because n \text{은 자연수})$

정답_ ③

085

조건 (가)를 만족시키는 음이 아닌 정수 x, y, z, w의 순서쌍 (x, y, z, w)의 개수는

${}_4H_8 = {}_{4+8-1}C_8 = {}_{11}C_8 = {}_{11}C_3 = 165$

이 중에서 조건 (나)를 만족시키지 않는 경우는

(i) $x = y = 0$일 때
$z + w = 8$에서 ${}_2H_8 = {}_{2+8-1}C_8 = {}_9C_8 = {}_9C_1 = 9$

(ii) $x=y=1$일 때

$z+w=6$에서 $_2H_6=_{2+6-1}C_6=_7C_6=_7C_1=7$

(iii) $x=y=2$일 때

$z+w=4$에서 $_2H_4=_{2+4-1}C_4=_5C_4=_5C_1=5$

(iv) $x=y=3$일 때

$z+w=2$에서 $_2H_2=_{2+2-1}C_2=_3C_2=_3C_1=3$

(v) $x=y=4$일 때

$z+w=0$에서 $_2H_0=1$

(i)~(v)에서 구하는 모든 순서쌍의 개수는

$165-(9+7+5+3+1)=140$ 정답_ ③

086

(i) $f(1)=2$, $f(4)=6$인 경우

$f(2)$와 $f(3)$의 값이 될 수 있는 수는

2 또는 3 또는 4 또는 5 또는 6

이고, $f(1)\le f(2)\le f(3)\le f(4)$이어야 하므로 2, 3, 4, 5, 6의 5개에서 2개를 택하는 중복조합의 수와 같다.

$\therefore _5H_2=_{5+2-1}C_2=_6C_2=15$

또, $f(5)$와 $f(6)$의 값이 될 수 있는 수는 6 또는 7

이고, $f(4)\le f(5)\le f(6)$이어야 하므로 6, 7의 2개에서 2개를 택하는 중복조합의 수와 같다.

$\therefore _2H_2=_{2+2-1}C_2=_3C_2=3$

따라서 $f(1)=2$, $f(4)=6$인 함수 f의 개수는

$15\cdot3=45$

(ii) $f(1)=3$, $f(4)=4$인 경우

$f(2)$와 $f(3)$의 값이 될 수 있는 수는 3 또는 4

이고, $f(1)\le f(2)\le f(3)\le f(4)$이어야 하므로 3, 4의 2개에서 2개를 택하는 중복조합의 수와 같다.

$\therefore _2H_2=_{2+2-1}C_2=_3C_2=3$

또, $f(5)$와 $f(6)$의 값이 될 수 있는 수는 4 또는 5 또는 6 또는 7

이고, $f(4)\le f(5)\le f(6)$이어야 하므로 4, 5, 6, 7의 4개에서 2개를 택하는 중복조합의 수와 같다.

$\therefore _4H_2=_{4+2-1}C_2=_5C_2=10$

따라서 $f(1)=3$, $f(4)=4$인 함수 f의 개수는

$3\cdot10=30$

(i),(ii)에서 구하는 함수의 개수는 $45+30=75$ 정답_ 75

087

(1) $(a+b)^4=_4C_0a^4+_4C_1a^3b+_4C_2a^2b^2+_4C_3ab^3+_4C_4b^4$

$=a^4+4a^3b+6a^2b^2+4ab^3+b^4$

(2) $(x+1)^5=_5C_0x^5+_5C_1x^4+_5C_2x^3+_5C_3x^2+_5C_4x+_5C_5$

$=x^5+5x^4+10x^3+10x^2+5x+1$

(3) $(x-2)^4=_4C_0x^4+_4C_1x^3(-2)+_4C_2x^2(-2)^2$

$+_4C_3x(-2)^3+_4C_4(-2)^4$

$=x^4-8x^3+24x^2-32x+16$

(4) $(2a-b)^5=_5C_0(2a)^5+_5C_1(2a)^4(-b)+_5C_2(2a)^3(-b)^2$

$+_5C_3(2a)^2(-b)^3+_5C_42a(-b)^4$

$+_5C_5(-b)^5$

$=32a^5-80a^4b+80a^3b^2-40a^2b^3+10ab^4-b^5$

정답_ 풀이 참조

088

(1) $(x+y)^6$의 전개식에서 x^4y^2항은 x를 4번, y를 2번 곱한 경우이므로

$_6C_2x^4y^2$

따라서 x^4y^2의 계수는 $_6C_2=15$

(2) $(2x-y)^4$의 전개식에서 x^2y^2항은 $2x$를 2번, $-y$를 2번 곱한 경우이므로

$_4C_2(2x)^2(-y)^2=_4C_22^2(-1)^2x^2y^2$

따라서 x^2y^2의 계수는 $_4C_22^2(-1)^2=24$

(3) $(x-3)^6$의 전개식에서 x^3항은 x를 3번, -3을 3번 곱한 경우이므로

$_6C_3x^3(-3)^3=_6C_3(-3)^3x^3$

따라서 x^3의 계수는 $_6C_3(-3)^3=-540$

(4) $\left(x+\dfrac{1}{x}\right)^4$의 전개식에서 x^2항은 x를 3번, $\dfrac{1}{x}$을 1번 곱한 경우이므로

$_4C_1x^3\cdot\dfrac{1}{x}=_4C_1x^3$

따라서 x^2의 계수는 $_4C_1=4$

정답_ (1) 15 (2) 24 (3) -540 (4) 4

089

$(x+1)^{10}$의 전개식에서 x^2항은 x를 2번, 1을 8번 곱한 경우이므로

$_{10}C_8x^2\cdot1^8=_{10}C_2x^2$

따라서 x^2의 계수는 $_{10}C_2=45$ 정답_ 45

090

$(3x-y)^6$의 전개식에서 x^4y^2항은 $3x$를 4번, $-y$를 2번 곱한 경우이므로

$_6C_2(3x)^4(-y)^2=_6C_23^4(-1)^2x^4y^2$

그러므로 x^4y^2의 계수는 $_6C_2 3^4(-1)^2 = 15 \cdot 81 = 1215$

따라서 각 자리의 숫자의 합은 $1+2+1+5=9$　　　정답_①

091

$\left(2x+\dfrac{1}{2x}\right)^7$의 전개식에서 x항은 $2x$를 4번, $\dfrac{1}{2x}$을 3번 곱한 경우이므로

$$_7C_3(2x)^4\left(\dfrac{1}{2x}\right)^3 = {_7C_3}2^4\left(\dfrac{1}{2}\right)^3 x^4\left(\dfrac{1}{x}\right)^3 = {_7C_3}2x$$

따라서 x의 계수는 $_7C_3 2 = 70$　　　정답_⑤

092

$\left(x+\dfrac{1}{x^2}\right)^4$의 전개식에서 x항은 x를 3번, $\dfrac{1}{x^2}$을 1번 곱한 경우이므로

$$_4C_1 x^3\left(\dfrac{1}{x^2}\right)^1 = {_4C_1}x$$

따라서 x의 계수는 $_4C_1 = 4$　　　정답_④

093

$\left(2x^2-\dfrac{1}{x}\right)^6$의 전개식에서 상수항은 $2x^2$을 2번, $-\dfrac{1}{x}$을 4번 곱한 경우이므로

$$\begin{aligned}_6C_4(2x^2)^2\left(-\dfrac{1}{x}\right)^4 &= {_6C_4}2^2(-1)^4 x^4\left(\dfrac{1}{x}\right)^4 \\ &= {_6C_2}2^2(-1)^4 \\ &= 15 \cdot 4 \cdot 1 = 60\end{aligned}$$

정답_④

094

$\left(x+\dfrac{1}{x^3}\right)^4$의 전개식에서 $\dfrac{1}{x^4}$항은 x를 2번, $\dfrac{1}{x^3}$을 2번 곱한 경우이므로

$$_4C_2 x^2\left(\dfrac{1}{x^3}\right)^2 = {_4C_2}x^2 \cdot \dfrac{1}{x^6} = {_4C_2}\dfrac{1}{x^4}$$

따라서 $\dfrac{1}{x^4}$의 계수는 $_4C_2 = 6$　　　정답_②

095

$(1+2x)^5$　　　　　……㉠

$(1+2x)^5(1+x)$의 전개식에서 x^4항은 ㉠의 x^3항과 x, ㉠의 x^4항과 1이 곱해질 때 나타난다.

(i) ㉠에서 x^3항은 1을 2번, $2x$를 3번 곱한 경우이므로
　　$_5C_3 1^2(2x)^3 = {_5C_3}2^3 x^3 = 80x^3$

(ii) ㉠에서 x^4항은 1을 1번, $2x$를 4번 곱한 경우이므로
　　$_5C_4 1^1(2x)^4 = {_5C_4}2^4 x^4 = 80x^4$

(i), (ii)에서 구하는 x^4의 계수는 $80+80=160$　　　정답_⑤

096

$\left(x+\dfrac{1}{x}\right)^6$　　　　　……㉠

$\left(\dfrac{2}{x^2}+4\right)\left(x+\dfrac{1}{x}\right)^6$의 전개식에서 상수항은 $\dfrac{2}{x^2}$와 ㉠의 x^2항, 4와 ㉠의 상수항이 곱해질 때 나타난다.

(i) ㉠에서 x^2항은 x를 4번, $\dfrac{1}{x}$을 2번 곱한 경우이므로

　　$_6C_2 x^4\left(\dfrac{1}{x}\right)^2 = {_6C_2}x^2 = 15x^2$

(ii) ㉠에서 상수항은 x를 3번, $\dfrac{1}{x}$을 3번 곱한 경우이므로

　　$_6C_3 x^3\left(\dfrac{1}{x}\right)^3 = {_6C_3} = 20$

(i), (ii)에서 구하는 상수항은

$$\dfrac{2}{x^2}\cdot 15x^2 + 4\cdot 20 = 30+80 = 110$$

정답_①

097

$(1+x^2)^3$의 전개식에서 x^{2r}항은 1을 $3-r$번, x^2을 r번 곱한 경우이므로
　$_3C_r 1^{3-r}(x^2)^r = {_3C_r}x^{2r}$ (단, $0<r<3$)
$(1+2x)^4$의 전개식에서 x^s항은 1을 $4-s$번, $2x$를 s번 곱한 경우이므로
　$_4C_s 1^{4-s}(2x)^s = {_4C_s}2^s x^s$ (단, $0<s<4$)
따라서 $(1+x^2)^3(1+2x)^4$의 전개식에서 x^{2r+s}항은
　$_3C_r \cdot {_4C_s} \cdot 2^s \cdot x^{2r+s}$
$2r+s=5$를 만족시키는 순서쌍 (r, s)는 $(1, 3)$ 또는 $(2, 1)$이므로 x^5의 계수는
　$_3C_1 \cdot {_4C_3} \cdot 2^3 + {_3C_2} \cdot {_4C_1} \cdot 2 = 96+24 = 120$　　　정답_①

098

$(x-2)^4$의 전개식에서 x^r항은 x를 r번, -2를 $4-r$번 곱한 경우이므로
　$_4C_{4-r} x^r(-2)^{4-r} = {_4C_r}(-2)^{4-r}x^r$ (단, $0<r<4$)
$(3x^2+2)^3$의 전개식에서 x^{2s}항은 $3x^2$를 s번, 2를 $3-s$번 곱한 경우이므로
　$_3C_{3-s}(3x^2)^s 2^{3-s} = {_3C_s}2^{3-s}3^s x^{2s}$ (단, $0<s<3$)
따라서 $(x-2)^4(3x^2+2)^3$의 전개식에서 x^{r+2s}항은
　$_4C_r \cdot {_3C_s} \cdot (-1)^{4-r}2^{7-r-s}3^s x^{r+2s}$
$r+2s=5$를 만족시키는 순서쌍 (r, s)는 $(1, 2)$ 또는 $(3, 1)$이므로 x^5의 계수는
　$_4C_1 \cdot {_3C_2} \cdot (-1)^3 \cdot 2^4 \cdot 3^2 + {_4C_3} \cdot {_3C_1} \cdot (-1)^1 \cdot 2^3 \cdot 3^1$
　$= -1728 - 288 = -2016$　　　정답_②

099

$(x+1)^n$의 전개식에서 x^3항은 x를 3번, 1을 $n-3$번 곱한 경우이므로

$_n\mathrm{C}_{n-3}\,x^3\cdot1^{n-3}=\,_n\mathrm{C}_3\,x^3$

따라서 x^3의 계수는 $_n\mathrm{C}_3$

$(x+1)$, $(x+1)^2$에서는 x^3항이 나올 수 없으므로 주어진 식에서 x^3의 계수는

$_3\mathrm{C}_3+\,_4\mathrm{C}_3+\,_5\mathrm{C}_3+\,_6\mathrm{C}_3=1+4+10+20=35$ 정답_①

100

$(1-x)^n$의 전개식에서 x^8항은 1을 2번, $-x$를 8번 곱한 경우이므로

$_n\mathrm{C}_8\cdot1^2\cdot(-x)^8=\,_n\mathrm{C}_8\,x^8$

따라서 x^8의 계수는 $_n\mathrm{C}_8$

$(1-x)$, $(1-x)^2$, $\cdots$, $(1-x)^7$에서는 x^8항이 나올 수 없으므로 주어진 식에서 x^8의 계수는

$_8\mathrm{C}_8+\,_9\mathrm{C}_8+\,_{10}\mathrm{C}_8=1+9+45=55$ 정답_⑤

101

$(x+a)^6$의 전개식에서 x^4항은 x를 4번, a를 2번 곱한 경우이므로

$_6\mathrm{C}_2\,x^4a^2=\,_6\mathrm{C}_4\,a^2x^4$

따라서 x^4의 계수는 $_6\mathrm{C}_2\,a^2=15a^2$

이때, $15a^2=60$이므로

$a^2=4$ $\therefore a=2\ (\because a>0)$ 정답_②

102

$\left(x+\dfrac{a}{x}\right)^8$의 전개식에서 x^6항은 x를 7번, $\dfrac{a}{x}$를 1번 곱한 경우이므로

$_8\mathrm{C}_1\,x^7\left(\dfrac{a}{x}\right)^1=\,_8\mathrm{C}_1\,ax^6$

따라서 x^6의 계수는 $_8\mathrm{C}_1\,a=8a$

이때, $8a=-16$이므로 $a=-2$ 정답_②

103

$\left(ax^2+\dfrac{2}{x}\right)^5$의 전개식에서 x항은 ax^2을 2번, $\dfrac{2}{x}$를 3번 곱한 경우이므로

$_5\mathrm{C}_3(ax^2)^2\left(\dfrac{2}{x}\right)^3=\,_5\mathrm{C}_3\,a^2\,2^3\,x$

따라서 x의 계수는 $_5\mathrm{C}_3\,2^3\,a^2=80a^2$

이때, $80a^2=320$이므로

$a^2=4$ $\therefore a=2\ (\because a>0)$ 정답_②

104

$\left(ax+\dfrac{1}{x}\right)^4$의 전개식에서 상수항은 ax를 2번, $\dfrac{1}{x}$을 2번 곱한 경우이므로

$_4\mathrm{C}_2(ax)^2\left(\dfrac{1}{x}\right)^2=\,_4\mathrm{C}_2\,a^2=6a^2$

이때, 상수항이 54이므로 $6a^2=54$

$a^2=9$ $\therefore a=3\ (\because a>0)$ 정답_3

105

$(x+a)^7$의 전개식에서 x^3항은 x를 3번, a를 4번 곱한 경우이므로

$_7\mathrm{C}_4\,x^3a^4=\,_7\mathrm{C}_4\,a^4x^3$

따라서 x^3의 계수는 $_7\mathrm{C}_4\,a^4=35a^4$

이때, $35a^4=35$이므로 $a=1\ (\because a>0)$

$(x+1)^7$의 전개식에서 x^5항은 x를 5번, 1을 2번 곱한 경우이므로

$_7\mathrm{C}_2\,x^5\cdot1^2=\,_7\mathrm{C}_2\,x^5$

따라서 x^5의 계수는 $_7\mathrm{C}_2=21$ 정답_①

106

$(x+a)^5$의 전개식에서 x^3항은 x를 3번, a를 2번 곱한 경우이므로

$_5\mathrm{C}_2\,x^3a^2=\,_5\mathrm{C}_2\,a^2x^3$

따라서 x^3의 계수는 $_5\mathrm{C}_2\,a^2=10a^2$

x^4항은 x를 4번, a를 1번 곱한 경우이므로

$_5\mathrm{C}_1\,x^4a=\,_5\mathrm{C}_1\,ax^4$

따라서 x^4의 계수는 $_5\mathrm{C}_1\,a=5a$

이때, $10a^2=5a$이므로 $2a^2-a=0,\ a(2a-1)=0$

$\therefore a=\dfrac{1}{2}\ (\because a>0)$ 정답_①

107

$(1+x^2)^n$의 전개식에서 x^4항은 1을 $n-2$번, x^2을 2번 곱한 경우이므로

$_n\mathrm{C}_2\,1^{n-2}\cdot(x^2)^2=\,_n\mathrm{C}_2\,x^4$

따라서 x^4의 계수는 $_n\mathrm{C}_2=\dfrac{n(n-1)}{2}$

이때, $\dfrac{n(n-1)}{2}=1$이므로 $n(n-1)=2\times1$

$\therefore n=2\ (\because n>0)$ 정답_②

108

$(1+x)^n=\,_n\mathrm{C}_0+\,_n\mathrm{C}_1\,x+\,_n\mathrm{C}_2\,x^2+\cdots+\,_n\mathrm{C}_n\,x^n$의 양변에 $x=7$을 대입하면

$8^n=\,_n\mathrm{C}_0+\,_n\mathrm{C}_1\cdot7+\,_n\mathrm{C}_2\cdot7^2+\cdots+\,_n\mathrm{C}_n\cdot7^n$

이때, $8^n=2^{60}$이므로 $2^{3n}=2^{60}$

따라서 $3n=60$이므로 $n=20$ 정답_③

109

$(1+x)^n=\,_n\mathrm{C}_0+\,_n\mathrm{C}_1\,x+\,_n\mathrm{C}_2\,x^2+\cdots+\,_n\mathrm{C}_n\,x^n$의 양변에 $n=10$, $x=2$를 대입하면

$3^{10}=\,_{10}\mathrm{C}_0+\,_{10}\mathrm{C}_1\cdot2+\,_{10}\mathrm{C}_2\cdot2^2+\,_{10}\mathrm{C}_3\cdot2^3+\cdots+\,_{10}\mathrm{C}_{10}\cdot2^{10}$

따라서 구하는 값은 3^{10} 정답_②

110

$(1+x)^n=\,_n\mathrm{C}_0+\,_n\mathrm{C}_1\,x+\,_n\mathrm{C}_2\,x^2+\,_n\mathrm{C}_3\,x^3+\cdots+\,_n\mathrm{C}_n\,x^n$의 양변에 $n=10$, $x=-1$을 대입하면

$0={}_{10}C_0-{}_{10}C_1+{}_{10}C_2-{}_{10}C_3+\cdots+{}_{10}C_{10}$

이때, ${}_{10}C_0=1,\ {}_{10}C_{10}=1$이므로

${}_{10}C_1-{}_{10}C_2+{}_{10}C_3-{}_{10}C_4+\cdots+{}_{10}C_9=2$ 정답_②

111

${}_nC_0+{}_nC_1x+{}_nC_2x^2+\cdots+{}_nC_nx^n=(1+x)^n$이므로 주어진 식
은 $\{(1+x)^n\}^2=(1+x)^{2n}$ …… ㉠

㉠의 전개식에서 x^n항은 1을 n번, x를 n번 곱한 경우이므로

${}_{2n}C_n\,1\cdot x^n$

따라서 x^n의 계수는 $a_n={}_{2n}C_n$

$\therefore a_1+a_2+a_3+a_4={}_2C_1+{}_4C_2+{}_6C_3+{}_8C_4$

$=2+6+20+70=98$ 정답_⑤

112

$11^{13}=(1+10)^{13}$

$\qquad ={}_{13}C_0+{}_{13}C_1\cdot10+{}_{13}C_2\cdot10^2+\cdots+{}_{13}C_{13}\cdot10^{13}$

이때, 11^{13}을 100으로 나누었을 때의 나머지는 ${}_{13}C_0+{}_{13}C_1\cdot10$을
100으로 나누었을 때의 나머지와 같다.

${}_{13}C_0+{}_{13}C_1\cdot10=1+130=131=100+31$이므로 11^{13}을 100으
로 나누었을 때의 나머지는 31이다.   정답_⑤

113

$21^{21}=(1+20)^{21}$

$\qquad ={}_{21}C_0+{}_{21}C_1\cdot20+{}_{21}C_2\cdot20^2+\cdots+{}_{21}C_{21}\cdot20^{21}$

이때, $20^2=40\cdot10$에서 세 번째 항 이후로는 40으로 나누어떨어
지므로 21^{21}을 40으로 나누었을 때의 나머지는 ${}_{21}C_0+{}_{21}C_1\cdot20$을
40으로 나누었을 때의 나머지와 같다.

${}_{21}C_0+{}_{21}C_1\cdot20=1+420=421=40\times10+21$이므로 21^{21}을 40
으로 나누었을 때의 나머지는 21이다.   정답_④

114

$(1+11)^7={}_7C_0+{}_7C_1\cdot11+{}_7C_2\cdot11^2+\cdots+{}_7C_7\cdot11^7$

이때, ${}_7C_1,\ {}_7C_2,\ \cdots,\ {}_7C_6$은 7의 배수이므로

$(1+11)^7={}_7C_0+7k+{}_7C_7\cdot11^7$

$\qquad\quad =1+7k+11^7$

$\qquad\quad =11^7+(7k+1)$ (단, k는 자연수이다.)

즉, $(1+11)^7$째 되는 날은 11^7째 되는 날보다 $(7k+1)$일이 더
지나야 한다.

따라서 월요일에서 $(7k+1)$일이 지난 후의 요일은 화요일이다.

     정답_①

115

$(1+x)^{12}$의 전개식에서 x^n항은 1을 $(12-n)$번, x를 n번 곱한
경우이므로

${}_{12}C_n\,1^{12-n}\cdot x^n={}_{12}C_nx^n$

따라서 x^n의 계수는 $a_n={}_{12}C_n$

$\therefore a_8+a_9={}_{12}C_8+{}_{12}C_9={}_{13}C_9={}_{13}C_4$ 정답_③

참고

${}_{n-1}C_{r-1}+{}_{n-1}C_r={}_nC_r\ (1\le r\le n-1)$

116

${}_2C_0={}_3C_0$이고, ${}_nC_r={}_{n-1}C_{r-1}+{}_{n-1}C_r$이므로

${}_2C_0+{}_3C_1+{}_4C_2+{}_5C_3+\cdots+{}_{10}C_8$

$={}_3C_0+{}_3C_1+{}_4C_2+{}_5C_3+\cdots+{}_{10}C_8$

$={}_4C_1+{}_4C_2+{}_5C_3+\cdots+{}_{10}C_8$

$\qquad\vdots$

$={}_{10}C_7+{}_{10}C_8={}_{11}C_8$ 정답_⑤

117

${}_1C_0={}_2C_0$이고, ${}_nC_r={}_{n-1}C_{r-1}+{}_{n-1}C_r$이므로

${}_1C_0+{}_2C_1+{}_3C_2+{}_4C_3+\cdots+{}_8C_7$

$={}_2C_0+{}_2C_1+{}_3C_2+{}_4C_3+\cdots+{}_8C_7$

$={}_3C_1+{}_3C_2+{}_4C_3+\cdots+{}_8C_7$

$\qquad\vdots$

$={}_8C_6+{}_8C_7={}_9C_7={}_9C_2$ 정답_⑤

118

${}_2C_2={}_3C_3$이고, ${}_nC_r={}_{n-1}C_{r-1}+{}_{n-1}C_r$이므로

${}_2C_2+{}_3C_2+{}_4C_2+{}_5C_2+\cdots+{}_{10}C_2$

$={}_3C_3+{}_3C_2+{}_4C_2+{}_5C_2+\cdots+{}_{10}C_2$

$={}_4C_3+{}_4C_2+{}_5C_2+\cdots+{}_{10}C_2$

$\qquad\vdots$

$={}_{10}C_3+{}_{10}C_2={}_{11}C_3$ 정답_④

119

$2\cdot{}_kC_2=2\cdot\dfrac{k(k-1)}{2}=k^2-k$이므로 2 이상인 자연수 k에 대

하여 $k^2=k+2\cdot{}_kC_2=\boxed{{}^{(가)}{}_kC_1}+2\cdot{}_kC_2$로 나타낼 수 있으므로

$1^2+2^2+3^2+\cdots+n^2$

$=\ {}_1C_1+({}_2C_1+2\cdot{}_2C_2)+({}_3C_1+2\cdot{}_3C_2)+\cdots$

$\qquad +({}_nC_1+2\cdot\boxed{{}^{(나)}{}_nC_2})$

$=({}_1C_1+{}_2C_1+{}_3C_1+\cdots+{}_nC_1)+2({}_2C_2+{}_3C_2+\cdots+\boxed{{}^{(나)}{}_nC_2})$

$=({}_2C_2+{}_2C_1+{}_3C_1+\cdots+{}_nC_1)+2({}_3C_3+{}_3C_2+\cdots+{}_nC_2)$

$\qquad\qquad\qquad\qquad\quad (\because {}_1C_1={}_2C_2={}_3C_3=1)$

$=({}_3C_2+{}_3C_1+\cdots+{}_nC_1)+2({}_4C_3+{}_4C_2+\cdots+{}_nC_2)$

$\qquad\qquad\qquad\qquad\quad (\because {}_nC_r+{}_nC_{r+1}={}_{n+1}C_{r+1})$

$\qquad\vdots$

$={}_{n+1}C_2+2\cdot\boxed{{}^{(다)}{}_{n+1}C_3}$

$=\dfrac{(n+1)n}{2}+2\cdot\dfrac{(n+1)n(n-1)}{3\cdot2\cdot1}$

$=\dfrac{n(n+1)}{6}\{3+2(n-1)\}$

$=\dfrac{n(n+1)(2n+1)}{6}$ 정답_②

120

$(1+x)^n = {}_nC_0 + {}_nC_1 x + {}_nC_2 x^2 + {}_nC_3 x^3 + \cdots + {}_nC_n x^n$ ...... ㉠

(1) ㉠의 양변에 $x=1$을 대입하면

$2^n = {}_nC_0 + {}_nC_1 + {}_nC_2 + {}_nC_3 + \cdots + {}_nC_n$ ...... ㉡

(2) ㉠의 양변에 $x=-1$을 대입하면

$0 = {}_nC_0 - {}_nC_1 + {}_nC_2 - {}_nC_3 + \cdots + (-1)^n {}_nC_n$ ...... ㉢

(3) n이 짝수이므로 ㉡+㉢을 하면

$2^n = 2({}_nC_0 + {}_nC_2 + {}_nC_4 + \cdots + {}_nC_n)$

$\therefore {}_nC_0 + {}_nC_2 + {}_nC_4 + \cdots + {}_nC_n = 2^{n-1}$

(4) n이 짝수이므로 ㉡-㉢을 하면

$2^n = 2({}_nC_1 + {}_nC_3 + {}_nC_5 + \cdots + {}_nC_{n-1})$

$\therefore {}_nC_1 + {}_nC_3 + {}_nC_5 + \cdots + {}_nC_{n-1} = 2^{n-1}$ 　　정답_ 풀이 참조

121

(1) ${}_4C_0 + {}_4C_1 + {}_4C_2 + {}_4C_3 + {}_4C_4 = 2^4 = 16$

(2) ${}_4C_0 - {}_4C_1 + {}_4C_2 - {}_4C_3 + {}_4C_4 = 0$

(3) ${}_8C_0 + {}_8C_2 + {}_8C_4 + {}_8C_6 + {}_8C_8 = 2^{8-1} = 128$

(4) ${}_9C_1 + {}_9C_3 + {}_9C_5 + {}_9C_7 + {}_9C_9 = 2^{9-1} = 256$

정답_ (1) 16　(2) 0　(3) 128　(4) 256

122

${}_{16}C_0 + {}_{16}C_1 + {}_{16}C_2 + \cdots + {}_{16}C_{16} = 2^{16}$ 　　정답_ ④

123

${}_{15}C_8 + {}_{15}C_9 + {}_{15}C_{10} + \cdots + {}_{15}C_{15} = {}_{15}C_7 + {}_{15}C_6 + {}_{15}C_5 + \cdots + {}_{15}C_0$

이므로

(주어진 식) $= 2^{15-1} = 2^{14}$ 　　정답_ ③

124

${}_nC_0 + {}_nC_1 + {}_nC_2 + {}_nC_3 + \cdots + {}_nC_n = 2^n$이므로

$2^n = 128 = 2^7$　　$\therefore n=7$ 　　정답_ 7

125

${}_nC_0 + {}_nC_1 + {}_nC_2 + {}_nC_3 + \cdots + {}_nC_n = 2^n$이므로

${}_nC_1 + {}_nC_2 + {}_nC_3 + \cdots + {}_nC_n = 2^n - 1 = 255$

$2^n = 256 = 2^8$　　$\therefore n=8$ 　　정답_ ④

126

${}_nC_0 + {}_nC_2 + {}_nC_4 + {}_nC_6 + \cdots + {}_nC_n = 2^{n-1}$이므로

${}_nC_2 + {}_nC_4 + {}_nC_6 + \cdots + {}_nC_n = 2^{n-1} - 1 = 127$

$2^{n-1} = 128 = 2^7$

$n-1 = 7$　　$\therefore n=8$ 　　정답_ ③

127

${}_nC_0 + {}_nC_1 + {}_nC_2 + {}_nC_3 + \cdots + {}_nC_n = 2^n$이므로

${}_nC_1 + {}_nC_2 + {}_nC_3 + \cdots + {}_nC_n = 2^n - 1$

이것을 주어진 식에 대입하면　$500 < 2^n - 1 < 1000$

$\therefore 501 < 2^n < 1001$

이때, $2^8 = 256$, $2^9 = 512$, $2^{10} = 1024$이므로　$n=9$ 　　정답_ ③

128

${}_{2k}C_1 + {}_{2k}C_3 + {}_{2k}C_5 + \cdots + {}_{2k}C_{2k-1} = 2^{2k-1}$이므로

$f(k) = 2^{2k-1}$

$\therefore f(3) = 2^{6-1} = 32$ 　　정답_ ②

129

$\left(\dfrac{3}{x} + \dfrac{x}{3}\right)^8$의 전개식에서 상수항은 $\dfrac{3}{x}$을 4번, $\dfrac{x}{3}$를 4번 곱한 경우이다. ··· ❶

따라서 구하는 상수항은　${}_8C_4 \left(\dfrac{3}{x}\right)^4 \left(\dfrac{x}{3}\right)^4 = {}_8C_4 = 70$ ············· ❷

정답_ 70

단계	채점 기준	비율
❶	$\left(\dfrac{3}{x} + \dfrac{x}{3}\right)^8$의 전개식에서 상수항을 나타내는 경우 구하기	50%
❷	상수항 구하기	50%

130

$(1+2x)^6$ ······ ㉠

$(a-x)(1+2x)^6$의 전개식에서 x^4항은 a와 ㉠의 x^4항, $-x$와 ㉠의 x^3항이 곱해질 때 나타난다. ··················· ❶

(i) ㉠에서 x^4항은 1을 2번, $2x$를 4번 곱한 경우이므로

$\quad {}_6C_4 1^2 \cdot (2x)^4 = {}_6C_4 2^4 x^4 = 240 x^4$

(ii) ㉠에서 x^3항은 1을 3번, $2x$를 3번 곱한 경우이므로

$\quad {}_6C_3 1^3 \cdot (2x)^3 = {}_6C_3 2^3 x^3 = 160 x^3$

(i),(ii)에 의해 $(a-x)(1+2x)^6$의 전개식에서 x^4항은

$a \cdot 240 x^4 + (-x) \cdot 160 x^3 = (240a - 160) x^4$

이므로 x^4의 계수는　$240a - 160$ ························· ❷

x^4의 계수가 80이므로　$240a - 160 = 80$

$\therefore a = 1$ ··· ❸

정답_ 1

단계	채점 기준	비율
❶	x^4항이 나타나는 조건 알기	40%
❷	x^4의 계수를 a에 대한 식으로 나타내기	40%
❸	a의 값 구하기	20%

131

$(x-a)^5$의 전개식에서 x항은 x를 1번, $-a$를 4번 곱한 경우이므로　${}_5C_4 x(-a)^4 = {}_5C_4 a^4 x$

이때, x의 계수는　${}_5C_4 a^4 = 5a^4$ ································· ❶

상수항은 $-a$를 5번 곱한 경우이므로 상수항은

${}_5C_5 (-a)^5 = -a^5$ ·· ❷

x의 계수와 상수항의 합이 0이므로

$5a^4+(-a^5)=0$, $a^4(5-a)=0$

$\therefore a=5$ $(\because a>0)$ $\cdots\cdots\cdots\cdots\cdots$ ❸

정답_ 5

단계	채점 기준	비율
❶	x의 계수 구하기	40%
❷	상수항 구하기	40%
❸	a의 값 구하기	20%

132

$(x+2y-z)^7=\{(x+2y)-z\}^7$의 전개식에서 z항은 $x+2y$를 6번, $-z$를 1번 곱한 경우이므로

${}_7C_1(x+2y)^6(-z)={}_7C_1(-1)(x+2y)^6z$ $\cdots\cdots$ ❶

$(x+2y)^6$의 전개식에서 x^4y^2항은 x를 4번, $2y$를 2번 곱한 경우이므로

${}_6C_2 x^4(2y)^2={}_6C_2 4x^4y^2$ $\cdots\cdots\cdots\cdots\cdots$ ❷

따라서 x^4y^2z항은 ${}_7C_1(-1)\cdot{}_6C_2 4x^4y^2$이므로 x^4y^2z의 계수는

${}_7C_1(-1)\cdot{}_6C_2 4=-7\cdot 60=-420$ $\cdots\cdots$ ❸

정답_ −420

단계	채점 기준	비율
❶	$(x+2y-z)^7$의 전개식에서 z항 구하기	40%
❷	$(x+2y)^6$의 전개식에서 x^4y^2항 구하기	30%
❸	x^4y^2z의 계수 구하기	30%

133

$(ax+1)^7$의 전개식에서 x^2항은 ax를 2번, 1을 5번 곱한 경우이므로

${}_7C_5 (ax)^2\cdot 1^5={}_7C_5 a^2x^2$ $\cdots\cdots\cdots\cdots\cdots$ ❶

이때, x^2의 계수는

${}_7C_5 a^2=84$, $21a^2=84$, $a^2=4$

$\therefore a=2$ $(\because a>0)$ $\cdots\cdots\cdots\cdots\cdots$ ❷

$(2x+1)^7$의 전개식에서 x항은 $2x$를 1번, 1을 6번 곱한 경우이므로

${}_7C_6 2x\cdot 1^6={}_7C_6 2x$

따라서 x의 계수는

${}_7C_6 2=7\cdot 2=14$ $\cdots\cdots\cdots\cdots\cdots$ ❸

정답_ 14

단계	채점 기준	비율
❶	x^2항 구하기	40%
❷	a의 값 구하기	20%
❸	x의 계수 구하기	40%

134

$(1+x)^n={}_nC_0+{}_nC_1 x+{}_nC_2 x^2+\cdots+{}_nC_n x^n$의 양변에 $x=4$를 대입하면

$(1+4)^n={}_nC_0+{}_nC_1\cdot 4+{}_nC_2\cdot 4^2+{}_nC_3\cdot 4^3+\cdots+{}_nC_n\cdot 4^n$

$\therefore {}_nC_0+4\cdot{}_nC_1+4^2\cdot{}_nC_2+4^3\cdot{}_nC_3+\cdots+4^n\cdot{}_nC_n=5^n$ $\cdots$ ❶

$5^n=5^{50}$이므로 $n=50$ $\cdots\cdots\cdots\cdots\cdots$ ❷

정답_ 50

단계	채점 기준	비율
❶	${}_nC_0+4\cdot{}_nC_1+4^2\cdot{}_nC_2+4^3\cdot{}_nC_3+\cdots+4^n\cdot{}_nC_n$을 거듭제곱으로 나타내기	70%
❷	n의 값 구하기	30%

135

$\left(3x^2-\dfrac{1}{2x^3}\right)^n$의 전개식에서 상수항이 $3x^2$을 $n-r$번, $-\dfrac{1}{2x^3}$을 r번 곱할 때 나타난다고 하면

${}_nC_r(3x^2)^{n-r}\left(-\dfrac{1}{2x^3}\right)^r={}_nC_r 3^{n-r}\left(-\dfrac{1}{2}\right)^r\dfrac{x^{2n-2r}}{x^{3r}}$ (단, $0<r<n$)

$\cdots\cdots$ ㉠

㉠이 상수항을 나타내기 위해서는 $2n-2r=3r$, 즉 $2n=5r$이어야 하므로 n은 5의 배수이어야 한다.

따라서 n의 최솟값은 5이고, 이때의 r의 값은 2이므로 구하는 상수항은 ${}_5C_2\cdot 3^3\left(-\dfrac{1}{2}\right)^2=\dfrac{135}{2}$

정답_ ⑤

136

$\left(x^2-\dfrac{3}{x}+2y\right)^6=\left\{\left(x^2-\dfrac{3}{x}\right)+2y\right\}^6$의 전개식에서 y항은 $x^2-\dfrac{3}{x}$을 5번, $2y$를 1번 곱한 경우이므로

${}_6C_1\left(x^2-\dfrac{3}{x}\right)^5 2y={}_6C_1 2\left(x^2-\dfrac{3}{x}\right)^5 y$

$\left(x^2-\dfrac{3}{x}\right)^5$의 전개식에서 x^7항은 x^2을 4번, $-\dfrac{3}{x}$을 1번 곱한 경우이므로

${}_5C_1(x^2)^4\cdot\left(-\dfrac{3}{x}\right)={}_5C_1(-3)x^7$

따라서 x^7y항은 ${}_6C_1 2\cdot{}_5C_1(-3)x^7y$이므로 x^7y의 계수는

${}_6C_1 2\cdot{}_5C_1(-3)=12\cdot(-15)=-180$

정답_ ⑤

137

$1\leq n\leq 20$인 자연수 n에 대하여 $(1-x^n)^n$의 전개식에서 x^{10}항이 1을 $n-r$번, $-x^n$을 r번 곱할 때 나타난다고 하면

${}_nC_r 1^{n-r}\cdot(-x^n)^r={}_nC_r(-1)^r x^{nr}$ (단, $0<r<n$)

$nr=10$이어야 하므로

$n=10$, $r=1$ 또는 $n=5$, $r=2$

따라서 x^{10}의 계수는

${}_{10}C_1(-1)^1+{}_5C_2(-1)^2=-10+10=0$

정답_ ④

138

$(x+a)^n$의 전개식에서 x^{n-1}항은 x를 $n-1$번, a를 1번 곱한 경우이므로

$_nC_1x^{n-1}\cdot a=_nC_1ax^{n-1}$

즉, $2(x+a)^n$의 전개식에서 x^{n-1}의 계수는

$2_nC_1a=2na$ $\cdots\cdots$ ㉠

$(x-1)(x+a)^n$의 전개식에서 x^{n-1}의 계수는 x와 $(x+a)^n$의 x^{n-2}항, -1과 $(x+a)^n$의 x^{n-1}항이 곱해질 때 나타난다.

$(x+a)^n$에서 x^{n-2}항은 x를 $n-2$번, a를 2번 곱한 경우이므로

$_nC_2x^{n-2}a^2=_nC_2a^2x^{n-2}$

따라서 $(x-1)(x+a)^n$의 전개식에서 x^{n-1}의 계수는

$_nC_2a^2+(-1)\cdot_nC_1a=\dfrac{n(n-1)}{2}a^2-na$ $\cdots\cdots$ ㉡

㉠과 ㉡이 같아야 하므로

$2na=\dfrac{n(n-1)}{2}a^2-na$

$n(n-1)a^2=6na$ $\therefore (n-1)a=6$

$(n-1,\ a)=(1,\ 6),\ (2,\ 3),\ (3,\ 2),\ (6,\ 1)$

$\therefore (n,\ a)=(2,\ 6),\ (3,\ 3),\ (4,\ 2),\ (7,\ 1)$

따라서 구하는 an의 최댓값은 $2\cdot6=12$ 정답_ 12

139

$3^{2018}+5^{2018}=(4-1)^{2018}+(4+1)^{2018}$이므로

$(4-1)^{2018}$

$=_{2018}C_0\cdot4^{2018}-_{2018}C_1\cdot4^{2017}+_{2018}C_2\cdot4^{2016}$

   $-\cdots-_{2018}C_{2017}\cdot4^1+_{2018}C_{2018}$ $\cdots\cdots$ ㉠

$(4+1)^{2018}$

$=_{2018}C_0\cdot4^{2018}+_{2018}C_1\cdot4^{2017}+_{2018}C_2\cdot4^{2016}$

   $+\cdots+_{2018}C_{2017}\cdot4^1+_{2018}C_{2018}$ $\cdots\cdots$ ㉡

㉠+㉡을 하면

$(4-1)^{2018}+(4+1)^{2018}$

$=2(_{2018}C_0\cdot4^{2018}+_{2018}C_2\cdot4^{2016}+\cdots+_{2018}C_{2016}\cdot4^2+_{2018}C_{2018})$

$=16\{2(_{2018}C_0\cdot4^{2016}+_{2018}C_2\cdot4^{2014}+\cdots+_{2018}C_{2016})\}+2_{2018}C_{2018}$

따라서 $3^{2018}+5^{2018}$을 16으로 나눈 나머지는 $2_{2018}C_{2018}=2$를 16으로 나눈 나머지와 같으므로 구하는 나머지는 2이다.   정답_ ②

140

20개의 점 중에서 n개의 점을 택하는 경우의 수는

$f(n)=_{20}C_n$

$f(3)+f(5)+f(7)+f(9)+\cdots+f(19)$

$=_{20}C_3+_{20}C_5+_{20}C_7+_{20}C_9+\cdots+_{20}C_{19}$

이때, $_{20}C_1+_{20}C_3+_{20}C_5+_{20}C_7+_{20}C_9+\cdots+_{20}C_{19}=2^{19}$이므로

$_{20}C_3+_{20}C_5+_{20}C_7+\cdots+_{20}C_{19}=2^{19}-_{20}C_1$

                      $=2^{19}-20$ 정답_ ⑤

II 확률

03 확률의 뜻과 덧셈정리

141

(1) 한 개의 주사위를 던지는 시행에서 나올 수 있는 경우는 1, 2, 3, 4, 5, 6이므로 표본공간은 {1, 2, 3, 4, 5, 6}

(2) {2, 4, 6}

(3) {1}, {2}, {3}, {4}, {5}, {6}

    정답_(1){1, 2, 3, 4, 5, 6}   (2){2, 4, 6}   (3){1},{2},{3},{4},{5},{6}

142

표본공간을 S라고 하면

$S=\{1,\ 2,\ 3,\ 4,\ 5,\ 6\},\ A=\{3,\ 6\},\ B=\{1,\ 3,\ 5\}$

(1) $A\cup B=\{1,\ 3,\ 5,\ 6\}$

(2) $A\cap B=\{3\}$

(3) $A^C=\{1,\ 2,\ 4,\ 5\}$

    정답_(1){1, 3, 5, 6}   (2){3}   (3){1, 2, 4, 5}

143

$S=\{1,\ 3,\ 5,\ 7\},\ A=\{1,\ 3,\ 5,\ 7\},\ B=\{3,\ 5,\ 7\},\ C=\{1\}$

ㄱ은 옳다.

   $A^C=S^C=\varnothing$

ㄴ도 옳다.

   $B\subset A$이므로 $A\cap B=B$

ㄷ도 옳다.

   $B\cup C=\{1,\ 3,\ 5,\ 7\}=S$

따라서 옳은 것은 ㄱ, ㄴ, ㄷ이다.   정답_ ⑤

144

첫 번째 시행에서 1의 눈이 나오는 사건은

$A=\{(1,\ 1),\ (1,\ 2),\ (1,\ 3),\ (1,\ 4),\ (1,\ 5),\ (1,\ 6)\}$

두 번째 시행에서 1의 눈이 나오는 사건은

$B=\{(1,\ 1),\ (2,\ 1),\ (3,\ 1),\ (4,\ 1),\ (5,\ 1),\ (6,\ 1)\}$

$A\cap B=\{(1,\ 1)\}$

$A\cup B=\{(1,\ 1),\ (1,\ 2),\ (1,\ 3),\ (1,\ 4),\ (1,\ 5),\ (1,\ 6),$

         $(2,\ 1),\ (3,\ 1),\ (4,\ 1),\ (5,\ 1),\ (6,\ 1)\}$

따라서 $n(A\cup B)=11$이므로 옳지 않은 것은 ⑤이다.   정답_ ⑤

145

동전의 앞면을 H, 뒷면을 T라 하고 한 개의 동전을 두 번 던지는 시행에서 표본공간을 S라고 하면

$S=\{HH,\ HT,\ TH,\ TT\}$

두 번 모두 뒷면이 나오는 사건은 $A=\{TT\}$

사건 A와 배반인 사건의 개수는 S의 부분집합 중 TT를 포함하지 않은 것의 개수와 같으므로 $2^{4-1}=8$　　　　　　정답_ ③

146

ㄱ. $\{1, 2, 4\}$　　　　　　ㄴ. $\{2, 3, 5, 7\}$

ㄷ. $\{1, 3, 5, 7, 9\}$　　　ㄹ. $\{5, 6, 7, 8, 9, 10\}$

따라서 서로 배반인 사건은 ㄱ과 ㄹ이다.　　　정답_ ③

147

한 개의 주사위를 던지는 시행에서 표본공간을 S라고 하면

$S=\{1, 2, 3, 4, 5, 6\}$, $A=\{4\}$, $B=\{2, 3, 5\}$

두 사건 A, B와 모두 배반인 사건의 개수는 S의 부분집합 중 2, $3, 4, 5$를 포함하지 않은 것의 개수와 같으므로

$2^{6-4}=4$　　　　　　　　　　　　정답_ ②

148

모든 부분집합의 개수는 $2^5=32$

(i) a_1을 원소로 갖는 부분집합의 개수는 $2^{5-1}=16$

(ii) a_2를 원소로 갖는 부분집합의 개수는 $2^{5-1}=16$

(iii) a_1과 a_2를 원소로 갖는 부분집합의 개수는 $2^{5-2}=8$

(i), (ii), (iii)에서 a_1 또는 a_2를 원소로 갖는 부분집합의 개수는

$16+16-8=24$

따라서 구하는 확률은 $\dfrac{24}{32}=\dfrac{3}{4}$　　　정답_ ③

149

1에서 100까지의 자연수 중에서 2의 배수의 개수는 50, 2의 배수이면서 3의 배수, 즉 6의 배수의 개수는 16이므로 2의 배수이지만 3의 배수가 아닌 것의 개수는 $50-16=34$

따라서 구하는 확률은 $\dfrac{34}{100}=\dfrac{17}{50}$　　　정답_ ①

150

전체 경우의 수는 $6 \cdot 6 = 36$

(i) 두 눈의 수의 차가 4인 경우는

　　$(1, 5), (2, 6), (5, 1), (6, 2)$의 4가지

(ii) 두 눈의 수의 차가 5인 경우는 $(1, 6), (6, 1)$의 2가지

(i), (ii)에서 두 눈의 수의 차가 4 이상인 경우의 수는 $4+2=6$

따라서 구하는 확률은 $\dfrac{6}{36}=\dfrac{1}{6}$　　　정답_ ④

151

두 명이 길을 택하는 방법의 수는 $5 \cdot 5 = 25$

(i) 두 명이 같은 길을 택하는 경우의 수는 5

(ii) 두 명이 이웃한 길을 택하는 경우의 수는 $4 \cdot 2 = 8$

(i), (ii)에서 두 명이 길을 가는 도중에 서로의 모습을 볼 수 있는 경우의 수는 $5+8=13$이므로 구하는 확률은 $\dfrac{13}{25}$　　정답_ ③

152

전체 경우의 수는 $9!$

여학생 4명을 한 명으로 생각하여 6명을 한 줄로 세우는 경우의 수는 $6!$이고, 여학생 4명이 순서를 바꾸는 경우의 수는 $4!$이므로 여학생 4명이 이웃하도록 세우는 경우의 수는 $6! \cdot 4!$

따라서 구하는 확률은 $\dfrac{6! \cdot 4!}{9!}=\dfrac{1}{21}$　　정답_ $\dfrac{1}{21}$

153

전체 경우의 수는 $6!$

시집 3권을 책꽂이에 한 줄로 꽂는 경우의 수는 $3!$이고, 시집 사이 및 양 끝에 수필집 3권을 꽂는 경우의 수는 $_4\mathrm{P}_3$이므로 수필집끼리는 이웃하지 않도록 꽂는 경우의 수는 $3! \cdot _4\mathrm{P}_3$

따라서 구하는 확률은 $\dfrac{3! \cdot _4\mathrm{P}_3}{6!}=\dfrac{1}{5}$　　정답_ $\dfrac{1}{5}$

참고

여사건을 이용할 경우

$1-(2$권 또는 3권이 이웃할 경우$)$로 구해야 한다.

154

전체 경우의 수는 $5!$

A와 B 사이에 한 명을 앉히는 경우의 수는 $_3\mathrm{P}_1$이고, A□B를 한 명으로 생각하여 3명을 나란히 앉히는 경우의 수는 $3!$, A와 B가 자리를 바꾸는 경우의 수는 $2!$이므로 A와 B 사이에 한 명이 앉는 경우의 수는 $_3\mathrm{P}_1 \cdot 3! \cdot 2!$

따라서 구하는 확률은 $\dfrac{_3\mathrm{P}_1 \cdot 3! \cdot 2!}{5!}=\dfrac{3}{10}$　　정답_ ③

155

전체 경우의 수는 $_5\mathrm{P}_4$

2, 3을 양 끝에 두고 나머지 3장의 카드 중에서 2장의 카드를 그 사이에 나열하는 경우의 수는 $_3\mathrm{P}_2$이고, 2, 3의 자리를 바꾸는 경우의 수는 $2!$이므로 2, 3이 양 끝에 나열되는 경우의 수는

$_3\mathrm{P}_2 \cdot 2!$

따라서 구하는 확률은 $\dfrac{_3\mathrm{P}_2 \cdot 2!}{_5\mathrm{P}_4}=\dfrac{1}{10}$　　정답_ ④

156

전체 경우의 수는 $_5\mathrm{P}_4$

4300보다 큰 수는 43□□ 꼴 또는 45□□ 꼴 또는 5□□□ 꼴이다.

(i) 43□□ 꼴의 개수는 $_3\mathrm{P}_2$

(ii) 45□□ 꼴의 개수는 $_3\mathrm{P}_2$

(iii) 5□□□ 꼴의 개수는 $_4\mathrm{P}_3$

(i), (ii), (iii)에서 4300보다 큰 수의 개수는 $_3\mathrm{P}_2 \cdot 2 + _4\mathrm{P}_3$

따라서 구하는 확률은 $\dfrac{_3\mathrm{P}_2 \cdot 2 + _4\mathrm{P}_3}{_5\mathrm{P}_4}=\dfrac{3}{10}$　　정답_ ④

157

전체 경우의 수는 $6!$

한국과 중국의 선수가 교대로 서는 경우는
오른쪽과 같이 2가지뿐이므로 그 경우의
수는 $2 \cdot 3! \cdot 3!$

한	중	한	중	한	중
중	한	중	한	중	한

따라서 구하는 확률은 $\dfrac{2 \cdot 3! \cdot 3!}{6!} = \dfrac{1}{10}$

정답_ ①

158

전체 경우의 수는 $4!$

남자 승객 2명을 A구역의 2개의 좌석에 배정하는 경우의 수는
$2!$이고, 여자 승객 2명을 B구역과 C구역의 좌석에 배정하는 경
우의 수는 $2!$이므로 남자 승객 2명이 모두 A구역에 배정되는 경
우의 수는 $2! \cdot 2!$

따라서 $p = \dfrac{2! \cdot 2!}{4!} = \dfrac{1}{6}$이므로

$120p = 120 \cdot \dfrac{1}{6} = 20$

정답_ 20

159

전체 경우의 수는 $6!$

o, e를 양 끝에 두고 나머지 4개의 문자 m, t, h, r를 한 줄로 나
열하는 경우의 수는 $4!$이고, o와 e의 자리를 바꾸는 경우의 수는
$2!$이므로 양 끝에 모음이 나열되는 경우의 수는 $4! \cdot 2!$

따라서 구하는 확률은 $\dfrac{4! \cdot 2!}{6!} = \dfrac{1}{15}$

정답_ ②

160

전체 경우의 수는 $(5-1)! = 4!$

A, B를 한 명으로 생각하여 4명이 원탁에 둘러앉는 경우의 수는
$(4-1)! = 3!$이고, A와 B가 자리를 바꾸는 경우의 수는 $2!$이
므로 A, B가 서로 이웃하도록 원탁에 둘러앉는 경우의 수는
$3! \cdot 2!$

따라서 구하는 확률은 $\dfrac{3! \cdot 2!}{4!} = \dfrac{1}{2}$

정답_ ③

161

전체 경우의 수는 $_8C_2$

여학생 5명 중에서 대표 2명을 뽑는 경우의 수는 $_5C_2$

따라서 구하는 확률은 $\dfrac{_5C_2}{_8C_2} = \dfrac{5}{14}$

정답_ $\dfrac{5}{14}$

162

전체 경우의 수는 $_9C_6$

흰 공 2개, 검은 공 3개, 빨간 공 4개 중에서 흰 공 1개, 검은 공 2
개, 빨간 공 3개를 뽑는 경우의 수는 $_2C_1 \cdot _3C_2 \cdot _4C_3$

따라서 구하는 확률은 $\dfrac{_2C_1 \cdot _3C_2 \cdot _4C_3}{_9C_6} = \dfrac{2}{7}$

정답_ ②

163

전체 경우의 수는 $_6C_3$

흰 공 2개, 노란 공 2개, 파란 공 2개에서 흰 공 1개, 노란 공 1개,
파란 공 1개를 뽑는 경우의 수는 $_2C_1 \cdot _2C_1 \cdot _2C_1$

따라서 구하는 확률은 $\dfrac{_2C_1 \cdot _2C_1 \cdot _2C_1}{_6C_3} = \dfrac{2}{5}$

정답_ ①

164

전체 경우의 수는 $_{10}C_3$

3개의 당첨 제비, 7개의 당첨 제비가 아닌 제비 중에서 당첨 제비
2개, 당첨 제비가 아닌 제비 1개를 뽑는 경우의 수는 $_3C_2 \cdot _7C_1$

따라서 구하는 확률은 $\dfrac{_3C_2 \cdot _7C_1}{_{10}C_3} = \dfrac{7}{40}$

정답_ ②

165

전체 경우의 수는 $_5C_3$

A는 선출되고 B는 선출되지 않는 경우의 수는 A, B를 제외한
3명 중에서 2명을 선출한 후 A를 포함시키는 경우의 수와 같으
므로 $_3C_2$

따라서 구하는 확률은 $\dfrac{_3C_2}{_5C_3} = \dfrac{3}{10}$

정답_ ③

166

전체 경우의 수는 $_{10}C_3$

오른쪽 그림과 같이 원의 중심 O를 지나는 한
지름에서 만들 수 있는 직각삼각형은 8개이고,
지름은 모두 5개이므로 만들 수 있는 직각삼각
형의 개수는 $8 \cdot 5 = 40$

따라서 구하는 확률은 $\dfrac{40}{_{10}C_3} = \dfrac{1}{3}$

정답_ ③

167

전체 경우의 수는 $_8C_2$

길이가 $\sqrt{2}$인 선분의 개수는
$\dfrac{3 \cdot 8}{2} = 12$이고, 길이가 $\sqrt{3}$인 선분의

개수는 $\dfrac{8}{2} = 4$이므로 길이가 $\sqrt{2}$ 이상

인 선분의 개수는 $12 + 4 = 16$

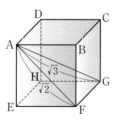

따라서 구하는 확률은 $\dfrac{16}{_8C_2} = \dfrac{4}{7}$

정답_ ⑤

168

전체 경우의 수는 $_{10}C_6$

두 번째로 작은 수가 3이려면 $\{1, 2\}$에서 1개, $\{4, 5, 6, \cdots, 10\}$에
서 4개의 원소를 택해야 하므로 두 번째로 작은 수가 3인 경우의
수는 $_2C_1 \cdot _7C_4$

따라서 구하는 확률은 $\dfrac{_3\mathrm{C}_1\cdot{}_7\mathrm{C}_4}{_{10}\mathrm{C}_6}=\dfrac{1}{3}$ 정답_ ③

169

전체 경우의 수는 $_{11}\mathrm{C}_6=462$

$1, 2, 3, \cdots, 11$ 중에서 홀수는 6개이고, 짝수는 5개이다. 공에 적혀 있는 수의 합이 홀수가 되려면 홀수를 홀수 개 뽑아야 한다.

(i) 홀수 1개, 짝수 5개를 뽑는 경우의 수는 $_6\mathrm{C}_1\cdot{}_5\mathrm{C}_5=6$

(ii) 홀수 3개, 짝수 3개를 뽑는 경우의 수는 $_6\mathrm{C}_3\cdot{}_5\mathrm{C}_3=200$

(iii) 홀수 5개, 짝수 1개를 뽑는 경우의 수는 $_6\mathrm{C}_5\cdot{}_5\mathrm{C}_1=30$

(i), (ii), (iii)에서 6개의 수의 합이 홀수가 되는 경우의 수는

$6+200+30=236$

따라서 구하는 확률은 $\dfrac{236}{462}=\dfrac{118}{231}$ 정답_ ④

170

5인승, 7인승, 9인승 3대의 차에 남은 좌석은 각각 1자리, 2자리, 3자리이고 6명을 1명, 2명, 3명으로 나누는 전체 경우의 수는

$_6\mathrm{C}_1\cdot{}_5\mathrm{C}_2\cdot{}_3\mathrm{C}_3=60$

A와 B가 같은 차에 배정되는 경우는 7인승에 배정되는 경우와 9인승에 배정되는 경우가 있다.

(i) A와 B를 7인승에 배정하고, 나머지 4명을 1명, 3명으로 나누어 각각 5인승, 9인승 차에 배정하는 경우의 수는

$_4\mathrm{C}_1\cdot{}_3\mathrm{C}_3=4$

(ii) A와 B를 9인승에 배정하고, 나머지 4명을 1명, 2명, 1명으로 나누어 각각 5인승, 7인승, 9인승 차에 배정하는 경우의 수는

$_4\mathrm{C}_1\cdot{}_3\mathrm{C}_2\cdot{}_1\mathrm{C}_1=12$

(i), (ii)에서 A와 B가 같은 차에 배정되는 경우의 수는

$4+12=16$

따라서 구하는 확률은 $\dfrac{16}{60}=\dfrac{4}{15}$이므로

$p=15, q=4$

$\therefore 10p+q=10\cdot15+4=154$ 정답_ 154

171

전체 생산량은 30000천 대이고, 아시아, 즉 한국과 일본에서의 생산량은 각각 2000천 대, 11000천 대이므로

$a=\dfrac{2000}{30000}=\dfrac{2}{30}, b=\dfrac{2000+11000}{30000}=\dfrac{13}{30}$

$\therefore a+b=\dfrac{2}{30}+\dfrac{13}{30}=\dfrac{15}{30}=\dfrac{1}{2}$ 정답_ ⑤

172

주사위 한 개를 던졌을 때, 4의 약수의 눈이 나오는 경우는 1, 2, 4의 3가지이므로 4의 약수의 눈이 나올 확률은 $\dfrac{3}{6}=\dfrac{1}{2}$

주사위 한 개를 던졌을 때, 1의 눈이 나올 확률은 $\dfrac{1}{6}$이고,

$\dfrac{1}{6}\times6000=1000$이므로 주사위를 6000회 던졌을 때, 1의 눈이 나올 횟수는 대략 1000회로 예상할 수 있다.

$\therefore p=\dfrac{1}{2}, q=1000$ 정답_ ②

173

전체 경우의 수는 $_{10}\mathrm{C}_2$

안경을 낀 학생 수를 x라고 하면 10명의 학생 중에서 2명을 뽑을 때, 2명 모두 안경을 끼고 있을 확률이 $\dfrac{2}{9}$이므로

$\dfrac{_x\mathrm{C}_2}{_{10}\mathrm{C}_2}=\dfrac{2}{9}, \dfrac{x(x-1)}{90}=\dfrac{2}{9}, x(x-1)=20$

$x^2-x-20=0, (x+4)(x-5)=0$

$\therefore x=5 \ (\because x>0)$

따라서 안경을 끼고 있는 학생은 5명으로 예상할 수 있다.

    정답_ ①

174

전체 경우의 수는 $_{15}\mathrm{C}_2$

붉은 공의 개수를 x라고 하면 15개의 공 중에서 2개를 꺼낼 때, 2개 모두 붉은 공일 확률이 $\dfrac{1}{5}$이므로

$\dfrac{_x\mathrm{C}_2}{_{15}\mathrm{C}_2}=\dfrac{1}{5}, \dfrac{x(x-1)}{210}=\dfrac{1}{5}, x(x-1)=42$

$x^2-x-42=0, (x+6)(x-7)=0$ $\therefore x=7 \ (\because x>0)$

따라서 7개의 붉은 공이 들어 있다고 볼 수 있다.   정답_ ③

175

오른쪽 그림과 같이 $\overline{\mathrm{AB}}$를 지름으로 하는 반원 O의 호 위에 점 P가 있을 때 $\triangle\mathrm{ABP}$는 직각삼각형이 되므로 반원의 바깥쪽의 색칠한 부분에 점 P가 있을 때 $\triangle\mathrm{ABP}$는 예각삼각형이 된다.

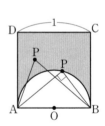

따라서 구하는 확률은

$\dfrac{\text{(색칠한 부분의 넓이)}}{\text{(정사각형 ABCD의 넓이)}}=\dfrac{1^2-\dfrac{1}{2}\cdot\pi\cdot\left(\dfrac{1}{2}\right)^2}{1^2}$

$=1-\dfrac{\pi}{8}$ 정답_ ③

176

오른쪽 그림에서 색칠한 정사각형의 내부(경계선 포함)에 동전의 중심이 놓이면 동전이 타일 안에 완전히 놓인다.

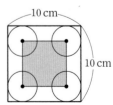

따라서 구하는 확률은

$\dfrac{\text{(한 변의 길이가 6 cm인 정사각형의 넓이)}}{\text{(한 변의 길이가 10 cm인 정사각형의 넓이)}}$

$=\dfrac{6^2}{10^2}=\dfrac{9}{25}$ 정답_ ③

177

점 P에서 가장 가까운 꼭짓점까지의 거리
가 2 이하인 부분은 오른쪽 그림의 색칠한
부분과 같다.

따라서 구하는 확률은

$$\frac{(\text{색칠한 부분의 넓이})}{(\text{정사각형 ABCD의 넓이})}$$

$$=\frac{\pi \cdot 2^2}{16}=\frac{\pi}{4}$$

정답_ ④

178

$A=\{1, 2, 4\}$이므로

$$P(A)=\frac{3}{6}=\frac{1}{2}$$

B는 반드시 일어나는 사건이므로

$$P(B)=1$$

$$\therefore P(A)+P(B)=\frac{1}{2}+1=\frac{3}{2}$$

정답_ $\frac{3}{2}$

179

ㄱ은 옳다.

임의의 사건 A에 대하여 $0 \le P(A) \le 1$

ㄴ도 옳다.

$P(S)=1, P(\varnothing)=0$이므로 $P(S)+P(\varnothing)=1$

ㄷ은 옳지 않다.

$0 \le P(A) \le 1, 0 \le P(B) \le 1$이므로

$$0 \le P(A)+P(B) \le 2$$

따라서 옳은 것은 ㄱ, ㄴ이다.

정답_ ③

180

(1) $P(A \cup B) = P(A)+P(B)-P(A \cap B)$

$$=\frac{1}{2}+\frac{1}{5}-\frac{1}{10}=\frac{3}{5}$$

(2) $P(A^C \cup B^C)=P((A \cap B)^C)$

$$=1-P(A \cap B)$$

$$=1-\frac{1}{10}=\frac{9}{10}$$

정답_ (1) $\frac{3}{5}$ (2) $\frac{9}{10}$

181

A, B가 서로 배반사건이므로 $A \cap B = \varnothing$

$$\therefore P(A \cup B) = P(A)+P(B)$$

$$=\frac{1}{3}+\frac{1}{4}=\frac{7}{12}$$

정답_ ④

182

ㄱ은 옳다.

$P(A \cup B)=P(A)+P(B)-P(A \cap B)$

$$=0.3+0.4-0.2=0.5$$

ㄴ은 옳지 않다.

$A \cap C=\varnothing$이므로

$P(A \cup C)=P(A)+P(C)$

$$=0.3+0.1=0.4$$

ㄷ은 옳다.

$B \cup C=B$이므로 $P(B \cup C)=P(B)=0.4$

따라서 옳은 것은 ㄱ, ㄷ이다.

정답_ ⑤

183

$P(A \cup B)=P(A \cap B^C)+P(A^C \cap B)+P(A \cap B)$

이므로 $\frac{7}{12}=\frac{1}{8}+\frac{1}{8}+P(A \cap B)$

$$\therefore P(A \cap B)=\frac{7}{12}-\frac{1}{4}=\frac{1}{3}$$

정답_ ④

184

$3P(B)=\frac{2}{5}$이므로 $P(B)=\frac{1}{3} \cdot \frac{2}{5}=\frac{2}{15}$

A^C, B가 서로 배반사건이므로 $B \subset A$

따라서 $A \cap B = B$이므로

$P(A \cap B^C)=P(A)-P(A \cap B)$

$$=P(A)-P(B)$$

$$=\frac{2}{5}-\frac{2}{15}=\frac{4}{15}$$

정답_ ①

185

3의 배수인 사건을 A, 5의 배수인 사건을 B라고 하면

$A=\{3, 6, 9, 12, 15, 18\}$

$B=\{5, 10, 15, 20\}$

$A \cap B=\{15\}$

따라서 구하는 확률은

$P(A \cup B)=P(A)+P(B)-P(A \cap B)$

$$=\frac{6}{20}+\frac{4}{20}-\frac{1}{20}=\frac{9}{20}$$

정답_ ②

186

서로 다른 두 개의 주사위를 동시에 던질 때, 나오는 두 눈의 수의
합이 9 이상인 사건을 A, 소수인 사건을 B라고 하면

$A=\{(3, 6), (4, 5), (4, 6), (5, 4), (5, 5), (5, 6),$
$(6, 3), (6, 4), (6, 5), (6, 6)\}$

$B=\{(1, 1), (1, 2), (2, 1), (1, 4), (2, 3), (3, 2),$
$(4, 1), (1, 6), (2, 5), (3, 4), (4, 3), (5, 2), (6, 1),$
$(5, 6), (6, 5)\}$

$A \cap B=\{(5, 6), (6, 5)\}$

따라서 구하는 확률은

$P(A \cup B)=P(A)+P(B)-P(A \cap B)$

$$=\frac{10}{36}+\frac{15}{36}-\frac{2}{36}=\frac{23}{36}$$

정답_ ③

187

전체 경우의 수는 $_8C_3$

모두 같은 색의 공이 나오려면 모두 흰 공 또는 모두 검은 공이 나와야 한다. 이때, 모두 흰 공이 나오는 사건을 A, 모두 검은 공이 나오는 사건을 B라고 하면

$$P(A) = \frac{_5C_3}{_8C_3} = \frac{10}{56}, \ P(B) = \frac{_3C_3}{_8C_3} = \frac{1}{56}$$

A, B는 서로 배반이므로 구하는 확률은

$$P(A \cup B) = P(A) + P(B)$$
$$= \frac{10}{56} + \frac{1}{56} = \frac{11}{56}$$

정답_ ④

188

전체 경우의 수는 $_{10}C_4$

흰 공이 3개, 빨간 공이 1개 나오는 사건을 A, 흰 공이 4개 나오는 사건을 B라고 하면

$$P(A) = \frac{_6C_3 \cdot _4C_1}{_{10}C_4} = \frac{80}{210}, \ P(B) = \frac{_6C_4}{_{10}C_4} = \frac{15}{210}$$

A, B는 서로 배반이므로 구하는 확률은

$$P(A \cup B) = P(A) + P(B)$$
$$= \frac{80}{210} + \frac{15}{210} = \frac{19}{42}$$

정답_ ②

189

전체 경우의 수는 $6 \cdot 6 = 36$

방정식 $ax - b = 0$의 해가 1인 사건을 A라고 하면 $a - b = 0$, 즉 $a = b$이어야 하므로

$A = \{(1, 1), (2, 2), (3, 3), (4, 4), (5, 5), (6, 6)\}$

$$\therefore P(A) = \frac{6}{36}$$

$ax - b = 0$의 해가 2인 사건을 B라고 하면 $2a - b = 0$, 즉 $2a = b$이어야 하므로

$B = \{(1, 2), (2, 4), (3, 6)\}$

$$\therefore P(B) = \frac{3}{36}$$

A, B는 서로 배반이므로 구하는 확률은

$$P(A \cup B) = P(A) + P(B)$$
$$= \frac{6}{36} + \frac{3}{36} = \frac{1}{4}$$

정답_ ②

190

전체 경우의 수는 $6 \cdot 6 = 36$

주사위를 두 번 던져서 꼭짓점 A가 꼭짓점 D에 놓이려면 두 눈의 수의 합이 3 또는 7 또는 11이어야 한다.

(i) 두 눈의 수의 합이 3인 사건을 A라고 하면

$A = \{(1, 2), (2, 1)\}$

$$\therefore P(A) = \frac{2}{36}$$

(ii) 두 눈의 수의 합이 7인 사건을 B라고 하면

$B = \{(1, 6), (2, 5), (3, 4), (4, 3), (5, 2), (6, 1)\}$

$$\therefore P(B) = \frac{6}{36}$$

(iii) 두 눈의 수의 합이 11인 사건을 C라고 하면

$C = \{(5, 6), (6, 5)\}$

$$\therefore P(C) = \frac{2}{36}$$

A, B, C는 서로 배반이므로 구하는 확률은

$$P(A \cup B \cup C) = P(A) + P(B) + P(C)$$
$$= \frac{2}{36} + \frac{6}{36} + \frac{2}{36} = \frac{5}{18}$$

정답_ $\frac{5}{18}$

191

전체 경우의 수는 $_{10}C_3$

적어도 한 개가 불량품인 사건은 3개 모두 불량품이 아닌 사건의 여사건이다.

3개 모두 불량품이 아닌 사건을 A라고 하면

$$P(A) = \frac{_8C_3}{_{10}C_3} = \frac{7}{15}$$

따라서 구하는 확률은

$$P(A^C) = 1 - P(A) = 1 - \frac{7}{15} = \frac{8}{15}$$

정답_ ⑤

192

전체 경우의 수는 $8!$

적어도 한 쪽 끝에 모음이 오는 사건은 양 끝에 모두 자음이 오는 사건의 여사건이다.

양 끝에 모두 자음이 오는 경우의 수는 5개의 자음 s, d, l, t, y에서 2개를 택하여 양 끝에 놓은 후, 그 사이에 나머지 6개의 문자를 나열하는 경우의 수와 같으므로 $_5P_2 \cdot 6!$이다.

따라서 양 끝에 모두 자음이 오는 사건을 A라고 하면

$$P(A) = \frac{_5P_2 \cdot 6!}{8!} = \frac{5}{14}$$

따라서 구하는 확률은

$$P(A^C) = 1 - P(A) = 1 - \frac{5}{14} = \frac{9}{14}$$

정답_ ⑤

193

전체 경우의 수는 6^3

적어도 두 개의 주사위의 눈이 다른 사건은 세 개의 주사위의 눈이 모두 같은 사건의 여사건이다.

세 개의 주사위의 눈이 모두 같은 사건을 A라고 하면

$$P(A) = \frac{6}{6^3} = \frac{1}{36}$$

따라서 구하는 확률은

$$P(A^C) = 1 - P(A) = 1 - \frac{1}{36} = \frac{35}{36}$$

정답_ ②

194

전체 경우의 수는 $_6C_2$

적어도 한 명이 여학생인 사건은 모두 남학생인 사건의 여사건이다.

대표 2명이 모두 남학생인 사건을 A라고 하면

$$P(A)=\frac{_3C_2}{_6C_2}=\frac{1}{5}$$

따라서 구하는 확률은

$$P(A^C)=1-P(A)=1-\frac{1}{5}=\frac{4}{5}$$

정답_⑤

195

전체 경우의 수는 $_{12}C_3$

적어도 한 개가 흰 구슬인 사건은 모두 빨간 구슬인 사건의 여사건이다.

모두 빨간 구슬인 사건을 A라고 하면

$$P(A)=\frac{_7C_3}{_{12}C_3}=\frac{7}{44}$$

따라서 구하는 확률은

$$P(A^C)=1-P(A)=1-\frac{7}{44}=\frac{37}{44}$$

정답_⑤

196

전체 경우의 수는 $6 \cdot 6 = 36$

직선 $ax+by-8=0$이 점 $P(2,\ 2)$를 지난다고 하면

$2a+2b-8=0$ $\therefore a+b=4$

$a+b=4$를 만족시키는 순서쌍 $(a,\ b)$는 $(1,\ 3)$, $(2,\ 2)$, $(3,\ 1)$의 3가지이므로 점 P를 지날 확률은

$$\frac{3}{36}=\frac{1}{12}$$

따라서 구하는 확률은 $1-\frac{1}{12}=\frac{11}{12}$

정답_②

197

전체 경우의 수는 $6 \cdot 6 = 36$

연립방정식 $2x+ay=3$, $-4x-by=b$의 해가 존재하지 않으려면 $\frac{2}{-4}=\frac{a}{-b}\neq\frac{3}{b}$에서 $b=2a, b\neq-6$ ······㉠

㉠을 만족시키는 순서쌍 $(a,\ b)$는 $(1,\ 2)$, $(2,\ 4)$, $(3,\ 6)$의 3가지이다.

즉, 해가 존재하지 않을 확률은 $\frac{3}{36}=\frac{1}{12}$

따라서 구하는 확률은 $1-\frac{1}{12}=\frac{11}{12}$

정답_⑤

198

전체 경우의 수는 6^3

주사위를 세 번 던져서 나온 눈의 최솟값이 1보다 큰 경우는 세 눈의 수가 모두 2, 3, 4, 5, 6에서 나오는 경우이므로 5^3가지이다.

이때, 최솟값이 1보다 클 확률은 $\frac{5^3}{6^3}=\frac{125}{216}$

따라서 최솟값이 1일 확률은

$$1-\frac{125}{216}=\frac{91}{216}$$

정답_$\frac{91}{216}$

199

전체 경우의 수는 $_9C_2$

$\frac{b}{a}, \frac{a}{b}$ 중 어느 하나가 정수인 $(a,\ b)$는

$(1,\ 2)$, $(1,\ 3)$, $(1,\ 4)$, $(1,\ 5)$, $(1,\ 6)$, $(1,\ 7)$, $(1,\ 8)$, $(1,\ 9)$, $(2,\ 4)$, $(2,\ 6)$, $(2,\ 8)$, $(3,\ 6)$, $(3,\ 9)$, $(4,\ 8)$

의 14가지

$\frac{b}{a}, \frac{a}{b}$ 중 어느 하나가 정수일 확률은 $\frac{14}{_9C_2}=\frac{7}{18}$

따라서 $\frac{b}{a}, \frac{a}{b}$가 모두 정수가 아닐 확률은

$$1-\frac{7}{18}=\frac{11}{18}$$

정답_$\frac{11}{18}$

200

전체 경우의 수는 $_6C_3=20$ ·· ❶

(i) ×표가 적혀 있는 제비 2개와 ○표가 적혀 있는 제비 1개가 나오는 경우의 수는

$$_3C_2 \cdot {_3C_1}=9$$

(ii) ×표가 적혀 있는 제비 3개와 ○표가 적혀 있는 제비 0개가 나오는 경우의 수는

$$_3C_3 \cdot {_3C_0}=1$$ ·· ❷

(i), (ii)에서 ×표가 있는 제비 2개 이상 나오는 경우의 수는

$9+1=10$

따라서 구하는 확률은 $\frac{10}{20}=\frac{1}{2}$ ·· ❸

정답_$\frac{1}{2}$

단계	채점 기준	비율
❶	전체 경우의 수 구하기	20%
❷	×표가 있는 제비가 2개 이상 나오는 경우의 수 구하기	60%
❸	확률 구하기	20%

201

전체 경우의 수는 $6 \cdot 6 = 36$ ·· ❶

이차방정식 $x^2+2ax+b=0$이 실근을 가지려면

$$\frac{D}{4}=a^2-b\geq0 \quad \therefore b\leq a^2$$ ·· ❷

(i) $a=1$이면 $b=1$

(ii) $a=2$이면 $b=1,\ 2,\ 3,\ 4$

(iii) $a\geq3$이면 $b=1,\ 2,\ 3,\ 4,\ 5,\ 6$

(i), (ii), (iii)에서 이차방정식이 실근을 갖는 경우의 수는

$1+4+4 \cdot 6=29$ ·· ❸

따라서 구하는 확률은 $\frac{29}{36}$ ·· ❹

정답_$\frac{29}{36}$

단계	채점 기준	비율
❶	전체 경우의 수 구하기	20%
❷	이차방정식이 실근을 가질 조건 구하기	20%
❸	이차방정식이 실근을 갖는 경우의 수 구하기	40%
❹	확률 구하기	20%

202

흰 공의 개수를 x라고 하면 ⋯⋯⋯⋯⋯⋯⋯⋯⋯⋯⋯ ❶

전체 경우의 수는 $_8C_2=28$ ⋯⋯⋯⋯⋯⋯⋯⋯⋯⋯⋯ ❷

2개 모두 흰 공이 나오는 경우의 수는

$_xC_2=\dfrac{x(x-1)}{2}$ ⋯⋯⋯⋯⋯⋯⋯⋯⋯⋯⋯⋯⋯⋯ ❸

2개 모두 흰 공이 나올 확률이 $\dfrac{5}{14}$이므로

$\dfrac{\frac{x(x-1)}{2}}{28}=\dfrac{5}{14},\ \dfrac{x(x-1)}{56}=\dfrac{5}{14}$

$x^2-x-20=0,\ (x+4)(x-5)=0 \quad \therefore x=5\ (\because x>0)$
⋯⋯⋯⋯⋯⋯⋯⋯⋯⋯⋯⋯⋯⋯⋯⋯⋯⋯⋯⋯⋯ ❹

따라서 구하는 흰 공의 개수는 5이다. ⋯⋯⋯⋯⋯⋯⋯ ❺

정답_ 5

단계	채점 기준	비율
❶	흰 공의 개수를 미지수 x로 놓기	10%
❷	전체 경우의 수 구하기	20%
❸	2개 모두 흰 공을 뽑는 경우의 수를 x에 대한 식으로 나타내기	20%
❹	x의 값 구하기	40%
❺	흰 공의 개수 구하기	10%

203

전체경우의 수는 8! ⋯⋯⋯⋯⋯⋯⋯⋯⋯⋯⋯⋯⋯⋯⋯ ❶

홀수 번째 자리는 1, 3, 5, 7번째 자리의 4개이고, 모음은 i, a, e의 3개이다.

$\boxed{1}\ \boxed{2}\ \boxed{3}\ \boxed{4}\ \boxed{5}\ \boxed{6}\ \boxed{7}\ \boxed{8}$

위의 그림과 같이 4개의 홀수 번째 자리 중에서 3개의 자리에 모음을 나열하는 경우의 수는 $_4P_3$이고, 나머지 5개의 자리에 자음을 나열하는 경우의 수는 5!이므로 모음이 모두 홀수 번째 자리에 오는 경우의 수는 $_4P_3\cdot5!$ ⋯⋯⋯⋯⋯⋯⋯⋯ ❷

따라서 구하는 확률은 $\dfrac{_4P_3\cdot5!}{8!}=\dfrac{1}{14}$ ⋯⋯⋯⋯⋯⋯⋯ ❸

정답_ $\dfrac{1}{14}$

단계	채점 기준	비율
❶	전체 경우의 수 구하기	20%
❷	모음이 모두 홀수 번째 자리에 오는 경우의 수 구하기	60%
❸	확률 구하기	20%

204

$6x^2-5ax+a^2=0$에서 $(2x-a)(3x-a)=0$

$\therefore x=\dfrac{a}{2}$ 또는 $x=\dfrac{a}{3}$

따라서 주어진 이차방정식이 정수해를 가지려면 a가 2의 배수이거나 3의 배수이어야 한다. ⋯⋯⋯⋯⋯⋯⋯⋯⋯⋯⋯⋯⋯⋯⋯⋯⋯ ❶

집합 A의 원소 중 2의 배수는 25개, 3의 배수는 16개, 6의 배수는 8개이므로 a가 2의 배수일 사건을 A, 3의 배수일 사건을 B라고 하면

$P(A)=\dfrac{25}{50},\ P(B)=\dfrac{16}{50},\ P(A\cap B)=\dfrac{8}{50}$ ⋯⋯ ❷

따라서 구하는 확률은

$P(A\cup B)=P(A)+P(B)-P(A\cap B)$

$=\dfrac{25}{50}+\dfrac{16}{50}-\dfrac{8}{50}=\dfrac{33}{50}$ ⋯⋯⋯⋯⋯ ❸

정답_ $\dfrac{33}{50}$

단계	채점 기준	비율
❶	이차방정식이 정수해를 가질 a의 조건 구하기	30%
❷	a가 2의 배수일 사건, 3의 배수일 사건, 6의 배수일 사건의 확률 구하기	40%
❸	확률 구하기	30%

205

전체 경우의 수는 $_{10}C_2$

적어도 한 개가 당첨 제비인 사건은 모두 당첨 제비가 아닌 사건의 여사건이다.

모두 당첨 제비가 아닌 사건을 A라고 하면 10개의 제비 중 당첨 제비가 아닌 것은 $(10-k)$개이므로 모두 당첨 제비가 아닐 확률은

$P(A)=\dfrac{_{10-k}C_2}{_{10}C_2}$ ⋯⋯⋯⋯⋯⋯⋯⋯⋯⋯⋯⋯⋯ ❶

적어도 한 개가 당첨 제비일 확률이 $\dfrac{8}{15}$이므로

$P(A^C)=1-P(A)=1-\dfrac{_{10-k}C_2}{_{10}C_2}=\dfrac{8}{15}$

$\dfrac{_{10-k}C_2}{_{10}C_2}=\dfrac{7}{15},\ \dfrac{(10-k)(9-k)}{90}=\dfrac{7}{15}$

$k^2-19k+48=0,\ (k-3)(k-16)=0$

$\therefore k=3\ (\because 0\le k\le10)$ ⋯⋯⋯⋯⋯⋯⋯⋯⋯⋯ ❷

정답_ 3

단계	채점 기준	비율
❶	모두 당첨 제비가 아닌 사건의 확률을 k에 대한 식으로 나타내기	40%
❷	k의 값 구하기	60%

206

$y=-x^2+5x-\dfrac{3}{4}=-\left(x-\dfrac{5}{2}\right)^2+\dfrac{11}{2}$

이므로 오른쪽 그림과 같이 포물선

$y=-x^2+5x-\dfrac{3}{4}$과 직선 $y=m$이

만나려면 $m\le\dfrac{11}{2}$이어야 한다.

$\therefore m=1,2,3,4,5$

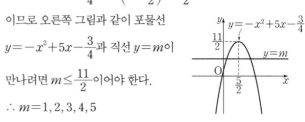

따라서 구하는 확률은 $\dfrac{5}{10}=\dfrac{1}{2}$　　　　　　　정답_ ④

207

두더지 인형이 두 번 나오는 경우의 수는 $5\cdot5=25$

이때, 두더지가 나오는 두 정사각형이 서로 이웃하는 경우는 다음
과 같다.

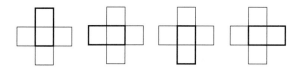

그런데 순서가 바뀌어도 되므로 경우의 수는 $4\cdot2=8$

따라서 구하는 확률은 $\dfrac{8}{25}$　　　　　　　정답_ ⑤

208

A, B, C, D가 꺼내어 놓은 책을 각각 a, b, c, d라고 하면
D가 a를 선택했을 때 나올 수 있는 모든 경우는 $3!$가지이고,
A, B, C가 자신의 책을 선택하지 못하는 경우를 순서쌍
(A, B, C)로 나타내면 $(b, c, d), (c, d, b), (d, c, b)$의
3가지이다.

따라서 구하는 확률은 $\dfrac{3}{3!}=\dfrac{1}{2}$

즉, $p=2, q=1$이므로 $10(p+q)=10(2+1)=30$　　정답_ ①

209

2^m의 일의 자리의 숫자는 2, 4, 8, 6이 반복되고, 3^n의 일의 자
리의 숫자는 3, 9, 7, 1이 반복된다.

따라서 2^m+3^n의 일의 자리의 숫자를 표로 나타내면 다음과 같
다.

+	2	4	8	6
3	5	7	1	9
9	1	3	7	5
7	9	1	5	3
1	3	5	9	7

이때, 2^m+3^n의 일의 자리의 숫자가 3의 배수인 경우의 수는 6이
다.

따라서 구하는 확률은 $\dfrac{6}{16}=\dfrac{3}{8}$　　　　　정답_ $\dfrac{3}{8}$

210

10장의 카드 중 a, b를 꺼내는 모든 경우의 수는

$_{10}P_2=10\cdot9=90$

$5\boxed{a}\boxed{b}$가 6의 배수가 되기 위해서는 2의 배수이면서 3의 배수
가 되어야 한다.

이때, 2의 배수이려면 일의 자리 숫자가 2의 배수이어야 하므로
$b=0, 2, 4, 6, 8$

이고 3의 배수이려면 각 자리의 숫자의 합이 3의 배수이어야 한다.

(i) $b=0$일 때

$5+a+0=5+a$가 3의 배수이어야 하므로

$a=1, 4, 7$

(ii) $b=2$일 때

$5+a+2=7+a$가 3의 배수이어야 하므로

$a=5, 8$

(iii) $b=4$일 때

$5+a+4=9+a$가 3의 배수이어야 하므로

$a=0, 3, 6, 9$

(iv) $b=6$일 때

$5+a+6=11+a$가 3의 배수이어야 하므로

$a=1, 4, 7$

(v) $b=8$일 때

$5+a+8=13+a$가 3의 배수이어야 하므로

$a=2, 5$

(i)~(v)에서 $5\boxed{a}\boxed{b}$가 6의 배수가 되는 경우의 수는

$3+2+4+3+2=14$

따라서 구하는 확률은 $\dfrac{14}{90}=\dfrac{7}{45}$　　　　　정답_ ①

211

5명이 5개의 좌석에 앉는 모든 경우의 수는 $5!=120$

처음부터 자동차 B에 탔던 2명이 모두 처음 좌석이 아닌 다른 좌
석에 앉게 되는 경우의 수는 다음과 같다.

(i) 자동차 B에 탔던 2명끼리 자리를 바꾸어 앉고, 나머지 3개의
좌석에 자동차 A에서 온 3명이 자리에 앉는 경우의 수는
$3!=6$

(ii) 자동차 B에 탔던 2명 중 1명은 다른 1명의 자리에 앉고, 나머
지 1명은 비었던 3개의 좌석 중 한 곳에 앉고, 나머지 3개의
좌석에 자동차 A에서 온 3명이 자리에 앉는 경우의 수는
$2\cdot3\cdot3!=36$

(iii) 자동차 B에 탔던 2명이 자신들이 앉지 않았던 3개의 좌석 중
2곳에 앉고, 나머지 3개의 좌석에 자동차 A에서 온 사람이 앉
는 경우의 수는 $_3P_2\cdot3!=36$

(i), (ii), (iii)에서 구하는 경우의 수는 $6+36+36=78$

따라서 구하는 확률은 $\dfrac{78}{120}=\dfrac{13}{20}$

즉, $p=20, q=13$이므로 $p+q=20+13=33$　　정답_ ③

212

전체 경우의 수는 $_{10}C_3=120$

(i) 직선 l 위의 6개의 점 중에서 고른 두 점과 직선 m 위의 4개
의 점 중에서 한 점을 골라 만드는 삼각형의 개수는

$_6C_2\cdot_4C_1=60$

(ii) 직선 m 위의 4개의 점 중에서 고른 두 점과 직선 l 위의 6개
의 점 중에서 한 점을 골라 만드는 삼각형의 개수는

$_4C_2\cdot_6C_1=36$

(i), (ii)에서 구하는 삼각형의 개수는 $60+36=96$

따라서 구하는 확률은 $\dfrac{96}{120}=\dfrac{4}{5}$ 정답_ ⑤

213

24개의 점 중에서 2개를 택하는 모든 경우의 수는

$_{24}C_2=276$

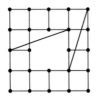

선분의 길이가 $\sqrt{10}$ 인 경우는 오른쪽 그림과 같이 가로의 길이가 3, 세로의 길이가 1인 직사각형의 대각선 또는 가로의 길이가 1, 세로의 길이가 3인 직사각형의 대각선인 경우이다. 가로의 길이가 3, 세로의 길이가 1인 직사각형의 대각선은 16개, 가로의 길이가 1, 세로의 길이가 3인 직사각형의 대각선은 16개가 있으므로 선분의 길이가 $\sqrt{10}$ 인 경우의 수는

$16 \cdot 2 = 32$

따라서 구하는 확률은 $\dfrac{32}{276}=\dfrac{8}{69}$ 정답_ ④

214

A가 2^3 , 2^{10} 이 적혀 있는 카드를 뽑았고 B가 2^m , 2^n 이 적혀 있는 카드를 뽑았다고 하면

$2^3 \cdot 2^{10}=2^{13}$, $2^m \cdot 2^n=2^{m+n}$

A가 지려면 $m+n>13$ 이어야 한다.

B가 남은 8개의 카드에 적혀 있는 수의 지수 1, 2, 4, 5, 6, 7, 8, 9 중에서 두 수를 뽑는 모든 경우의 수는 $_8C_2=28$

B가 $m+n>13$ 인 두 수를 뽑는 경우를 순서쌍 (m, n) 으로 나타내면

$(9, 5), (9, 6), (9, 7), (9, 8), (8, 6), (8, 7)$

의 6가지이므로 A가 질 확률은

$\dfrac{6}{28}=\dfrac{3}{14}$

따라서 A가 이기거나 비길 확률은

$1-\dfrac{3}{14}=\dfrac{11}{14}$ 정답_ ④

215

오른쪽 신발 6짝에서 2짝, 왼쪽 신발 6짝에서 2짝을 집는 모든 경우의 수는 $_6C_2 \cdot {}_6C_2$

짝이 맞는 신발이 하나도 없는 경우의 수는 오른쪽 신발 6짝에서 2짝을 집은 후 이것과 짝이 맞지 않는 왼쪽 신발 4짝에서 2짝을 집는 경우의 수와 같으므로 $_6C_2 \cdot {}_4C_2$

즉, 짝이 맞는 신발이 하나도 없을 확률은

$\dfrac{_6C_2 \cdot {}_4C_2}{_6C_2 \cdot {}_6C_2}=\dfrac{2}{5}$

따라서 구하는 확률은 $1-\dfrac{2}{5}=\dfrac{3}{5}$ 정답_ ④

216

전체 경우의 수는 $_6\Pi_5=6^5$

$(a-b)(b-c)(c-d)(d-e)=0$ 인 사건의 여사건은

$(a-b)(b-c)(c-d)(d-e)\neq 0$, 즉

$a\neq b, b\neq c, c\neq d, d\neq e$ ……㉠

를 동시에 만족시키는 사건이다.

이때, ㉠을 만족시키는 경우의 수를 구하면

a 의 경우의 수는 6, b 의 경우의 수는 5, c 의 경우의 수는 5, d 의 경우의 수는 5, e 의 경우의 수는 5이므로 $6 \cdot 5 \cdot 5 \cdot 5 \cdot 5$ 이다.

따라서 $(a-b)(b-c)(c-d)(d-e)=0$ 일 확률은

$1-\dfrac{6 \cdot 5 \cdot 5 \cdot 5 \cdot 5}{6^5}=\dfrac{671}{1296}$ 정답_ $\dfrac{671}{1296}$

217

$$P(B|A) = \frac{P(A \cap B)}{P(A)} = \frac{\dfrac{1}{6}}{\dfrac{1}{3}} = \frac{1}{2}$$

정답_ ③

218

$$P(B) = P(A \cap B) + P(A^c \cap B)$$
$$= \frac{1}{3} + \frac{1}{4} = \frac{7}{12}$$

$$\therefore P(A|B) = \frac{P(A \cap B)}{P(B)} = \frac{\dfrac{1}{3}}{\dfrac{7}{12}} = \frac{4}{7}$$

정답_ ④

219

두 사건 A, B가 서로 배반사건이므로 $A \cap B = \varnothing$, $B \subset A^c$
$$\therefore B \cap A^c = B$$
$$\therefore P(B|A^c) = \frac{P(B \cap A^c)}{P(A^c)} = \frac{P(B)}{1 - P(A)}$$
$$= \frac{\dfrac{1}{4}}{1 - \dfrac{1}{8}} = \frac{\dfrac{1}{4}}{\dfrac{7}{8}} = \frac{2}{7}$$

정답_ ②

220

$$P(A \cup B) = P(A) + P(B) - P(A \cap B)$$
$$= \frac{2}{3} + \frac{2}{5} - \frac{1}{5} = \frac{13}{15}$$
$$\therefore P(B^c|A^c) = \frac{P(A^c \cap B^c)}{P(A^c)}$$
$$= \frac{P((A \cup B)^c)}{P(A^c)}$$
$$= \frac{1 - P(A \cup B)}{1 - P(A)}$$
$$= \frac{1 - \dfrac{13}{15}}{1 - \dfrac{2}{3}}$$
$$= \frac{\dfrac{2}{15}}{\dfrac{1}{3}} = \frac{2}{5}$$

정답_ ①

221

$$P(A|B) = \frac{P(A \cap B)}{P(B)} = \frac{1}{3} \text{이므로}$$
$$\frac{P(A \cap B)}{\dfrac{1}{4}} = \frac{1}{3}$$
$$\therefore P(A \cap B) = \frac{1}{3} \cdot \frac{1}{4} = \frac{1}{12}$$

$$P(A \cup B) = P(A) + P(B) - P(A \cap B)$$
$$= \frac{1}{3} + \frac{1}{4} - \frac{1}{12} = \frac{1}{2}$$
$$\therefore P(A^c \cap B^c) = P((A \cup B)^c)$$
$$= 1 - P(A \cup B)$$
$$= 1 - \frac{1}{2} = \frac{1}{2}$$

정답_ ④

222

여학생이 뽑히는 사건을 A, 혈액형이 O형인 사건을 B라고 하면 구하는 확률은

$$P(B|A) = \frac{P(A \cap B)}{P(A)} = \frac{\dfrac{1}{3}}{\dfrac{5}{6}} = \frac{2}{5}$$

정답_ ④

223

첫 번째 나온 수가 두 번째 나온 수보다 큰 경우는
$(2, 1)$, $\underline{(3, 1)}$, $(3, 2)$, $(4, 1)$, $\underline{(4, 2)}$, $(4, 3)$, $\underline{(5, 1)}$, $(5, 2)$, $\underline{(5, 3)}$, $(5, 4)$, $(6, 1)$, $\underline{(6, 2)}$, $(6, 3)$, $\underline{(6, 4)}$, $(6, 5)$
의 15가지이다.
이 중에서 두 눈의 수의 합이 짝수인 경우는 두 수가 모두 홀수이거나 짝수인 밑줄 친 6가지이므로 구하는 확률은 $\dfrac{6}{15} = \dfrac{2}{5}$

정답_ ④

224

임의로 택한 한 명이 여학생인 사건을 A, 2학년인 사건을 B라고 하면 구하는 확률은
$$P(B|A) = \frac{P(A \cap B)}{P(A)}$$
$$= \frac{(2\text{학년 여학생 수})}{(\text{전체 여학생 수})}$$
$$= \frac{70}{60 + 70} = \frac{7}{13}$$

정답_ ②

225

임의로 뽑은 한 명이 남학생인 사건을 A, 동생이 있는 사건을 B라고 하면 구하는 확률은
$$P(B|A) = \frac{P(A \cap B)}{P(A)}$$
$$= \frac{(\text{동생이 있는 남학생 수})}{(\text{전체 남학생 수})}$$
$$= \frac{x}{x + 15} = \frac{1}{4}$$
$4x = x + 15$, $3x = 15$ $\therefore x = 5$

정답_ ①

226

임의로 뽑은 한 명의 모자가 노란색인 사건을 A, 여자인 사건을 B라고 하면
모자가 노란색이었을 때, 그 사람이 여자일 확률은

$p_1 = \mathrm{P}(B \mid A)$

$= \dfrac{(\text{모자가 노란색인 사람 중 여자의 수})}{(\text{모자가 노란색인 사람의 수})}$

$= \dfrac{6}{9} = \dfrac{2}{3}$

여자였을 때, 그 여자의 모자가 노란색일 확률은

$p_2 = \mathrm{P}(A \mid B)$

$= \dfrac{(\text{여자 중 모자가 노란색인 사람의 수})}{(\text{여자의 수})}$

$= \dfrac{6}{24} = \dfrac{1}{4}$

$\therefore p_1 - p_2 = \dfrac{2}{3} - \dfrac{1}{4} = \dfrac{5}{12}$　　　　　정답_ ①

227

주어진 대화를 이용하여 가, 나형을 선택한 남, 여학생 수를 표로 나타내면 다음과 같다.

(단위 : 명)

구분	남학생	여학생	합계
가형	12	9	21
나형	6	7	13
합계	18	16	34

따라서 A형을 선택한 학생들 중에서 뽑은 한 명이 여학생일 확률은 $\dfrac{9}{21} = \dfrac{3}{7}$　　　　　정답_ ③

228

구분	남학생	여학생	합계
찬성	$0.8 \cdot 0.7 = 0.56$	$0.8 \cdot 0.3 = 0.24$	0.8
반대	$0.6 - 0.56 = 0.04$	$0.4 - 0.24 = 0.16$	0.2
합계	0.6	0.4	1

여학생인 사건을 A, 생활복 도입에 찬성한 학생인 사건을 B라고 하면 구하는 확률은

$\mathrm{P}(B \mid A) = \dfrac{\mathrm{P}(A \cap B)}{\mathrm{P}(A)} = \dfrac{0.24}{0.4} = \dfrac{3}{5}$　　　　　정답_ ⑤

229

주어진 표에서 a가 적혀 있는 카드의 수는

$4 + 6 + 3 + 2 = 15$

이 중에서 문자가 2개 적혀 있는 카드의 수는 a와 b 또는 a와 c 또는 b와 c가 적혀 있는 카드의 수의 합이므로　$3 + 6 + 0 = 9$

따라서 구하는 확률은 $\dfrac{9}{15} = \dfrac{3}{5}$　　　　　정답_ ③

230

학생 중에서 모자를 쓴 남학생이 나올 확률과 학생 중에서 모자를 쓴 여학생이 나올 확률을 각각 p_1, p_2라고 하자.

(i) 학생 중에서 모자를 쓴 남학생이 나올 확률은

$p_1 = \dfrac{15}{60 + 40} = \dfrac{15}{100}$

(ii) 학생 중에서 모자를 쓴 여학생이 나올 확률은

$p_2 = \dfrac{10}{60 + 40} = \dfrac{10}{100}$

구하는 확률은 (i) 또는 (ii)인 경우 중에서 (ii)인 경우의 비율을 의미하므로

$\dfrac{p_2}{p_1 + p_2} = \dfrac{\dfrac{10}{100}}{\dfrac{15}{100} + \dfrac{10}{100}} = \dfrac{2}{5}$　　　　　정답_ ③

231

A, B 두 상자 중 선택하여 흰 공 1개, 검은 공 1개를 꺼낼 확률을 각각 p_1, p_2라고 하자.

각 상자를 선택할 확률은 $\dfrac{1}{2}$이므로

(i) 상자 A를 택하고, 흰 공 1개, 검은 공 1개를 꺼낼 확률은

$p_1 = \dfrac{1}{2} \cdot \dfrac{{}_2\mathrm{C}_1 \cdot {}_4\mathrm{C}_1}{{}_6\mathrm{C}_2} = \dfrac{4}{15}$

(ii) 상자 B를 택하고, 흰 공 1개, 검은 공 1개를 꺼낼 확률은

$p_2 = \dfrac{1}{2} \cdot \dfrac{{}_3\mathrm{C}_1 \cdot {}_2\mathrm{C}_1}{{}_5\mathrm{C}_2} = \dfrac{3}{10}$

구하는 확률은 (i) 또는 (ii)인 경우 중에서 (i)인 경우의 비율을 의미하므로

$\dfrac{p_1}{p_1 + p_2} = \dfrac{\dfrac{4}{15}}{\dfrac{4}{15} + \dfrac{3}{10}} = \dfrac{8}{17}$　　　　　정답_ ①

232

A, B 공장에서 생산한 제품이 불량품일 확률을 각각 p_1, p_2라고 하자.

(i) A 공장에서 생산한 제품이 불량품일 확률은

$p_1 = \dfrac{60}{100} \cdot \dfrac{1}{100} = \dfrac{6}{1000}$

(ii) B 공장에서 생산한 제품이 불량품일 확률은

$p_2 = \dfrac{40}{100} \cdot \dfrac{2}{100} = \dfrac{8}{1000}$

구하는 확률은 (i) 또는 (ii)인 경우 중에서 (ii)인 경우의 비율을 의미하므로

$\dfrac{p_2}{p_1 + p_2} = \dfrac{\dfrac{8}{1000}}{\dfrac{6}{1000} + \dfrac{8}{1000}} = \dfrac{4}{7}$　　　　　정답_ ④

233

암에 걸리지 않은 사람의 비율은 $100 - 10 = 90(\%)$이다. 암에 걸린 사람과 암에 걸리지 않은 사람 중에서 암으로 진단받을 확률을 각각 p_1, p_2라고 하자.

(i) 임의로 택한 한 사람이 암에 걸린 사람이고, 이 사람이 암에 걸렸다고 진단받을 확률은

$p_1 = \dfrac{10}{100} \cdot \dfrac{80}{100} = \dfrac{8}{100}$

(ii) 임의로 택한 한 사람이 암에 걸리지 않은 사람이고, 이 사람이 암에 걸렸다고 진단받을 확률은

$$p_2 = \frac{90}{100} \cdot \frac{5}{100} = \frac{45}{1000}$$

구하는 확률은 (i) 또는 (ii)인 경우 중에서 (i)인 경우의 비율을 의미하므로

$$\frac{p_1}{p_1 + p_2} = \frac{\dfrac{8}{100}}{\dfrac{8}{100} + \dfrac{45}{1000}} = \frac{16}{25} \qquad \text{정답\_ ②}$$

234

주머니 A에서 흰 공을 꺼낼 때와 검은 공을 꺼낼 때, 주머니 B에서 흰 공을 꺼낼 확률을 각각 p_1, p_2라고 하자.

(i) 주머니 A에서 흰 공을 꺼내고, 주머니 B에서도 흰 공을 꺼낼
  확률은 $p_1 = \dfrac{2}{5} \cdot \dfrac{4}{6} = \dfrac{4}{15}$

(ii) 주머니 A에서 검은 공을 꺼내고, 주머니 B에서 흰 공을 꺼낼
  확률은 $p_2 = \dfrac{3}{5} \cdot \dfrac{3}{6} = \dfrac{3}{10}$

구하는 확률은 (i) 또는 (ii)인 경우 중에서 (i)인 경우의 비율을 의미하므로

$$\frac{p_1}{p_1 + p_2} = \frac{\dfrac{4}{15}}{\dfrac{4}{15} + \dfrac{3}{10}} = \frac{8}{17} \qquad \text{정답\_ ①}$$

235

A, B, C 세 집에서 모자를 잃어버릴 확률을 각각 p_1, p_2, p_3이라고 하자.

(i) A에서 잃어버렸을 확률은 $p_1 = \dfrac{1}{5}$

(ii) A에서 잃어버리지 않고, B에서 잃어버렸을 확률은

$$p_2 = \frac{4}{5} \cdot \frac{1}{5} = \frac{4}{25}$$

(iii) A에서 잃어버리지 않고, B에서도 잃어버리지 않고, C에서
  잃어버렸을 확률은

$$p_3 = \frac{4}{5} \cdot \frac{4}{5} \cdot \frac{1}{5} = \frac{16}{125}$$

구하는 확률은 (i) 또는 (ii) 또는 (iii)인 경우 중에서 (iii)인 경우의 비율을 의미하므로

$$\frac{p_3}{p_1 + p_2 + p_3} = \frac{\dfrac{16}{125}}{\dfrac{1}{5} + \dfrac{4}{25} + \dfrac{16}{125}} = \frac{16}{61} \qquad \text{정답\_ ④}$$

236

첫 번째에 흰 공을 꺼내는 사건을 A, 두 번째에 흰 공을 꺼내는 사건을 B라고 하면

$$\mathrm{P}(A) = \frac{5}{9}, \ \mathrm{P}(B \mid A) = \frac{4}{8}$$

$$\therefore \mathrm{P}(A \cap B) = \mathrm{P}(A)\mathrm{P}(B \mid A)$$
$$= \frac{5}{9} \cdot \frac{4}{8} = \frac{5}{18} \qquad \text{정답\_ ③}$$

237

첫 번째에 흰색 탁구공이 나오는 사건을 A, 두 번째에 노란색 탁구공이 나오는 사건을 B라고 하면

$$\mathrm{P}(A) = \frac{4}{12}, \ \mathrm{P}(B \mid A) = \frac{8}{11}$$

$$\therefore \mathrm{P}(A \cap B) = \mathrm{P}(A)\mathrm{P}(B \mid A) = \frac{4}{12} \cdot \frac{8}{11} = \frac{8}{33} \qquad \text{정답\_ ④}$$

238

을이 당첨 제비를 뽑는 경우는 다음의 두 가지로 분류할 수 있다.

(i) 갑이 당첨 제비를 뽑고, 을이 당첨 제비를 뽑을 확률은

$$\frac{2}{12} \cdot \frac{1}{11} = \frac{1}{66}$$

(ii) 갑이 당첨 제비가 아닌 것을 뽑고, 을이 당첨 제비를 뽑을 확률은

$$\frac{10}{12} \cdot \frac{2}{11} = \frac{10}{66}$$

(i), (ii)에서 구하는 확률은 $\dfrac{1}{66} + \dfrac{10}{66} = \dfrac{11}{66} = \dfrac{1}{6}$ $\quad$ 정답_ ⑤

239

주머니 B에서 검은 공을 꺼내는 경우는 다음의 두 가지로 분류할 수 있다.

(i) 주머니 A에서 흰 공을 꺼내고, 주머니 B에서 검은 공을 꺼낼
  확률은 $\dfrac{3}{5} \cdot \dfrac{3+2}{8+2} = \dfrac{3}{10}$

(ii) 주머니 A에서 검은 공을 꺼내고, 주머니 B에서 검은 공을 꺼낼 확률은 $\dfrac{2}{5} \cdot \dfrac{5+1}{8+1} = \dfrac{4}{15}$

(i), (ii)에서 구하는 확률은 $\dfrac{3}{10} + \dfrac{4}{15} = \dfrac{17}{30}$ $\quad$ 정답_ ⑤

240

임의로 택한 한 사람이 감기에 걸렸다고 진단받는 경우는 다음의 두 가지로 분류할 수 있다.

(i) 임의로 택한 한 사람이 감기에 걸린 사람이고, 이 사람이 감기에 걸렸다고 진단받을 확률은

$$\frac{400}{1000} \cdot \frac{98}{100} = \frac{392}{1000}$$

(ii) 임의로 택한 한 사람이 감기에 걸리지 않은 사람이고, 이 사람이 감기에 걸렸다고 진단받을 확률은

$$\frac{600}{1000} \cdot \left(1 - \frac{92}{100}\right) = \frac{48}{1000}$$

(i), (ii)에서 구하는 확률은

$$\frac{392}{1000} + \frac{48}{1000} = \frac{440}{1000} = \frac{44}{100} = 44 \ (\%) \qquad \text{정답\_ ④}$$

241

비가 온 날을 ○, 오지 않은 날을 ×라고 하면 월요일에 비가 왔을 때 같은 주 목요일에도 비가 오는 경우는 다음의 네 가지로 분류할 수 있다.

	화요일	수요일	목요일	확률
(i)	○	○	○	$\frac{1}{2} \cdot \frac{1}{2} \cdot \frac{1}{2} = \frac{1}{8}$
(ii)	○	×	○	$\frac{1}{2} \cdot \frac{1}{2} \cdot \frac{1}{3} = \frac{1}{12}$
(iii)	×	○	○	$\frac{1}{2} \cdot \frac{1}{3} \cdot \frac{1}{2} = \frac{1}{12}$
(iv)	×	×	○	$\frac{1}{2} \cdot \frac{2}{3} \cdot \frac{1}{3} = \frac{1}{9}$

따라서 구하는 확률은

$\frac{1}{8} + \frac{1}{12} + \frac{1}{12} + \frac{1}{9} = \frac{29}{72}$

정답_ $\frac{29}{72}$

242

회사가 내년에 판매 목표액을 달성하는 경우는 다음의 세 가지로 분류할 수 있다.

(i) 내년 여름의 평균 기온이 예년보다 높고, 판매 목표액을 달성할 확률은 $0.4 \cdot 0.8 = 0.32$

(ii) 내년 여름의 평균 기온이 예년과 비슷하고, 판매 목표액을 달성할 확률은 $0.5 \cdot 0.6 = 0.3$

(iii) 내년 여름의 평균 기온이 예년보다 낮고, 판매 목표액을 달성할 확률은 $0.1 \cdot 0.3 = 0.03$

(i), (ii), (iii)에서 구하는 확률은 $0.32 + 0.3 + 0.03 = 0.65$

정답_ ③

243

(단위 : 명)

	L	L^c	합계
S	42	28	70
S^c	18	12	30
합계	60	40	100

위의 표에서

$P(S) = \frac{70}{100}, P(S^c) = \frac{30}{100}, P(L) = \frac{60}{100}, P(L^c) = \frac{40}{100}$

ㄱ. $P(S \cap L) = \frac{42}{100}$

$P(S)P(L) = \frac{70}{100} \cdot \frac{60}{100} = \frac{42}{100}$

∴ $P(S \cap L) = P(S)P(L)$ (독립)

ㄴ. $P(S \cap L^c) = \frac{28}{100}$

$P(S)P(L^c) = \frac{70}{100} \cdot \frac{40}{100} = \frac{28}{100}$

∴ $P(S \cap L^c) = P(S)P(L^c)$ (독립)

ㄷ. $P(S^c \cap L^c) = \frac{12}{100}$

$P(S^c)P(L^c) = \frac{30}{100} \cdot \frac{40}{100} = \frac{12}{100}$

∴ $P(S^c \cap L^c) = P(S^c)P(L^c)$ (독립)

따라서 두 사건이 서로 독립인 것은 ㄱ, ㄴ, ㄷ이다. 정답_ ⑤

244

$A = \{1, 2, 3\}$이라 하면 $P(A) = \frac{3}{6} = \frac{1}{2}$

보기의 사건을 B라고 할 때, A, B가 서로 독립이려면

$P(A \cap B) = P(A)P(B) = \frac{1}{2}P(B)$가 성립해야 한다.

위의 식을 만족하는 것을 찾으면 ② $B = \{3, 4\}$이다. 정답_ ②

245

표본공간을 S라고 하면

$S = \{1, 2, 3, \cdots, 9, 10\}$

이므로

$A = \{1, 2, 5, 10\}, B = \{2, 4, 6, 8, 10\}, C = \{2, 3, 5, 7\}$

$A \cap B = \{2, 10\}, B \cap C = \{2\}, A \cap C = \{2, 5\}$

ㄱ. $P(A \cap B) = \frac{2}{10} = \frac{1}{5}, P(A)P(B) = \frac{4}{10} \cdot \frac{5}{10} = \frac{1}{5}$

∴ $P(A \cap B) = P(A)P(B)$ (독립)

ㄴ. $P(B \cap C) = \frac{1}{10}, P(B)P(C) = \frac{5}{10} \cdot \frac{4}{10} = \frac{1}{5}$

∴ $P(B \cap C) \neq P(B)P(C)$ (종속)

ㄷ. $P(A \cap C) = \frac{2}{10} = \frac{1}{5}, P(A)P(C) = \frac{4}{10} \cdot \frac{4}{10} = \frac{4}{25}$

∴ $P(A \cap C) \neq P(A)P(C)$ (종속)

따라서 두 사건이 서로 독립인 것은 ㄱ이다. 정답_ ①

246

여학생일 사건을 A, 스마트폰이 있을 사건을 B라고 하면

$P(A) = \frac{150}{350} = \frac{3}{7}, P(B) = \frac{280}{350} = \frac{4}{5}, P(A \cap B) = \frac{c}{350}$

A, B가 서로 독립이므로 $P(A \cap B) = P(A)P(B)$에서

$\frac{c}{350} = \frac{3}{7} \cdot \frac{4}{5}, \frac{c}{350} = \frac{12}{35}$ ∴ $c = 120$ 정답_ ④

247

(단위 : 명)

	남성	여성	합계
기혼	6	36	42
미혼	20	x	$20 + x$
합계	26	$36 + x$	$62 + x$

위의 표에서

$P(A) = \frac{26}{62 + x}, P(B) = \frac{20 + x}{62 + x}, P(A \cap B) = \frac{20}{62 + x}$

A, B가 서로 독립이므로 $P(A \cap B) = P(A)P(B)$에서

$\frac{20}{62 + x} = \frac{26}{62 + x} \cdot \frac{20 + x}{62 + x}, 20(62 + x) = 26(20 + x)$

$6x = 720$ ∴ $x = 120$ 정답_ ⑤

248

ㄱ은 옳다.

$A \subset B$이면 $A \cap B = A$이므로

$$P(B|A)=\frac{P(A\cap B)}{P(A)}=\frac{P(A)}{P(A)}=1$$

ㄴ도 옳다.

A, B가 서로 배반이면 $A\cap B=\varnothing$이므로

$$P(B|A)=\frac{P(A\cap B)}{P(A)}=\frac{P(\varnothing)}{P(A)}=0$$

ㄷ은 옳지 않다.

A, B가 서로 독립이면 $P(A\cap B)=P(A)P(B)$

이때, $P(A)>0$, $P(B)>0$이므로 $P(A\cap B)>0$이다.

즉, A, B는 서로 배반이 아니다.

따라서 옳은 것은 ㄱ, ㄴ이다. **정답_②**

249

ㄱ은 옳지 않다.

A, B가 서로 독립이면 $P(A\cap B)=P(A)\cdot P(B)$이므로

$$P(A|B)=P(A), P(B|A)=P(B)$$

이때, $P(A)$와 $P(B)$가 같지 않을 수 있다.

ㄴ은 옳다.

A, B가 서로 배반이면 $A\cap B=\varnothing$이므로

$$P(A\cup B)=P(A)+P(B)$$

이때, $P(A\cup B)\le 1$이므로 $P(A)+P(B)\le 1$

ㄷ도 옳지 않다.

(반례) $A=S$, $B=S$일 때, $P(A\cup B)=1$이지만 B는 A의 여사건이 아니다.

ㄹ도 옳지 않다.

A, B가 서로 독립이면

$$P(A\cap B)=P(A)P(B)$$

$P(A)\ne 0$, $P(B)\ne 0$이므로 $P(A\cap B)\ne 0$

$$\therefore A\cap B\ne\varnothing$$

즉, A, B는 서로 배반이 아니다.

따라서 옳은 것은 ㄴ이다. **정답_②**

250

A, B가 서로 독립이면 A^C과 B, A와 B^C, A^C과 B^C도 모두 서로 독립이다.

ㄱ은 옳다.

A^C, B^C이 서로 독립이므로 $P(A^C|B^C)=P(A^C)$

A, B^C이 서로 독립이므로 $P(A|B^C)=P(A)$

이때, $P(A^C)=1-P(A)$이므로

$$P(A^C|B^C)=1-P(A|B^C)$$

ㄴ은 옳지 않다.

A, B^C이 서로 독립이므로 $P(A|B^C)=P(A)$

A, B가 서로 독립이므로 $P(A|B)=P(A)$

이때, $P(A)\ne\frac{1}{2}$이면 $P(A)\ne 1-P(A)$이므로

$$P(A|B^C)\ne 1-P(A|B)$$

ㄷ도 옳다.

$$\{1-P(A)\}\{1-P(B)\}=P(A^C)P(B^C)$$

$$1-P(A\cup B)=P((A\cup B)^C)=P(A^C\cap B^C)$$

이때, A^C, B^C이 서로 독립이므로

$$P(A^C)P(B^C)=P(A^C\cap B^C)$$

$$\therefore \{1-P(A)\}\{1-P(B)\}=1-P(A\cup B)$$

따라서 옳은 것은 ㄱ, ㄷ이다. **정답_③**

251

A, B가 서로 독립이므로

$$P(A\cap B)=P(A)P(B)$$

$$\frac{1}{12}=\frac{1}{3}P(B) \qquad \therefore P(B)=\frac{1}{4}$$ **정답_②**

252

A, B가 서로 독립이면 A^C과 B도 서로 독립이므로

$$P(A^C\cap B)=P(A^C)P(B)=\{1-P(A)\}P(B)$$
$$=\{1-P(A)\}\cdot 0.5=0.2$$

$$1-P(A)=0.4 \qquad \therefore P(A)=0.6$$

$$\therefore P(A\cup B)=P(A)+P(B)-P(A)P(B)$$
$$=0.6+0.5-0.6\cdot 0.5=0.8$$ **정답_④**

253

A, B가 서로 독립이므로

$$P(A\cap B)=P(A)P(B)=\frac{1}{6}P(B)$$

$$\therefore P(A\cap B^C)+P(A^C\cap B)$$
$$=\{P(A)-P(A\cap B)\}+\{P(B)-P(A\cap B)\}$$
$$=P(A)+P(B)-2P(A\cap B)$$
$$=\frac{1}{6}+P(B)-2\cdot\frac{1}{6}P(B)=\frac{1}{3}$$

$$\frac{2}{3}P(B)=\frac{1}{6} \qquad \therefore P(B)=\frac{1}{4}$$ **정답_②**

254

A, B가 서로 독립이므로

$$P(A\cap B)=P(A)P(B)=\frac{1}{5} \qquad \cdots\cdots \text{㉠}$$

$$P(A\cup B)=P(A)+P(B)-P(A)P(B)=\frac{7}{10} \qquad \cdots\cdots \text{㉡}$$

㉠을 ㉡에 대입하면 $P(A)+P(B)-\frac{1}{5}=\frac{7}{10}$

$$\therefore P(A)+P(B)=\frac{9}{10} \qquad \cdots\cdots \text{㉢}$$

㉠, ㉢에서 $P(A)=x$, $P(B)=y$로 놓으면

$$x+y=\frac{9}{10}, \quad xy=\frac{1}{5}$$

위의 두 식을 연립하여 풀면

$$x\left(\frac{9}{10}-x\right)=\frac{1}{5}, \quad x^2-\frac{9}{10}x+\frac{1}{5}=0$$

$10x^2-9x+2=0$, $(2x-1)(5x-2)=0$

$\therefore x=\dfrac{1}{2}$ 또는 $x=\dfrac{2}{5}$

따라서 $x=\dfrac{1}{2}, y=\dfrac{2}{5}$ 또는 $x=\dfrac{2}{5}, y=\dfrac{1}{2}$

$P(A)>P(B)$이므로 $P(A)=\dfrac{1}{2}$, $P(B)=\dfrac{2}{5}$ 정답_③

255

A, B가 서로 독립이므로

$P(A\cap B)=P(A)P(B)$

$P(A|B)=P(A)=\dfrac{1}{4}$

$P(A\cup B)=P(A)+P(B)-P(A\cap B)$에서

$\dfrac{1}{3}=\dfrac{1}{4}+P(B)-\dfrac{1}{4}P(B)$

$\dfrac{3}{4}P(B)=\dfrac{1}{12}$ $\therefore P(B)=\dfrac{1}{9}$

두 사건 A, B^C도 서로 독립이므로

$P(A\cap B^C)=P(A)P(B^C)$

$\qquad\qquad\quad =\dfrac{1}{4}\cdot\left(1-\dfrac{1}{9}\right)=\dfrac{2}{9}$ 정답_②

256

두 명 중 한 명만 명중시키는 경우는 다음의 두 가지로 분류할 수 있다.

(ⅰ) 찬우는 명중시키고, 영수는 명중시키지 못할 확률은

$\dfrac{2}{3}\cdot\left(1-\dfrac{3}{5}\right)=\dfrac{4}{15}$

(ⅱ) 찬우는 명중시키지 못하고, 영수는 명중시킬 확률은

$\left(1-\dfrac{2}{3}\right)\cdot\dfrac{3}{5}=\dfrac{3}{15}$

(ⅰ), (ⅱ)에서 구하는 확률은 $\dfrac{4}{15}+\dfrac{3}{15}=\dfrac{7}{15}$ 정답_④

257

모두 같은 색을 맞히는 경우는 다음의 세 가지로 분류할 수 있다.

(ⅰ) 두 번 모두 흰색을 맞힐 확률은 $\dfrac{3}{6}\cdot\dfrac{3}{6}=\dfrac{9}{36}$

(ⅱ) 두 번 모두 빨간색을 맞힐 확률은 $\dfrac{2}{6}\cdot\dfrac{2}{6}=\dfrac{4}{36}$

(ⅲ) 두 번 모두 파란색을 맞힐 확률은 $\dfrac{1}{6}\cdot\dfrac{1}{6}=\dfrac{1}{36}$

(ⅰ), (ⅱ), (ⅲ)에서 구하는 확률은

$\dfrac{9}{36}+\dfrac{4}{36}+\dfrac{1}{36}=\dfrac{14}{36}=\dfrac{7}{18}$ 정답_④

258

동전의 앞면이 한 번 나오는 경우는 다음의 두 가지로 분류할 수 있다.

(ⅰ) 주사위를 던져서 6의 눈이 나오고 동전을 2개 던져서 앞면이

한 번 나올 확률은 $\dfrac{1}{6}\cdot\dfrac{2}{4}=\dfrac{1}{12}$

(ⅱ) 주사위를 던져서 6이 아닌 눈이 나오고 동전을 1개 던져서 앞면이 한 번 나올 확률은 $\dfrac{5}{6}\cdot\dfrac{1}{2}=\dfrac{5}{12}$

(ⅰ), (ⅱ)에서 구하는 확률은 $\dfrac{1}{12}+\dfrac{5}{12}=\dfrac{1}{2}$ 정답_④

259

A반이 우승하는 경우는 다음의 세 가지로 분류할 수 있다.

(ⅰ) A반이 1세트에서 이기고, 2세트에서 이길 확률은

$\dfrac{2}{3}\cdot\dfrac{2}{3}=\dfrac{4}{9}$

(ⅱ) A반이 1세트에서 이기고, 2세트에서 지고, 3세트에서 이길 확률은 $\dfrac{2}{3}\cdot\dfrac{1}{3}\cdot\dfrac{2}{3}=\dfrac{4}{27}$

(ⅲ) A반이 1세트에서 지고, 2세트에서 이기고, 3세트에서 이길 확률은 $\dfrac{1}{3}\cdot\dfrac{2}{3}\cdot\dfrac{2}{3}=\dfrac{4}{27}$

따라서 구하는 확률은

$\dfrac{4}{9}+\dfrac{4}{27}+\dfrac{4}{27}=\dfrac{20}{27}$ 정답_③

260

이긴 게임을 ○, 진 게임을 ×로 나타낼 때, 다섯 번째 게임에서 철수가 우승하기 위해서는 ×○×○○이어야 하므로 구하는 확률은

$\dfrac{1}{3}\cdot\dfrac{2}{3}\cdot\dfrac{1}{3}\cdot\dfrac{2}{3}\cdot\dfrac{2}{3}=\dfrac{8}{243}$

따라서 $p=243$, $q=8$이므로

$p+q=243+8=251$ 정답_①

261

안타를 치는 경우를 ○, 치지 못하는 경우를 ×로 나타낼 때, 2회 이상 안타를 치는 경우는 다음의 네 가지로 분류할 수 있다.

	A 투수	B 투수	확률
(ⅰ)	○ ○	×	$0.2\cdot0.2\cdot0.75=0.03$
(ⅱ)	○ ×	○	$0.2\cdot0.8\cdot0.25=0.04$
(ⅲ)	× ○	○	$0.8\cdot0.2\cdot0.25=0.04$
(ⅳ)	○ ○	○	$0.2\cdot0.2\cdot0.25=0.01$

따라서 구하는 확률은

$0.03+0.04+0.04+0.01=0.12$ 정답_②

262

정사면체 모양의 상자를 한 번 던졌을 때, 1의 눈이 나올 확률은 $\dfrac{3}{4}$, 2의 눈이 나올 확률은 $\dfrac{1}{4}$이다. 정사면체 모양의 상자를 던져서 3번째에 두 영역을 모두 색칠하는 경우는 다음의 두 가지로 분류할 수 있다.

(ⅰ) (1, 1, 2)의 눈이 나올 확률은

$$\frac{3}{4} \cdot \frac{3}{4} \cdot \frac{1}{4} = \frac{9}{64}$$

(ii) (2, 2, 1)의 눈이 나올 확률은

$$\frac{1}{4} \cdot \frac{1}{4} \cdot \frac{3}{4} = \frac{3}{64}$$

(ⅰ), (ⅱ)에서 구하는 확률은 $\frac{9}{64} + \frac{3}{64} = \frac{12}{64} = \frac{3}{16}$

따라서 $p=16, q=3$이므로

$p+q=16+3=19$

정답_ ⑤

263

첫 번째와 두 번째 나온 수의 합이 4이고, 세 번째 나온 수가 짝수인 경우는 다음의 세 가지로 분류할 수 있다.

(ⅰ) 1, 3, 짝수의 순서로 나올 확률은

$$\frac{1}{6} \cdot \frac{3}{6} \cdot \frac{2}{6} = \frac{6}{216}$$

(ⅱ) 2, 2, 짝수의 순서로 나올 확률은

$$\frac{2}{6} \cdot \frac{2}{6} \cdot \frac{2}{6} = \frac{8}{216}$$

(ⅲ) 3, 1, 짝수의 순서로 나올 확률은

$$\frac{3}{6} \cdot \frac{1}{6} \cdot \frac{2}{6} = \frac{6}{216}$$

따라서 구하는 확률은

$$\frac{6}{216} + \frac{8}{216} + \frac{6}{216} = \frac{5}{54}$$

정답_ ①

264

한 개의 주사위를 한 번 던질 때, 짝수의 눈이 나올 확률은

$$\frac{3}{6} = \frac{1}{2}$$

따라서 한 개의 주사위를 5번 던질 때, 짝수의 눈이 3번 나올 확률은

$$_5C_3 \left(\frac{1}{2}\right)^3 \left(\frac{1}{2}\right)^2 = \frac{5}{16}$$

정답_ ③

265

공을 한 번 꺼낼 때, 흰 공이 나올 확률은 $\frac{3}{9} = \frac{1}{3}$

따라서 10번 꺼낼 때, 흰 공이 $r(0<r<10)$번 나올 확률은

$$P(r) = {}_{10}C_r \left(\frac{1}{3}\right)^r \left(\frac{2}{3}\right)^{10-r}$$

$$\therefore \frac{P(2)}{P(9)} = \frac{{}_{10}C_2 \left(\frac{1}{3}\right)^2 \left(\frac{2}{3}\right)^8}{{}_{10}C_9 \left(\frac{1}{3}\right)^9 \left(\frac{2}{3}\right)^1} = 576$$

정답_ ④

266

각 사람이 어느 층에 내리는가는 같은 정도로 기대되므로 1층에서 5층 중 한 층에서 내릴 확률은 $\frac{1}{5}$이다.

한 명이 3층에서 내릴 확률이 $\frac{1}{5}$이므로 5명 중 3명이 3층에서 내릴 확률은

$$_5C_3 \left(\frac{1}{5}\right)^3 \left(\frac{4}{5}\right)^2 = \frac{32}{625}$$

정답_ ④

267

적어도 2명이 치유되는 사건은 0명 또는 1명이 치유되는 사건의 여사건이다. 한 명을 치료할 때 치유될 확률이 $\frac{1}{2}$이므로 5명을 치료할 때 0명 또는 1명이 치유될 확률은

$$_5C_0 \left(\frac{1}{2}\right)^5 + {}_5C_1 \left(\frac{1}{2}\right)^1 \left(\frac{1}{2}\right)^4 = \frac{1}{32} + \frac{5}{32} = \frac{3}{16}$$

따라서 적어도 2명이 치유될 확률은

$$1 - \frac{3}{16} = \frac{13}{16}$$

정답_ ④

268

4문제 중 3문제 또는 4문제를 맞혀야 합격하고, 한 문제를 맞힐 확률은 $\frac{2}{3}$이므로 구하는 확률은

$$_4C_3 \left(\frac{2}{3}\right)^3 \left(\frac{1}{3}\right)^1 + {}_4C_4 \left(\frac{2}{3}\right)^4 = \frac{32}{81} + \frac{16}{81} = \frac{16}{27}$$

정답_ ③

269

구하는 확률은 1의 눈이 나오고 앞면이 1개 또는 2의 눈이 나오고 앞면이 2개 또는 … 6의 눈이 나오고 앞면이 6개일 확률이다.

주사위 1개를 던져서 $k(k=1, 2, \cdots, 6)$의 눈이 나올 확률은 $\frac{1}{6}$이고, 동전 6개를 던져서 앞면이 k개 나올 확률은

$${}_6C_1 \frac{1}{2} \cdot \left(\frac{1}{2}\right)^5 + {}_6C_2 \left(\frac{1}{2}\right)^2 \cdot \left(\frac{1}{2}\right)^4 + \cdots + {}_6C_5 \left(\frac{1}{2}\right)^5 \cdot \frac{1}{2} + {}_6C_6 \left(\frac{1}{2}\right)^6$$

$$= \left(\frac{1}{2}\right)^6 ({}_6C_1 + {}_6C_2 + \cdots + {}_6C_6)$$

따라서 구하는 확률은

$$\frac{1}{6} \cdot \left(\frac{1}{2}\right)^6 ({}_6C_1 + {}_6C_2 + \cdots + {}_6C_6)$$

$$= \frac{1}{6} \left(\frac{1}{2}\right)^6 \{({}_6C_0 + {}_6C_1 + {}_6C_2 + \cdots + {}_6C_6) - {}_6C_0\}$$

$$= \frac{1}{6} \left(\frac{1}{2}\right)^6 (2^6 - 1)$$

$$= \frac{63}{384} = \frac{21}{128}$$

정답_ ①

270

앞면이 나오는 동전의 개수가 1인 경우는 다음의 두 가지로 분류할 수 있다.

(ⅰ) 주사위의 6의 약수의 눈이 나온 후, 동전을 3개 동시에 던져서 앞면이 나오는 동전의 개수가 1일 확률은

$$\frac{4}{6} \cdot {}_3C_1 \left(\frac{1}{2}\right)^1 \left(\frac{1}{2}\right)^2 = \frac{1}{4}$$

(ⅱ) 주사위의 6의 약수가 아닌 눈이 나온 후, 동전을 2개 동시에 던져서 앞면이 나오는 동전의 개수가 1일 확률은

$$\frac{2}{6} \cdot {}_2C_1 \left(\frac{1}{2}\right)^1 \left(\frac{1}{2}\right)^1 = \frac{1}{6}$$

(i),(ii)에서 구하는 확률은 $\dfrac{1}{4}+\dfrac{1}{6}=\dfrac{5}{12}$ 정답_ ③

271

화살을 과녁에 2번 명중시키는 경우는 다음의 두 가지로 분류할 수 있다.

(i) 흰 공을 꺼내고, 화살을 3번 쏘아 2번 명중시킬 확률은

$$\dfrac{3}{4}\cdot {}_3C_2\left(\dfrac{1}{3}\right)^2\left(\dfrac{2}{3}\right)^1=\dfrac{1}{6}$$

(ii) 검은 공을 꺼내고, 화살을 4번 쏘아 2번 명중시킬 확률은

$$\dfrac{1}{4}\cdot {}_4C_2\left(\dfrac{1}{3}\right)^2\left(\dfrac{2}{3}\right)^2=\dfrac{2}{27}$$

(i),(ii)에서 구하는 확률은 $\dfrac{1}{6}+\dfrac{2}{27}=\dfrac{13}{54}$ 정답_ ③

272

두 주사위의 눈의 수의 합이 4 이하인 경우는

$(1,\ 1),(1,\ 2),(1,\ 3),(2,\ 1),(2,\ 2),(3,\ 1)$

의 6가지이다.

따라서 두 주사위의 눈의 수의 합이 4 이하일 확률은 $\dfrac{6}{36}=\dfrac{1}{6}$ 이고,

5 이상일 확률은 $1-\dfrac{1}{6}=\dfrac{5}{6}$ 이다.

두 개의 주사위를 던져서 6회째에 점 P가 다시 점 A로 돌아오므로 두 주사위의 눈의 수의 합이 4 이하인 횟수를 x, 5 이상인 횟수를 y라고 하면

$x+y=6,\ 2x-y=0$

위의 두 식을 연립하여 풀면 $x=2,\ y=4$

따라서 구하는 확률은

$${}_6C_2\left(\dfrac{1}{6}\right)^2\left(\dfrac{5}{6}\right)^4=\dfrac{5}{12}\cdot\left(\dfrac{5}{6}\right)^4=\dfrac{1}{2}\cdot\left(\dfrac{5}{6}\right)^5$$

$\therefore k=\dfrac{1}{2}$ 정답_ ①

273

동전을 8회 던져서 앞면이 나오는 횟수를 x라고 하면 뒷면이 나오는 횟수는 $(8-x)$이다. 이때, 얻은 점수의 합계가 140점이므로

$20x+10(8-x)=140,\ 10x=60$ $\therefore x=6$

따라서 구하는 확률은 동전을 8회 던져서 앞면이 6회 나올 확률이므로

$${}_8C_6\left(\dfrac{1}{2}\right)^6\left(\dfrac{1}{2}\right)^2=\dfrac{7}{64}$$ 정답_ ④

274

오른쪽으로 1만큼 움직인 횟수를 a, 왼쪽으로 1만큼 움직인 횟수를 b라고 하면

$a+b=10,\ a-b=2$

위의 두 식을 연립하여 풀면 $a=6,\ b=4$

점 P가 점 A의 위치에 있을 확률은

$${}_{10}C_6\left(\dfrac{1}{2}\right)^6\left(\dfrac{1}{2}\right)^4=\dfrac{105}{512}$$

따라서 $p=512, q=105$이므로

$p+q=512+105=617$ 정답_ 617

275

동전을 5번 던졌을 때, 점 P가 도달할 수 있는 점은

$(5,\ 0),(4,\ 1),(3,\ 2),(2,\ 3),(1,\ 4),(0,\ 5)$

이다.

이 중에서 원점으로부터의 거리가 4 이하인 점은 $(3,\ 2),(2,\ 3)$ 이다.

(i) 점 P가 $(3,\ 2)$에 위치할 확률은

$${}_5C_3\left(\dfrac{1}{2}\right)^3\left(\dfrac{1}{2}\right)^2=\dfrac{5}{16}$$

(ii) 점 P가 $(2,\ 3)$에 위치할 확률은

$${}_5C_2\left(\dfrac{1}{2}\right)^2\left(\dfrac{1}{2}\right)^3=\dfrac{5}{16}$$

(i),(ii)에서 구하는 확률은 $\dfrac{5}{16}+\dfrac{5}{16}=\dfrac{5}{8}$ 정답_ ③

276

$\mathrm{P}(A|B)=\dfrac{\mathrm{P}(A\cap B)}{\mathrm{P}(B)}=0.2$이므로

$\mathrm{P}(A\cap B)=0.2\mathrm{P}(B)$ ……㉠

------ ❶

$\mathrm{P}(A\cup B)=\mathrm{P}(A)+\mathrm{P}(B)-\mathrm{P}(A\cap B)$에서

$0.8=0.4+\mathrm{P}(B)-0.2\mathrm{P}(B)$

$0.8\mathrm{P}(B)=0.4$ $\therefore \mathrm{P}(B)=0.5$

$\mathrm{P}(B)=0.5$를 ㉠에 대입하면

$\mathrm{P}(A\cap B)=0.2\cdot 0.5=0.1$ ------ ❷

$\therefore \mathrm{P}(B|A)=\dfrac{\mathrm{P}(A\cap B)}{\mathrm{P}(A)}=\dfrac{0.1}{0.4}=0.25$ ------ ❸

정답_ 0.25

단계	채점 기준	비율
❶	$\mathrm{P}(A\cap B)$를 $\mathrm{P}(B)$에 대한 식으로 나타내기	20%
❷	$\mathrm{P}(A\cap B)$ 구하기	50%
❸	$\mathrm{P}(B|A)$ 구하기	30%

277

을만 당첨 제비를 뽑으려면 갑은 당첨 제비가 아닌 것을 뽑고, 을은 당첨 제비를 뽑아야 한다. 갑이 당첨 제비가 아닌 것을 뽑는 사건을 A, 을이 당첨 제비를 뽑는 사건을 B라고 하면 구하는 확률은 $\mathrm{P}(A\cap B)$이다.

이때, $\mathrm{P}(A)=\dfrac{12-n}{12},\ \mathrm{P}(B|A)=\dfrac{n}{11}$이므로

$\mathrm{P}(A\cap B)=\mathrm{P}(A)\mathrm{P}(B|A)=\dfrac{12-n}{12}\cdot\dfrac{n}{11}$ ------ ❶

$\mathrm{P}(A\cap B)=\dfrac{5}{33}$이므로 $\dfrac{12-n}{12}\cdot\dfrac{n}{11}=\dfrac{5}{33}$에서

$n^2-12n+20=0,\ (n-2)(n-10)=0$

$\therefore n=2$ 또는 $n=10$

따라서 모든 n의 값의 합은 $2+10=12$ ┄┄┄┄┄┄┄┄┄ ❷

정답_ 12

단계	채점 기준	비율
❶	을만 당첨 제비를 뽑을 확률을 n에 대한 식으로 나타내기	50%
❷	n의 값의 합 구하기	50%

278

두 수의 합이 짝수인 경우는 다음의 두 가지로 분류할 수 있다.

(i) 두 주머니 A, B에서 모두 홀수가 적혀 있는 카드를 꺼낼 확률은

$$\frac{3}{5}\cdot\frac{3}{5}=\frac{9}{25}$$ ┄┄┄┄┄┄┄┄┄ ❶

(ii) 두 주머니 A, B에서 모두 짝수가 적혀 있는 카드를 꺼낼 확률은

$$\frac{2}{5}\cdot\frac{2}{5}=\frac{4}{25}$$ ┄┄┄┄┄┄┄┄┄ ❷

구하는 확률은 (i) 또는 (ii)인 경우 중에서 (i)인 경우의 비율을 의미하므로

$$\frac{\dfrac{9}{25}}{\dfrac{9}{25}+\dfrac{4}{25}}=\frac{9}{13}$$ ┄┄┄┄┄┄┄┄┄ ❸

정답_ $\dfrac{9}{13}$

단계	채점 기준	비율
❶	두 주머니 A, B에서 모두 홀수가 적혀 있는 카드를 꺼낼 확률 구하기	40%
❷	두 주머니 A, B에서 모두 짝수가 적혀 있는 카드를 꺼낼 확률 구하기	40%
❸	확률 구하기	20%

279

두 사건 A, B가 서로 배반이면 $\mathrm{P}(A\cap B)=0$이므로

$\mathrm{P}(A\cup B)=\mathrm{P}(A)+\mathrm{P}(B)$에서

$0.8=0.5+\mathrm{P}(B)$

$\therefore a=\mathrm{P}(B)=0.3$ ┄┄┄┄┄┄┄┄┄ ❶

두 사건 A, B가 서로 독립이면 $\mathrm{P}(A\cap B)=\mathrm{P}(A)\mathrm{P}(B)$이므로

$\mathrm{P}(A\cup B)=\mathrm{P}(A)+\mathrm{P}(B)-\mathrm{P}(A)\mathrm{P}(B)$에서

$0.8=0.5+\mathrm{P}(B)-0.5\mathrm{P}(B)$, $0.5\mathrm{P}(B)=0.3$

$\therefore \mathrm{P}(B)=0.6$

이때, $\mathrm{P}(B^{C})=1-0.6=0.4$ ┄┄┄┄┄┄┄┄┄ ❷

두 사건 A, B^{C}도 서로 독립이므로

$\begin{aligned}\beta&=\mathrm{P}(A\cup B^{C})=\mathrm{P}(A)+\mathrm{P}(B^{C})-\mathrm{P}(A\cap B^{C})\\&=\mathrm{P}(A)+\mathrm{P}(B^{C})-\mathrm{P}(A)\mathrm{P}(B^{C})\\&=0.5+0.4-0.5\cdot0.4=0.7\end{aligned}$ ┄┄┄┄┄┄┄┄┄ ❸

$\therefore \alpha\beta=0.3\cdot0.7=0.21$ ┄┄┄┄┄┄┄┄┄ ❹

정답_ 0.21

단계	채점 기준	비율
❶	a의 값 구하기	30%
❷	$\mathrm{P}(B^{C})$ 구하기	30%
❸	β의 값 구하기	30%
❹	$\alpha\beta$의 값 구하기	10%

280

앞면이 나오는 횟수와 뒷면이 나오는 횟수의 곱이 6이 나오는 경우는 다음의 두 가지로 분류할 수 있다.

(i) 동전의 앞면이 2번, 뒷면이 3번 나올 확률은

$${}_5\mathrm{C}_2\left(\frac{1}{2}\right)^{2}\left(\frac{1}{2}\right)^{3}=\frac{5}{16}$$ ┄┄┄┄┄┄┄┄┄ ❶

(i) 동전의 앞면이 3번, 뒷면이 2번 나올 확률은

$${}_5\mathrm{C}_3\left(\frac{1}{2}\right)^{3}\left(\frac{1}{2}\right)^{2}=\frac{5}{16}$$ ┄┄┄┄┄┄┄┄┄ ❷

(i), (ii)에서 앞면이 나오는 횟수와 뒷면이 나오는 횟수의 곱이 6일 확률은

$$\frac{5}{16}+\frac{5}{16}=\frac{5}{8}$$ ┄┄┄┄┄┄┄┄┄ ❸

따라서 $p=8$, $q=5$이므로

$p+q=8+5=13$ ┄┄┄┄┄┄┄┄┄ ❹

정답_ 13

단계	채점 기준	비율
❶	동전의 앞면이 2번, 뒷면이 3번 나올 확률 구하기	30%
❷	동전의 앞면이 3번, 뒷면이 2번 나올 확률 구하기	30%
❸	확률 구하기	20%
❹	$p+q$의 값 구하기	20%

281

매 경기에서 A팀이 이길 확률을 p라고 하면 2번의 경기에서 A팀이 모두 이길 확률이 $\dfrac{1}{16}$이므로

$p\cdot p=\dfrac{1}{16}$, $p^{2}=\dfrac{1}{16}$ $\therefore p=\dfrac{1}{4}$ ($\because p>0$) ┄┄┄┄ ❶

즉, 매 경기에서 A팀이 이길 확률이 $\dfrac{1}{4}$이므로 4번의 경기에서 3번 이상 이길 확률은

$$\begin{aligned}{}_4\mathrm{C}_3\left(\frac{1}{4}\right)^{3}\left(\frac{3}{4}\right)^{1}+{}_4\mathrm{C}_4\left(\frac{1}{4}\right)^{4}&=\frac{12}{256}+\frac{1}{256}\\&=\frac{13}{256}\end{aligned}$$ ┄┄┄ ❷

정답_ $\dfrac{13}{256}$

단계	채점 기준	비율
❶	매 경기에서 A팀이 이길 확률 구하기	30%
❷	A팀이 4번의 경기에서 3번 이상 이길 확률 구하기	70%

282

학생들 중에서 한 명을 임의로 뽑을 때, 영화 A를 관람한 사람인 사건을 A, 영화 B를 관람한 사람인 사건을 B, 여학생일 사건을 C라고 하면

(i) 300명의 학생이 두 영화 A, B 중 적어도 한 편의 영화를 관람
하였고, 영화 A를 관람한 학생이 150명, 영화 B를 관람한 학
생이 180명이므로 두 영화 A, B를 모두 관람한 학생의 수는
$$n(A \cap B) = n(A) + n(B) - n(A \cup B)$$
$$= 150 + 180 - 300 = 30$$

(ii) 100명의 여학생이 두 영화 A, B 중 적어도 한 편의 영화를 관
람하였고, 영화 A를 관람한 여학생이 45명, 영화 B를 관람한
여학생이 72명이므로 두 영화 A, B를 모두 관람한 여학생의
수는
$$n(A \cap B \cap C) = n(A \cap C) + n(B \cap C)$$
$$- n((A \cup B) \cap C)$$
$$= 45 + 72 - 100 = 17$$

(i), (ii)에서
$$P(A \cap B) = \frac{30}{300}, P(A \cap B \cap C) = \frac{17}{300}$$
이므로
$$P(C \mid A \cap B) = \frac{P(A \cap B \cap C)}{P(A \cap B)} = \frac{\frac{17}{300}}{\frac{30}{300}} = \frac{17}{30}$$

정답_④

283

뺑소니 차량이 자가용일 때와 영업용일 때, 목격자가 자가용이라
고 증언할 확률을 각각 p_1, p_2라고 하자.

(i) 뺑소니 차량이 자가용이고, 목격자가 자가용이라고 증언할 확
률은 $p_1 = \frac{80}{100} \cdot \frac{90}{100} = \frac{72}{100}$

(ii) 뺑소니 차량이 영업용이고, 목격자가 자가용이라고 증언할 확
률은 $p_2 = \frac{20}{100} \cdot \frac{10}{100} = \frac{2}{100}$

목격자가 본 뺑소니 차량이 실제로 자가용일 확률은 (i) 또는 (ii)
인 경우 중에서 (i)인 경우의 비율을 의미하므로
$$\frac{p_1}{p_1 + p_2} = \frac{\frac{72}{100}}{\frac{72}{100} + \frac{2}{100}} = \frac{36}{37}$$

따라서 $p = 37, q = 36$이므로
$$p + q = 37 + 36 = 73$$

정답_③

284

두 사건 A, B가 서로 독립이므로
$$P(A \cap B) = P(A)P(B) = \frac{1}{4}$$
$$\therefore P(B) = \frac{1}{4P(A)}$$
$P(A \cup B) = P(A) + P(B) - P(A \cap B)$이므로
$$a - \frac{1}{4} = P(A) + \frac{1}{4P(A)} - \frac{1}{4}$$

이때, $P(A) > 0$이므로
$$a = P(A) + \frac{1}{4P(A)}$$
$$\geq 2\sqrt{P(A) \cdot \frac{1}{4P(A)}} = 1$$

$$\left(단, 등호는 P(A) = \frac{1}{4P(A)} 일 때 성립 \right)$$

따라서 실수 a의 최솟값은 1이다.

정답_⑤

285

갑은 A, B가 서로 독립이라고 생각했으므로
$$P(A \cup B) = P(A) + P(B) - P(A \cap B)$$
$$= P(A) + P(B) - P(A)P(B) = 0.7 \quad \cdots\cdots ㉠$$
을은 A, B가 서로 배반이라고 생각했으므로
$$P(A \cup B) = P(A) + P(B) = 0.9 \quad \cdots\cdots ㉡$$
㉡을 ㉠에 대입하면 $0.9 - P(A)P(B) = 0.7$
$$\therefore P(A)P(B) = 0.2 \quad \cdots\cdots ㉢$$
$$\{P(A) - P(B)\}^2 = \{P(A) + P(B)\}^2 - 4P(A)P(B)$$
$$= 0.9^2 - 4 \cdot 0.2 \ (\because ㉡, ㉢)$$
$$= 0.81 - 0.8 = 0.01$$
$$\therefore |P(A) - P(B)| = 0.1$$

정답_①

286

(i) 꺼낸 4개의 공 중 1이 적혀 있는 공이 1개만 나올 확률은
$$\frac{{}_2C_1}{{}_5C_4} = \frac{2}{5}$$

꺼낸 4개의 공 중 1이 적혀 있는 공이 1개 나오는 경우
1, 2, 3, 4를 일렬로 나열할 때, 1, 2, 3, 4의 순서대로 나열할
확률은 $\frac{1}{4!} = \frac{1}{24}$

이때, 주어진 조건을 만족시키는 확률은
$$\frac{2}{5} \cdot \frac{1}{24} = \frac{1}{60}$$

(ii) 꺼낸 4개의 공 중 1이 적혀 있는 공이 2개 나오는 경우
1이 적혀 있는 공이 2개 나올 확률은
$$1 - \frac{2}{5} = \frac{3}{5}$$

1, 1, c, d $(1 < c < d)$를 일렬로 나열할 때, 1, 1, c, d의 순서
대로 나열할 확률은 $\frac{1}{\frac{4!}{2!}} = \frac{1}{12}$

이때, 주어진 조건을 만족시키는 확률은
$$\frac{3}{5} \cdot \frac{1}{12} = \frac{3}{60}$$

(i), (ii)에서 구하는 확률은 $\frac{1}{60} + \frac{3}{60} = \frac{1}{15}$

정답_$\frac{1}{15}$

287

$(n+1)$회의 시행 후에 말이 점 A에 있는 경우는 n회의 시행 후의 결과에 따라 다음의 세 가지로 분류할 수 있다.

(i) n회 시행 후에 점 A에 있고, 6의 눈이 나와 A $\longrightarrow$ A가 될 확률은 $p_n \cdot \dfrac{1}{6}$

(ii) n회 시행 후에 점 B에 있고, 2의 눈이 나와 B $\longrightarrow$ A가 될 확률은 $q_n \cdot \dfrac{1}{6}$

(iii) n회 시행 후에 점 C에 있고, 1, 3, 4, 5의 눈이 나와 C $\longrightarrow$ A가 될 확률은 $r_n \cdot \dfrac{4}{6}$

(i), (ii), (iii)에서 $(n+1)$회의 시행 후에 말이 점 A에 있을 확률 p_{n+1}은

$$p_{n+1} = \frac{1}{6}p_n + \frac{1}{6}q_n + \frac{2}{3}r_n$$

따라서 $a = \dfrac{1}{6}$, $b = \dfrac{1}{6}$, $c = \dfrac{2}{3}$이므로

$$abc = \frac{1}{6} \cdot \frac{1}{6} \cdot \frac{2}{3} = \frac{1}{54}$$

정답_ ⑤

288

B팀이 $5:4$로 이기려면 B팀은 5명 모두 성공하고, A팀은 5명 중 4명은 성공, 1명은 실패해야 하므로 구하는 확률은

$$_5C_5(0.8)^5 \cdot {}_5C_4(0.8)^4(0.2)^1 = (0.8)^5 \cdot 5(0.8)^4(0.2)$$
$$= (0.8)^5 \cdot (0.8)^4 = 0.8^9$$

정답_ ④

289

$P(A)$는 첫 번째 던진 동전이 앞면이 나올 확률이므로

$$P(A) = \frac{1}{2}$$

$P(B)$는 동전을 10번 던졌을 때 앞면이 k번 나올 확률이므로

$k=0$일 때, $P(B) = {}_{10}C_0\left(\dfrac{1}{2}\right)^{10}$

$1 \le k \le 9$일 때, $P(B) = {}_{10}C_k\left(\dfrac{1}{2}\right)^k\left(\dfrac{1}{2}\right)^{10-k} = {}_{10}C_k\left(\dfrac{1}{2}\right)^{10}$

$k=10$일 때, $P(B) = {}_{10}C_{10}\left(\dfrac{1}{2}\right)^{10}$

$\therefore P(B) = {}_{10}C_k\left(\dfrac{1}{2}\right)^{10}$

$P(A \cap B)$는 첫 번째 던진 동전이 앞면이 나오고, 나머지 9번 중 앞면이 $(k-1)$번 나올 확률이므로

$$P(A \cap B) = \frac{1}{2} \cdot {}_9C_{k-1}\left(\frac{1}{2}\right)^{k-1}\left(\frac{1}{2}\right)^{9-(k-1)}$$
$$= \frac{1}{2} \cdot {}_9C_{k-1}\left(\frac{1}{2}\right)^9$$

두 사건 A, B가 서로 독립이면 $P(A \cap B) = P(A)P(B)$이므로

$$\frac{1}{2} \cdot {}_9C_{k-1}\left(\frac{1}{2}\right)^9 = \frac{1}{2} \cdot {}_{10}C_k\left(\frac{1}{2}\right)^{10}$$

$$\therefore 2\,{}_9C_{k-1} = {}_{10}C_k$$

한편, $_{10}C_k = \dfrac{10}{k}\,{}_9C_{k-1}$이므로

$$2\,{}_9C_{k-1} = \frac{10}{k}\,{}_9C_{k-1}, \quad 2 = \frac{10}{k}$$

$$\therefore k = 5$$

정답_ 5

290

(i) 지수가 번호 n인 다리를 건널 확률은 동전 6개를 던져서 앞면이 n개 나올 확률이므로

$n=0$일 때, $_6C_0\left(\dfrac{1}{2}\right)^6$

$1 \le n \le 5$일 때, $_6C_n\left(\dfrac{1}{2}\right)^n\left(\dfrac{1}{2}\right)^{6-n} = {}_6C_n\left(\dfrac{1}{2}\right)^6$

$n=6$일 때, $_6C_6\left(\dfrac{1}{2}\right)^6$

(ii) 상우가 번호 n($1 \le n \le 6$)인 다리를 건널 확률은 주사위 한 개를 던져서 n의 눈이 나올 확률이므로 $\dfrac{1}{6}$

따라서 두 사람이 같은 다리를 건너게 될 확률은

$$_6C_1\left(\frac{1}{2}\right)^6 \cdot \frac{1}{6} + {}_6C_2\left(\frac{1}{2}\right)^6 \cdot \frac{1}{6} + \cdots + {}_6C_6\left(\frac{1}{2}\right)^6 \cdot \frac{1}{6}$$
$$= \left(\frac{1}{2}\right)^6 \cdot \frac{1}{6}({}_6C_1 + {}_6C_2 + \cdots + {}_6C_6)$$
$$= \left(\frac{1}{2}\right)^6 \cdot \frac{1}{6}\{({}_6C_0 + {}_6C_1 + {}_6C_2 + \cdots + {}_6C_6) - {}_6C_0\}$$
$$= \left(\frac{1}{2}\right)^6 \cdot \frac{1}{6} \cdot (2^6 - 1)$$
$$= \frac{21}{128}$$

정답_ ②

291

5의 눈이 나온 주사위가 1개 나오는 경우는 다음의 세 가지로 분류할 수 있다.

(i) 앞면이 나온 동전이 1개이고, 이때 5의 눈이 나온 주사위가 1개일 확률은

$$_3C_1\left(\frac{1}{2}\right)^1\left(\frac{1}{2}\right)^2 \cdot \frac{1}{6} = \frac{3}{8} \cdot \frac{1}{6} = \frac{1}{16}$$

(ii) 앞면이 나온 동전이 2개이고, 이때 5의 눈이 나온 주사위가 1개일 확률은

$$_3C_2\left(\frac{1}{2}\right)^2\left(\frac{1}{2}\right)^1 \cdot {}_2C_1\left(\frac{1}{6}\right)^1\left(\frac{5}{6}\right)^1 = \frac{3}{8} \cdot \frac{5}{18} = \frac{5}{48}$$

(iii) 앞면이 나온 동전이 3개이고, 이때 5의 눈이 나온 주사위가 1개일 확률은

$$_3C_3\left(\frac{1}{2}\right)^3 \cdot {}_3C_1\left(\frac{1}{6}\right)^1\left(\frac{5}{6}\right)^2 = \frac{1}{8} \cdot \frac{25}{72} = \frac{25}{576}$$

(i), (ii), (iii)에서 구하는 확률은

$$\frac{1}{16} + \frac{5}{48} + \frac{25}{576} = \frac{121}{576}$$

정답_ ⑤

05 확률분포

292

주어진 도수분포표에서 확률변수 X가 가질 수 있는 값은 $70, 80, 90, 100$이고, 그 확률은 각각

$$P(X=70)=\frac{2}{10}=\frac{1}{5}$$

$$P(X=80)=\frac{3}{10}$$

$$P(X=90)=\frac{4}{10}=\frac{2}{5}$$

$$P(X=100)=\frac{1}{10}$$

따라서 X의 확률분포를 표로 나타내면 다음과 같다.

X	70	80	90	100	합계
$P(X=x)$	$\frac{1}{5}$	$\frac{3}{10}$	$\frac{2}{5}$	$\frac{1}{10}$	1

정답_ 풀이 참조

293

(1) 확률의 총합은 1이므로

$$\frac{1}{3}+\frac{1}{4}+a+\frac{1}{4}=1 \quad \therefore a=\frac{1}{6}$$

(2) $P(X=2$ 또는 $X=3)=P(X=2)+P(X=3)$

$$=\frac{1}{4}+\frac{1}{6}=\frac{5}{12}$$

(3) $P(1\leq X\leq 3)$

$$=P(X=1)+P(X=2)+P(X=3)$$

$$=\frac{1}{3}+\frac{1}{4}+\frac{1}{6}=\frac{3}{4}$$

다른 풀이

(3) $P(1\leq X\leq 3)=1-P(X=4)$

$$=1-\frac{1}{4}=\frac{3}{4}$$

정답_ (1) $\frac{1}{6}$ (2) $\frac{5}{12}$ (3) $\frac{3}{4}$

294

확률의 총합은 1이므로

$$a+2a+4a=1, 7a=1 \quad \therefore a=\frac{1}{7}$$

$$\therefore P(X\geq 0)=P(X=0)+P(X=1)$$

$$=2a+4a=6a$$

$$=6\times\frac{1}{7}=\frac{6}{7}$$

정답_ ⑤

295

확률의 총합은 1이므로

$$a+\frac{a}{2}+a^2=1, 2a^2+3a-2=0$$

$$(a+2)(2a-1)=0 \quad \therefore a=\frac{1}{2} (\because a>0)$$

$$\therefore P(X\leq 0)=P(X=-1)+P(X=0)$$

$$=a+\frac{a}{2}$$

$$=\frac{1}{2}+\frac{1}{4}=\frac{3}{4}$$

정답_ ④

296

확률의 총합은 1이므로

$$a+2a+3a+4a=1, 10a=1$$

$$\therefore a=\frac{1}{10}$$

즉, $P(X=x)=\frac{1}{10}(x-1)$이므로

$$P(X>3)=P(X=4)+P(X=5)$$

$$=\frac{3}{10}+\frac{4}{10}=\frac{7}{10}$$

정답_ ③

297

$X^2-3X+2=0$에서 $(X-1)(X-2)=0$

$$\therefore X=1 \text{ 또는 } X=2$$

$$\therefore P(X^2-3X+2=0)=P(X=1 \text{ 또는 } X=2)$$

$$=P(X=1)+P(X=2)$$

$$=\frac{1}{15}+\frac{2}{15}=\frac{1}{5}$$

정답_ $\frac{1}{5}$

298

확률의 총합은 1이므로

$$\frac{1}{3}+a+\frac{1}{2}=1 \quad \therefore a=\frac{1}{6}$$

$X^2+X-2<0$에서

$$(X+2)(X-1)<0 \quad \therefore -2<X<1$$

$$\therefore P(X^2+X-2<0)=P(-2<X<1)$$

$$=P(X=-1)$$

$$=\frac{1}{3}$$

$$\therefore \frac{1}{a}P(X^2+X-2<0)=6\cdot\frac{1}{3}=2$$

정답_ ⑤

299

확률변수 X가 가질 수 있는 값은 1, 2, 3, 4

동시에 꺼낸 2장의 카드에 적혀 있는 두 수를 a, b라고 하면 (a, b)에 대하여

(i) $X=1$인 경우는

$(1, 2), (2, 3), (3, 4), (4, 5)$의 4가지

(ii) $X=2$인 경우는

$(1, 3), (2, 4), (3, 5)$의 3가지

(iii) $X=3$인 경우는

$(1, 4), (2, 5)$의 2가지

(iv) $X=4$인 경우는

(1, 5)의 1가지

따라서

$$P(X=1)=\frac{4}{{}_5C_2}=\frac{4}{10}$$

$$P(X=2)=\frac{3}{{}_5C_2}=\frac{3}{10}$$

$$P(X=3)=\frac{2}{{}_5C_2}=\frac{2}{10}$$

$$P(X=4)=\frac{1}{{}_5C_2}=\frac{1}{10}$$

이므로 확률변수 X의 확률분포를 표로 나타내면 다음과 같다.

X	1	2	3	4	합계
$P(X=x)$	$\frac{4}{10}$	$\frac{3}{10}$	$\frac{2}{10}$	$\frac{1}{10}$	1

$$\therefore P(2\leq X\leq 3)=P(X=2)+P(X=3)$$
$$=\frac{3}{10}+\frac{2}{10}=\frac{1}{2}$$

정답_②

300

확률변수 X가 가질 수 있는 값은 $2, 3, 4, 5$이고, 그 확률은 각각

$$P(X=2)=\frac{{}_7C_2\cdot{}_3C_3}{{}_{10}C_5}=\frac{1}{12}$$

$$P(X=3)=\frac{{}_7C_3\cdot{}_3C_2}{{}_{10}C_5}=\frac{5}{12}$$

$$P(X=4)=\frac{{}_7C_4\cdot{}_3C_1}{{}_{10}C_5}=\frac{5}{12}$$

$$P(X=5)=\frac{{}_7C_5\cdot{}_3C_0}{{}_{10}C_5}=\frac{1}{12}$$

따라서 확률변수 X의 확률분포를 표로 나타내면 다음과 같다.

X	2	3	4	5	합계
$P(X=x)$	$\frac{1}{12}$	$\frac{5}{12}$	$\frac{5}{12}$	$\frac{1}{12}$	1

위의 표에서

$$P(X=4)+P(X=5)=\frac{5}{12}+\frac{1}{12}=\frac{1}{2}$$

이므로

$$P(X\geq 4)=\frac{1}{2}\qquad\therefore a=4$$

정답_④

301

(1) $E(X)=2\cdot\frac{1}{3}+5\cdot\frac{1}{3}+8\cdot\frac{1}{3}=\frac{15}{3}=5$

(2) $V(X)=E(X^2)-\{E(X)\}^2$
$$=2^2\cdot\frac{1}{3}+5^2\cdot\frac{1}{3}+8^2\cdot\frac{1}{3}-5^2$$
$$=31-25=6$$

(3) $\sigma(X)=\sqrt{V(X)}=\sqrt{6}$

정답_(1) 5 (2) 6 (3) $\sqrt{6}$

302

확률의 총합은 1이므로

$$\frac{1}{6}+\frac{1}{4}+a=1\qquad\therefore a=\frac{7}{12}$$

$$\therefore E(X)=1\cdot\frac{1}{6}+3\cdot\frac{1}{4}+7\cdot\frac{7}{12}=5$$

정답_⑤

303

확률의 총합은 1이므로

$$p+\frac{1}{4}+q+\frac{1}{12}=1$$

$$\therefore p+q=\frac{2}{3}\qquad\cdots\cdots\text{㉠}$$

$$E(X)=0\cdot p+1\cdot\frac{1}{4}+2q+3\cdot\frac{1}{12}=2q+\frac{1}{2}$$

$$E(X^2)=0^2\cdot p+1^2\cdot\frac{1}{4}+2^2\cdot q+3^2\cdot\frac{1}{12}=4q+1$$

$$V(X)=E(X^2)-\{E(X)\}^2$$
$$=4q+1-\left(2q+\frac{1}{2}\right)^2$$
$$=-4q^2+2q+\frac{3}{4}$$

$V(X)=1$이므로

$$-4q^2+2q+\frac{3}{4}=1$$

$$16q^2-8q+1=0,\ (4q-1)^2=0\qquad\therefore q=\frac{1}{4}$$

$q=\frac{1}{4}$을 ㉠에 대입하면 $p=\frac{5}{12}$

$$\therefore 3p+q=3\cdot\frac{5}{12}+\frac{1}{4}=\frac{3}{2}$$

정답_④

304

확률의 총합은 1이므로

$$\frac{1}{4}+a+\frac{1}{8}+b=1$$

$$\therefore a+b=\frac{5}{8}\qquad\cdots\cdots\text{㉠}$$

$E(X)=5$이므로

$$1\cdot\frac{1}{4}+2\cdot a+4\cdot\frac{1}{8}+8\cdot b=5,\ 2a+8b+\frac{3}{4}=5$$

$$\therefore 8a+32b=17\qquad\cdots\cdots\text{㉡}$$

㉠, ㉡을 연립하여 풀면 $a=\frac{1}{8},\ b=\frac{1}{2}$

$$\therefore V(X)=E(X^2)-\{E(X)\}^2$$
$$=\left(1^2\cdot\frac{1}{4}+2^2\cdot\frac{1}{8}+4^2\cdot\frac{1}{8}+8^2\cdot\frac{1}{2}\right)-5^2$$
$$=\frac{1}{4}+\frac{1}{2}+2+32-25$$
$$=9+\frac{3}{4}=9.75$$

정답_①

305

확률의 총합은 1이므로

$$\frac{-a+2}{10}+\frac{2}{10}+\frac{a+2}{10}+\frac{2a+2}{10}=1$$

$$\frac{2a+8}{10}=1 \qquad \therefore a=1$$

따라서 확률변수 X의 확률분포를 표로 나타내면 다음과 같다.

X	-1	0	1	2	합계
$\mathrm{P}(X=x)$	$\frac{1}{10}$	$\frac{2}{10}$	$\frac{3}{10}$	$\frac{4}{10}$	1

$$\mathrm{E}(X)=(-1)\cdot\frac{1}{10}+0\cdot\frac{2}{10}+1\cdot\frac{3}{10}+2\cdot\frac{4}{10}=1$$

$$\mathrm{E}(X^2)=(-1)^2\cdot\frac{1}{10}+0^2\cdot\frac{2}{10}+1^2\cdot\frac{3}{10}+2^2\cdot\frac{4}{10}=2$$

$$\mathrm{V}(X)=\mathrm{E}(X^2)-\{\mathrm{E}(X)\}^2=2-1^2=1$$

$$\therefore \sigma(X)=\sqrt{\mathrm{V}(X)}=1 \qquad\qquad \text{정답\_①}$$

306

복권 한 장에서 받을 수 있는 상금을 X원이라고 할 때, 확률변수 X의 확률분포를 표로 나타내면 다음과 같다.

X	0	3000	5000	10000	합계
$\mathrm{P}(X=x)$	$\frac{65}{100}$	$\frac{20}{100}$	$\frac{10}{100}$	$\frac{5}{100}$	1

$$\mathrm{E}(X)=0\cdot\frac{65}{100}+3000\cdot\frac{20}{100}+5000\cdot\frac{10}{100}+10000\cdot\frac{5}{100}$$

$$=600+500+500=1600$$

따라서 확률변수 X의 기댓값은 1600원이다. 　　정답_⑤

307

확률변수 X가 가질 수 있는 값은 $0, 1, 2, 3$이므로 확률변수 X의 확률분포를 표로 나타내면 다음과 같다.

X	0	1	2	3	합계
$\mathrm{P}(X=x)$	$\frac{1}{6}$	$\frac{2}{6}$	$\frac{2}{6}$	$\frac{1}{6}$	1

$$\therefore \mathrm{E}(X)=0\cdot\frac{1}{6}+1\cdot\frac{2}{6}+2\cdot\frac{2}{6}+3\cdot\frac{1}{6}=\frac{3}{2} \quad \text{정답\_③}$$

308

동전의 앞면을 H, 뒷면을 T라 하고 주어진 게임의 결과를 표로 나타내면 다음과 같다.

500원	500원	100원	받는 금액(원)
H	H	H	1100
H	H	T	1000
H	T	H	600
H	T	T	500
T	H	H	600
T	H	T	500
T	T	H	100
T	T	T	0

게임에서 받을 수 있는 금액을 X원이라 하고 확률변수 X의 확률분포를 표로 나타내면 다음과 같다.

X	0	100	500	600	1000	1100	합계
$\mathrm{P}(X=x)$	$\frac{1}{8}$	$\frac{1}{8}$	$\frac{2}{8}$	$\frac{2}{8}$	$\frac{1}{8}$	$\frac{1}{8}$	1

따라서 확률변수 X의 기댓값은

$$\mathrm{E}(X)=0\cdot\frac{1}{8}+100\cdot\frac{1}{8}+500\cdot\frac{2}{8}+600\cdot\frac{2}{8}$$

$$+1000\cdot\frac{1}{8}+1100\cdot\frac{1}{8}$$

$$=550(\text{원}) \qquad\qquad \text{정답\_②}$$

309

확률변수 X가 가질 수 있는 값은 $0, 1, 2, 3$이고, 그 확률은 각각

$$\mathrm{P}(X=0)={}_3\mathrm{C}_0\left(\frac{1}{2}\right)^3=\frac{1}{8}$$

$$\mathrm{P}(X=1)={}_3\mathrm{C}_1\left(\frac{1}{2}\right)^1\left(\frac{1}{2}\right)^2=\frac{3}{8}$$

$$\mathrm{P}(X=2)={}_3\mathrm{C}_2\left(\frac{1}{2}\right)^2\left(\frac{1}{2}\right)^1=\frac{3}{8}$$

$$\mathrm{P}(X=3)={}_3\mathrm{C}_3\left(\frac{1}{2}\right)^3=\frac{1}{8}$$

따라서 확률변수 X의 확률분포를 표로 나타내면 다음과 같다.

X	0	1	2	3	합계
$\mathrm{P}(X=x)$	$\frac{1}{8}$	$\frac{3}{8}$	$\frac{3}{8}$	$\frac{1}{8}$	1

$$\mathrm{E}(X)=0\cdot\frac{1}{8}+1\cdot\frac{3}{8}+2\cdot\frac{3}{8}+3\cdot\frac{1}{8}=\frac{3}{2}$$

$$\mathrm{E}(X^2)=0^2\cdot\frac{1}{8}+1^2\cdot\frac{3}{8}+2^2\cdot\frac{3}{8}+3^2\cdot\frac{1}{8}=3$$

$$\mathrm{V}(X)=\mathrm{E}(X^2)-\{\mathrm{E}(X)\}^2=3-\left(\frac{3}{2}\right)^2=\frac{3}{4}$$

$$\therefore \sigma(X)=\sqrt{\mathrm{V}(X)}=\sqrt{\frac{3}{4}}=\frac{\sqrt{3}}{2} \qquad \text{정답\_④}$$

310

시합을 예정대로 진행했을 때, 각 팀이 우승할 확률은 다음과 같다.

1회전	2회전	3회전	우승팀	확률
B	A	A	A	$\left(\frac{3}{4}\right)^2$
B	A	B	B	$1-\left(\frac{3}{4}\right)^2$
B	B			

(i) A팀이 우승할 확률은 $\left(\frac{3}{4}\right)^2=\frac{9}{16}$, 준우승할 확률은

$$1-\left(\frac{3}{4}\right)^2=\frac{7}{16}$$이므로 A팀의 상금의 기댓값은

$$P\cdot\frac{9}{16}+\frac{P}{2}\cdot\frac{7}{16}=\frac{25}{32}P(\text{원})$$

(ii) B팀이 우승할 확률은 $\frac{7}{16}$, 준우승할 확률은 $\frac{9}{16}$이므로 B팀의 상금의 기댓값은

$$P\cdot\frac{7}{16}+\frac{P}{2}\cdot\frac{9}{16}=\frac{23}{32}P(\text{원})$$

(i), (ii)에서 A, B 두 팀의 상금의 기댓값의 비는

$\dfrac{25}{32}P : \dfrac{23}{32}P = 25 : 23$ 정답_⑤

311

$E(X) = 5, V(X) = 2, \sigma(X) = \sqrt{V(X)} = \sqrt{2}$ 이므로

$E(-3X+1) = -3E(X) + 1$
$\qquad\qquad\quad = (-3) \cdot 5 + 1 = -14$

$\sigma(-3X+1) = 3\sigma(X) = 3\sqrt{2}$ 정답_⑤

312

$E(X) = 10, \sigma(X) = 2$ 이므로

$E(aX+b) = aE(X) + b = 10a + b = 0$ ……㉠

$V(aX+b) = a^2V(X) = a^2 \cdot 2^2 = 1$

$a^2 = \dfrac{1}{4}$ $\therefore a = \dfrac{1}{2}$ ($\because a > 0$)

$a = \dfrac{1}{2}$ 을 ㉠에 대입하면 $b = -5$

$\therefore a + b = \dfrac{1}{2} + (-5) = -\dfrac{9}{2}$ 정답_④

313

$E(X) = (-2) \cdot \dfrac{1}{4} + 0 \cdot \dfrac{1}{2} + 2 \cdot \dfrac{1}{4} = 0$

$E(X^2) = (-2)^2 \cdot \dfrac{1}{4} + 0^2 \cdot \dfrac{1}{2} + 2^2 \cdot \dfrac{1}{4} = 2$

$V(X) = E(X^2) - \{E(X)\}^2 = 2$

$\sigma(X) = \sqrt{2}$

(1) $E(-5X+4) = -5E(X) + 4$
$\qquad\qquad\qquad = (-5) \cdot 0 + 4 = 4$

(2) $V(4X-3) = 4^2V(X) = 16 \cdot 2 = 32$

(3) $\sigma(3X+2) = 3\sigma(X) = 3\sqrt{2}$ 정답_(1) 4   (2) 32   (3) $3\sqrt{2}$

314

$E(6X) = 13$ 이므로 $6E(X) = 13$

$\therefore E(X) = \dfrac{13}{6}$

이때,

$E(X) = 1 \cdot \dfrac{1}{6} + 2 \cdot a + 3 \cdot b = \dfrac{13}{6}$

이므로 $2a + 3b = \dfrac{13}{6} - \dfrac{1}{6} = 2$ 정답_⑤

315

$E(Y) = 30, E(Y^2) = 1000$ 에서

$V(Y) = E(Y^2) - \{E(Y)\}^2 = 1000 - 30^2 = 100$

$Y = \dfrac{1}{2}X + 5$ 에서 $X = 2Y - 10$ 이므로

$E(X) = E(2Y-10) = 2E(Y) - 10 = 2 \cdot 30 - 10 = 50$

$V(X) = V(2Y-10) = 2^2V(Y) = 4 \cdot 100 = 400$

$\therefore \dfrac{V(X)}{E(X)} = \dfrac{400}{50} = 8$ 정답_④

316

확률의 총합은 1이므로

$\dfrac{{}_4C_1}{k} + \dfrac{{}_4C_2}{k} + \dfrac{{}_4C_3}{k} + \dfrac{{}_4C_4}{k} = 1$

$\dfrac{4}{k} + \dfrac{6}{k} + \dfrac{4}{k} + \dfrac{1}{k} = 1$

$\dfrac{15}{k} = 1$ $\therefore k = 15$

$E(X) = 2 \cdot \dfrac{4}{15} + 4 \cdot \dfrac{6}{15} + 8 \cdot \dfrac{4}{15} + 16 \cdot \dfrac{1}{15}$

$\qquad = \dfrac{80}{15} = \dfrac{16}{3}$

$\therefore E(3X+1) = 3E(X) + 1 = 3 \cdot \dfrac{16}{3} + 1 = 17$ 정답_⑤

317

확률의 총합은 1이므로

$\dfrac{2}{a} + \dfrac{3}{a} + \dfrac{3}{a} + \dfrac{2}{a} = 1, \dfrac{10}{a} = 1$ $\therefore a = 10$

$E(X) = 0 \cdot \dfrac{2}{10} + 1 \cdot \dfrac{3}{10} + 2 \cdot \dfrac{3}{10} + 3 \cdot \dfrac{2}{10} = \dfrac{3}{2}$

$E(X^2) = 0^2 \cdot \dfrac{2}{10} + 1^2 \cdot \dfrac{3}{10} + 2^2 \cdot \dfrac{3}{10} + 3^2 \cdot \dfrac{2}{10} = \dfrac{33}{10}$

$V(X) = E(X^2) - \{E(X)\}^2 = \dfrac{33}{10} - \left(\dfrac{3}{2}\right)^2 = \dfrac{21}{20}$

$\therefore V(Y) = V(10X+5) = 10^2V(X)$

$\qquad\qquad = 100 \cdot \dfrac{21}{20} = 105$ 정답_②

318

확률변수 X의 확률분포를 표로 나타내면 다음과 같다.

X	1	2	3	4	5	합계
$P(X=x)$	$\dfrac{2}{20}$	$\dfrac{3}{20}$	$\dfrac{4}{20}$	$\dfrac{5}{20}$	$\dfrac{6}{20}$	1

$E(X) = 1 \cdot \dfrac{2}{20} + 2 \cdot \dfrac{3}{20} + 3 \cdot \dfrac{4}{20} + 4 \cdot \dfrac{5}{20} + 5 \cdot \dfrac{6}{20}$

$\qquad = \dfrac{70}{20} = \dfrac{7}{2}$

$\therefore E(Y) = E(2X+8) = 2E(X) + 8$

$\qquad\qquad = 2 \cdot \dfrac{7}{2} + 8 = 15$ 정답_⑤

319

$E(X) = (-3) \cdot \dfrac{1}{10} + (-1) \cdot \dfrac{2}{10} + 1 \cdot \dfrac{3}{10} + 3 \cdot \dfrac{4}{10} = 1$

$E(X^2) = (-3)^2 \cdot \dfrac{1}{10} + (-1)^2 \cdot \dfrac{2}{10} + 1^2 \cdot \dfrac{3}{10} + 3^2 \cdot \dfrac{4}{10} = 5$

$\mathrm{V}(X)=\mathrm{E}(X^2)-\{\mathrm{E}(X)\}^2=5-1^2=4$

$\therefore \sigma(X)=\sqrt{\mathrm{V}(X)}=\sqrt{4}=2$

확률변수 Y의 평균과 표준편차가 각각 $25, 10$이므로

$\mathrm{E}(Y)=\mathrm{E}(aX+b)=a\mathrm{E}(X)+b$
$\quad\quad\quad=a+b=25$

$\sigma(Y)=\sigma(aX+b)=|a|\sigma(X)$
$\quad\quad\quad=2|a|=10$

$\therefore |a|=5, a+b=25$

이때, $a>0$이므로 $a=5, b=20$

$\therefore b-a=15$ 정답_ ②

320

주머니 안의 모든 구슬의 개수는

$1+2+3+\cdots+10=55$

이므로 확률변수 X의 확률분포를 표로 나타내면 다음과 같다.

X	1	2	3	$\cdots$	10	합계
$\mathrm{P}(X=x)$	$\frac{1}{55}$	$\frac{2}{55}$	$\frac{3}{55}$	$\cdots$	$\frac{10}{55}$	1

$\mathrm{E}(X)=1\cdot\frac{1}{55}+2\cdot\frac{2}{55}+3\cdot\frac{3}{55}+\cdots+10\cdot\frac{10}{55}$
$\quad\quad\quad=\frac{385}{55}=7$

$\therefore \mathrm{E}(5X+2)=5\mathrm{E}(X)+2=5\cdot7+2=37$ 정답_ ④

321

확률변수 X가 가질 수 있는 값은 $0, 1, 2$이고, 그 확률은 각각

$\mathrm{P}(X=0)=\frac{{}_2\mathrm{C}_0\cdot{}_3\mathrm{C}_2}{{}_5\mathrm{C}_2}=\frac{3}{10}$

$\mathrm{P}(X=1)=\frac{{}_2\mathrm{C}_1\cdot{}_3\mathrm{C}_1}{{}_5\mathrm{C}_2}=\frac{6}{10}$

$\mathrm{P}(X=2)=\frac{{}_2\mathrm{C}_2\cdot{}_3\mathrm{C}_0}{{}_5\mathrm{C}_2}=\frac{1}{10}$

따라서 확률변수 X의 확률분포를 표로 나타내면 다음과 같다.

X	0	1	2	합계
$\mathrm{P}(X=x)$	$\frac{3}{10}$	$\frac{6}{10}$	$\frac{1}{10}$	1

$\mathrm{E}(X)=0\cdot\frac{3}{10}+1\cdot\frac{6}{10}+2\cdot\frac{1}{10}=\frac{4}{5}$

$\mathrm{E}(X^2)=0^2\cdot\frac{3}{10}+1^2\cdot\frac{6}{10}+2^2\cdot\frac{1}{10}=1$

$\mathrm{V}(X)=\mathrm{E}(X^2)-\{\mathrm{E}(X)\}^2=1-\left(\frac{4}{5}\right)^2=\frac{9}{25}$

$\therefore \mathrm{V}(5X+1)=5^2\mathrm{V}(X)=25\cdot\frac{9}{25}=9$ 정답_ ⑤

322

(ⅰ) 연속하는 100개의 자연수에서 임의로 뽑은 두 수의 차의 최솟값은 1, 최댓값은 99이므로 X가 취할 수 있는 값은

$1, 2, 3, \cdots, 99$

(ⅱ) 연속하는 100개의 홀수에서 임의로 뽑은 두 수의 차는 2의 배수이고, 최솟값은 2, 최댓값은 198이므로 Y가 취할 수 있는 값은

$2, 4, 6, \cdots, 198$

(ⅲ) 연속하는 100개의 짝수에서 임의로 뽑은 두 수의 차는 2의 배수이고, 최솟값은 2, 최댓값은 198이므로 Z가 취할 수 있는 값은

$2, 4, 6, \cdots, 198$

따라서 $Y=Z=2X$이므로 $\mathrm{V}(Y)=\mathrm{V}(Z)=4\mathrm{V}(X)$

$\therefore \mathrm{V}(X)<\mathrm{V}(Y)=\mathrm{V}(Z)$ 정답_ ⑤

323

$T=a\left(\dfrac{X-m}{n}\right)+b=\dfrac{aX}{n}-\dfrac{am}{n}+b$이므로

$\mathrm{E}(T)=\mathrm{E}\left(\dfrac{aX}{n}-\dfrac{am}{n}+b\right)$
$\quad\quad\quad=\dfrac{a\mathrm{E}(X)}{n}-\dfrac{am}{n}+b$
$\quad\quad\quad=\dfrac{am}{n}-\dfrac{am}{n}+b$
$\quad\quad\quad=b=100$

$\sigma(T)=\sigma\left(\dfrac{aX}{n}-\dfrac{am}{n}+b\right)$
$\quad\quad\quad=\dfrac{|a|\sigma(X)}{n}$
$\quad\quad\quad=\dfrac{|a|n}{n}$
$\quad\quad\quad=|a|=20$

이때, $a>0$이므로 $a=20$

$\therefore a+b=20+100=120$ 정답_ ⑤

324

주사위를 10번 던졌으므로 $n=10$

5의 약수는 1, 5이므로 한 개의 주사위를 한 번 던질 때, 5의 약수의 눈이 나올 확률은

$p=\dfrac{2}{6}=\dfrac{1}{3}$ 정답_ $n=10, p=\dfrac{1}{3}$

325

$5\mathrm{P}(X=2)=2\mathrm{P}(X=4)$에서

$5\,{}_8\mathrm{C}_2p^2(1-p)^6=2\,{}_8\mathrm{C}_4p^4(1-p)^4$

$0<p<1$이므로

$p^2=(1-p)^2, 1-2p=0$

$\therefore p=\dfrac{1}{2}$

$\therefore \mathrm{P}(X=6)={}_8\mathrm{C}_6\left(\dfrac{1}{2}\right)^6\left(\dfrac{1}{2}\right)^2=\dfrac{7}{64}$ 정답_ ③

326

$\mathrm{P}(X=2)=5\mathrm{P}(X=1)$에서

$_nC_2\left(\dfrac{1}{2}\right)^2\left(\dfrac{1}{2}\right)^{n-2}=5\cdot{_nC_1}\left(\dfrac{1}{2}\right)^1\left(\dfrac{1}{2}\right)^{n-1}$

$\dfrac{n(n-1)}{2}\cdot\left(\dfrac{1}{2}\right)^n=5n\cdot\left(\dfrac{1}{2}\right)^n$, $\dfrac{n(n-1)}{2}=5n$

$n^2-11n=0$ $\quad\therefore n(n-11)=0$

이때, n은 자연수이므로 $\quad n=11$ 　　　　　　정답_ ①

327

한 개의 주사위를 한 번 던져서 3의 배수의 눈이 나올 확률은

$\dfrac{2}{6}=\dfrac{1}{3}$이므로 확률변수 X는 이항분포 $\mathrm{B}\left(6,\ \dfrac{1}{3}\right)$을 따른다.

$\therefore\ \dfrac{\mathrm{P}(X=3)}{\mathrm{P}(X=2)}=\dfrac{_6C_3\left(\dfrac{1}{3}\right)^3\left(\dfrac{2}{3}\right)^3}{_6C_2\left(\dfrac{1}{3}\right)^2\left(\dfrac{2}{3}\right)^4}=\dfrac{2}{3}$ 　　정답_ ②

328

(1) $\mathrm{E}(X)=300\cdot\dfrac{1}{4}=75$

(2) $\mathrm{V}(X)=300\cdot\dfrac{1}{4}\cdot\dfrac{3}{4}=\dfrac{225}{4}$

(3) $\sigma(X)=\sqrt{\mathrm{V}(X)}=\sqrt{\dfrac{225}{4}}=\dfrac{15}{2}$

정답_(1) 75　(2) $\dfrac{225}{4}$　(3) $\dfrac{15}{2}$

329

$\mathrm{E}(X)=200p=40$이므로 $\quad p=\dfrac{1}{5}$

$\therefore\ \mathrm{V}(X)=200\cdot\dfrac{1}{5}\cdot\dfrac{4}{5}=32$ 　　　　　정답_ ①

330

확률변수 X의 평균과 표준편차가 모두 $\dfrac{19}{20}$이므로

$\mathrm{E}(X)=np=\dfrac{19}{20}$ 　　　　　　　　……㉠

$\sigma(X)=\sqrt{npq}=\dfrac{19}{20}$ (단, $q=1-p$)

$\therefore npq=\left(\dfrac{19}{20}\right)^2$ 　　　　　　　　……㉡

㉠을 ㉡에 대입하면 $\dfrac{19}{20}q=\left(\dfrac{19}{20}\right)^2$ $\quad\therefore q=\dfrac{19}{20}$

$1-p=\dfrac{19}{20}$이므로 $\quad p=\dfrac{1}{20}$

$p=\dfrac{1}{20}$을 ㉠에 대입하면 $\quad n=19$ 　　　정답_ ②

331

$\mathrm{V}(X)=10p(1-p)=-10(p^2-p)$

$\qquad\qquad=-10\left(p-\dfrac{1}{2}\right)^2+\dfrac{5}{2}$

이므로 $\mathrm{V}(X)$는 $p=\dfrac{1}{2}$일 때 최댓값을 갖는다.

따라서 구하는 X의 평균은

$\mathrm{E}(X)=10\cdot\dfrac{1}{2}=5$ 　　　　　　　　　정답_ ④

332

확률변수 X가 이항분포 $\mathrm{B}(n,p)$를 따르므로

$\mathrm{E}(X)=np=1$ 　　　　　　　　　……㉠

$\mathrm{V}(X)=npq=\dfrac{9}{10}$ 　　　　　　　　……㉡

㉠, ㉡에서 $q=\dfrac{9}{10}$

$\therefore p=1-q=\dfrac{1}{10}$

$p=\dfrac{1}{10}$을 ㉠에 대입하면 $n=10$

$\therefore\ \mathrm{P}(X<2)=\mathrm{P}(X=0)+\mathrm{P}(X=1)$

$\qquad=_{10}C_0\left(\dfrac{9}{10}\right)^{10}+_{10}C_1\left(\dfrac{1}{10}\right)^1\left(\dfrac{9}{10}\right)^9$

$\qquad=\dfrac{19}{10}\left(\dfrac{9}{10}\right)^9$ 　　　　　　　　정답_ ①

333

한 개의 주사위를 한 번 던질 때, 3의 배수의 눈이 나올 확률은

$\dfrac{2}{6}=\dfrac{1}{3}$이므로 확률변수 X는 이항분포 $\mathrm{B}\left(90,\ \dfrac{1}{3}\right)$을 따른다.

(1) $\mathrm{E}(X)=90\cdot\dfrac{1}{3}=30$

(2) $\mathrm{V}(X)=90\cdot\dfrac{1}{3}\cdot\dfrac{2}{3}=20$

(3) $\sigma(X)=\sqrt{\mathrm{V}(X)}=\sqrt{20}=2\sqrt{5}$ 　정답_(1) 30　(2) 20　(3) $2\sqrt{5}$

334

확률변수 X가 이항분포 $\mathrm{B}\left(200,\ \dfrac{1}{10}\right)$을 따르므로

$\mathrm{E}(X)=200\cdot\dfrac{1}{10}=20$

$\sigma(X)=\sqrt{200\cdot\dfrac{1}{10}\cdot\dfrac{9}{10}}=\sqrt{18}=3\sqrt{2}$ 　　　정답_ ③

335

확률변수 X가 이항분포 $\mathrm{B}\left(9,\ \dfrac{1}{3}\right)$을 따르므로

$\mathrm{E}(X)=9\cdot\dfrac{1}{3}=3,$

$\mathrm{V}(X)=9\cdot\dfrac{1}{3}\cdot\dfrac{2}{3}=2$

$\mathrm{V}(X)=\mathrm{E}(X^2)-\{\mathrm{E}(X)\}^2$에서

$2=\mathrm{E}(X^2)-3^2$

$\therefore\ \mathrm{E}(X^2)=11$ 　　　　　　　　　　정답_ ③

336

한 개의 제품이 불량품일 확률은 $\dfrac{1}{4}$이고, 한 개의 포장하는 상자가 불량품일 확률은 $\dfrac{1}{5}$이므로 2개의 제품과 포장하는 상자가 모두 합격품일 확률은

$$\left(1-\dfrac{1}{4}\right)^2\left(1-\dfrac{1}{5}\right)=\dfrac{9}{20}$$

따라서 확률변수 X는 이항분포 $\text{B}\left(800,\ \dfrac{9}{20}\right)$를 따르므로

$$\text{V}(X)=800\cdot\dfrac{9}{20}\cdot\dfrac{11}{20}=198$$ 　　　　　　정답_②

337

확률변수 X가 이항분포 $\text{B}\left(6,\ \dfrac{2}{3}\right)$를 따르므로

$$\text{V}(X)=6\cdot\dfrac{2}{3}\cdot\dfrac{1}{3}=\dfrac{4}{3}$$

$$\therefore \text{V}(-3X+2)=(-3)^2\text{V}(X)=9\cdot\dfrac{4}{3}=12$$ 　　정답_⑤

338

확률변수 X가 이항분포 $\text{B}\left(n,\ \dfrac{1}{6}\right)$을 따르므로

$$\text{E}(X)=n\cdot\dfrac{1}{6}=\dfrac{n}{6}$$

$$\text{E}(3X+2)=3\text{E}(X)+2=3\cdot\dfrac{n}{6}+2$$

$$=\dfrac{n}{2}+2=10$$

이므로 $\dfrac{n}{2}=8$ 　　$\therefore n=16$ 　　　　정답_③

339

확률변수 X가 이항분포 $\text{B}\left(18,\ \dfrac{1}{3}\right)$을 따르므로

$$\text{E}(X)=18\cdot\dfrac{1}{3}=6$$

$$\sigma(X)=\sqrt{18\cdot\dfrac{1}{3}\cdot\dfrac{2}{3}}=\sqrt{4}=2$$

$$\therefore \text{E}\left(\dfrac{X-\sigma(X)}{\sigma(X)}\right)+\sigma\left(\dfrac{X-\text{E}(X)}{\text{E}(X)}\right)$$

$$=\text{E}\left(\dfrac{X-2}{2}\right)+\sigma\left(\dfrac{X-6}{6}\right)$$

$$=\text{E}\left(\dfrac{1}{2}X-1\right)+\sigma\left(\dfrac{1}{6}X-1\right)$$

$$=\dfrac{1}{2}\text{E}(X)-1+\dfrac{1}{6}\sigma(X)$$

$$=\dfrac{1}{2}\cdot6-1+\dfrac{1}{6}\cdot2=\dfrac{7}{3}$$ 　　　　　　정답_①

340

확률변수 X가 이항분포 $\text{B}\left(10,\ \dfrac{1}{2}\right)$을 따르므로

$$\text{E}(X)=10\cdot\dfrac{1}{2}=5$$

$$\therefore \text{E}(2X+1)=2\text{E}(X)+1=2\cdot5+1=11$$

따라서 구하는 상금의 기댓값은 11원이다. 　　　　정답_③

341

확률변수 X는 이항분포 $\text{B}\left(40,\ \dfrac{1}{4}\right)$을 따르므로

$$\text{V}(X)=40\cdot\dfrac{1}{4}\cdot\dfrac{3}{4}=\dfrac{15}{2}$$

$$\therefore \text{V}(2X-1)=2^2\text{V}(X)=4\cdot\dfrac{15}{2}=30$$ 　　정답_②

342

K군을 지지할 확률은 $\dfrac{25}{100}=\dfrac{1}{4}$이므로 확률변수 X는 이항분포 $\text{B}\left(48,\ \dfrac{1}{4}\right)$을 따른다.

$$\therefore \sigma(X)=\sqrt{48\cdot\dfrac{1}{4}\cdot\dfrac{3}{4}}=\sqrt{9}=3$$

$$\therefore \sigma(3X-1)=3\sigma(X)=3\cdot3=9$$ 　　　　정답_①

343

동전 한 개를 1000번 던졌을 때 앞면이 대략 k번 나온다고 생각하면 큰 수의 법칙에 의해 시행 횟수가 충분히 클 때 통계적 확률은 수학적 확률에 가까워지므로

$$\dfrac{k}{1000}=\dfrac{1}{2}$$에서 　$k=500$

따라서 앞면은 대략 500번 정도 나올 수 있다. 　　정답_500번

344

시행 횟수 n을 크게 할수록, 사건 A가 일어나는 횟수에 대한 상대도수인 ⑺ 통계적 확률이 사건 A가 일어나는 ⒩ 수학적 확률에 가까워짐을 뜻한다. 큰수의 법칙에 의해 자연현상이나 사회현상에 대하여 ㈐ 수학적 확률을 알 수 없는 경우에는 ⑺ 통계적 확률을 대신 사용할 수 있다. 　　　　　　정답_⑤

345

$$\text{P}\left(\left|\dfrac{X}{10}-\dfrac{1}{6}\right|<0.1\right)$$

$$=\text{P}\left(-0.1<\dfrac{X}{10}-\dfrac{1}{6}<0.1\right)$$

$$=\text{P}\left(\dfrac{1}{6}-0.1<\dfrac{X}{10}<\dfrac{1}{6}+0.1\right)$$

$$=\text{P}\left(\dfrac{4}{60}<\dfrac{X}{10}<\dfrac{16}{60}\right)=\text{P}\left(\dfrac{2}{3}<X<\dfrac{8}{3}\right)$$

$$=\text{P}(X=1)+\text{P}(X=2)$$

$$=0.323+0.291=0.614$$ 　　　　　　정답_④

346

확률의 총합은 1이므로

$$\dfrac{2}{a}+\dfrac{6}{a}+\dfrac{12}{a}=1,\ \dfrac{20}{a}=1$$ 　　$\therefore a=20$ ⋯⋯⋯ ❶

$X^2-4X+3<0$에서 $(X-1)(X-3)<0$

$\therefore 1<X<3$

$\therefore \mathrm{P}(X^2-4X+3<0)=\mathrm{P}(1<X<3)=\mathrm{P}(X=2)$

$$=\frac{6}{20}=\frac{3}{10} \quad \text{❷}$$

정답_ $\frac{3}{10}$

단계	채점 기준	비율
❶	a의 값 구하기	50%
❷	$\mathrm{P}(X^2-4X+3<0)$ 구하기	50%

347

$\mathrm{P}(X\geq3)=\mathrm{P}(X=3)+\mathrm{P}(X=4)$

$$=\frac{2+a}{6}+\frac{1}{6}$$

$$=\frac{3+a}{6}=\frac{2}{3}$$

에서 $3(3+a)=12, 3+a=4$

$\therefore a=1 \quad \text{❶}$

$\mathrm{E}(X)=1\cdot\frac{1}{6}+2\cdot\frac{1}{6}+3\cdot\frac{3}{6}+4\cdot\frac{1}{6}=\frac{8}{3} \quad \text{❷}$

$\therefore \mathrm{E}(6X+5)=6\mathrm{E}(X)+5$

$$=6\cdot\frac{8}{3}+5=21 \quad \text{❸}$$

정답_ 21

단계	채점 기준	비율
❶	a의 값 구하기	40%
❷	$\mathrm{E}(X)$의 값 구하기	40%
❸	$\mathrm{E}(6X+5)$의 값 구하기	20%

348

확률의 총합은 1이므로

$a+3a+7a+13a=1, 24a=1$

$\therefore a=\frac{1}{24} \quad \text{❶}$

따라서 확률변수 X의 확률분포를 표로 나타내면 다음과 같다.

X	0	1	2	3	합계
$\mathrm{P}(X=x)$	$\frac{1}{24}$	$\frac{3}{24}$	$\frac{7}{24}$	$\frac{13}{24}$	1

❷

$\mathrm{E}(X)=0\cdot\frac{1}{24}+1\cdot\frac{3}{24}+2\cdot\frac{7}{24}+3\cdot\frac{13}{24}$

$$=\frac{56}{24}=\frac{7}{3}$$

$\mathrm{E}(X^2)=0^2\cdot\frac{1}{24}+1^2\cdot\frac{3}{24}+2^2\cdot\frac{7}{24}+3^2\cdot\frac{13}{24}$

$$=\frac{148}{24}=\frac{37}{6}$$

$\mathrm{V}(X)=\mathrm{E}(X^2)-\{\mathrm{E}(X)\}^2$

$$=\frac{37}{6}-\left(\frac{7}{3}\right)^2=\frac{13}{18}$$

따라서 $p=18, q=13$이므로

$p+q=18+13=31 \quad \text{❸}$

정답_ 31

단계	채점 기준	비율
❶	a의 값 구하기	30%
❷	확률변수 X의 확률분포를 표로 나타내기	20%
❸	$p+q$의 값 구하기	50%

349

뒤집은 3개의 동전의 종류에 따라 다음의 네 가지 경우로 분류할 수 있다.

(i) 뒤집은 동전이 앞면 3개일 때

뒤집은 후 앞면은 1개이고, 그 확률은

$$\frac{{}_4\mathrm{C}_3}{{}_7\mathrm{C}_3}=\frac{4}{35}$$

(ii) 뒤집은 동전이 앞면 2개, 뒷면 1개일 때

뒤집은 후 앞면은 3개이고, 그 확률은

$$\frac{{}_4\mathrm{C}_2\cdot{}_3\mathrm{C}_1}{{}_7\mathrm{C}_3}=\frac{18}{35}$$

(iii) 뒤집은 동전이 앞면 1개, 뒷면 2개일 때

뒤집은 후 앞면은 5개이고, 그 확률은

$$\frac{{}_4\mathrm{C}_1\cdot{}_3\mathrm{C}_2}{{}_7\mathrm{C}_3}=\frac{12}{35}$$

(iv) 뒤집은 동전이 뒷면 3개일 때

뒤집은 후 앞면은 7개이고, 그 확률은

$$\frac{{}_3\mathrm{C}_3}{{}_7\mathrm{C}_3}=\frac{1}{35} \quad \text{❶}$$

따라서 확률변수 X의 확률분포를 표로 나타내면 다음과 같다.

X	1	3	5	7	합계
$\mathrm{P}(X=x)$	$\frac{4}{35}$	$\frac{18}{35}$	$\frac{12}{35}$	$\frac{1}{35}$	1

❷

$\mathrm{E}(X)=1\cdot\frac{4}{35}+3\cdot\frac{18}{35}+5\cdot\frac{12}{35}+7\cdot\frac{1}{35}$

$$=\frac{125}{35}=\frac{25}{7}$$

따라서 $m=7, n=25$이므로

$m+n=7+25=32 \quad \text{❸}$

정답_ 32

단계	채점 기준	비율
❶	경우에 따른 확률 구하기	30%
❷	확률변수 X의 확률분포를 표로 나타내기	20%
❸	$m+n$의 값 구하기	50%

350

확률변수 X는 이항분포 $\mathrm{B}\left(20, \frac{1}{6}\right)$을 따르므로

$\mathrm{V}(X)=20\cdot\frac{1}{6}\cdot\frac{5}{6}=\frac{25}{9} \quad \text{❶}$

확률변수 Y는 이항분포 $\mathrm{B}\left(n, \dfrac{1}{2}\right)$을 따르므로

$$\mathrm{V}(Y)=n\cdot\dfrac{1}{2}\cdot\dfrac{1}{2}=\dfrac{n}{4}$$ ────────── ❷

$\mathrm{V}(Y)>\mathrm{V}(X)$에서 $\dfrac{n}{4}>\dfrac{25}{9}$ $\therefore n>\dfrac{100}{9}=11.11\cdots$

따라서 구하는 n의 최솟값은 12이다. ────────── ❸

정답_ 12

단계	채점 기준	비율
❶	$\mathrm{V}(X)$의 값 구하기	30%
❷	$\mathrm{V}(Y)$를 n에 대한 식으로 나타내기	30%
❸	n의 최솟값 구하기	40%

351

확률변수 X가 이항분포 $\mathrm{B}(n,\ p)$를 따르므로

$\mathrm{E}(X)=np$

$\sigma(X)=\sqrt{np(1-p)}$

$\mathrm{E}(2X+1)=2\mathrm{E}(X)+1=2np+1=129$

$\therefore np=64$ ┈┈┈┈┈ ㉠

────────────────────────── ❶

$\sigma(2X+1)=2\sigma(X)=2\sqrt{np(1-p)}=8\sqrt{3}$ ┈┈┈┈┈ ㉡

㉠을 ㉡에 대입하면

$\sqrt{64(1-p)}=4\sqrt{3},\,1-p=\dfrac{3}{4}$

$\therefore p=\dfrac{1}{4}$ ────────── ❷

$p=\dfrac{1}{4}$을 ㉠에 대입하면 $n=256$ ────────── ❸

정답_ 256

단계	채점 기준	비율
❶	np의 값 구하기	40%
❷	p의 값 구하기	40%
❸	n의 값 구하기	20%

352

ㄱ은 옳다.

$\begin{aligned}G(3)&=\mathrm{P}(X>3)=1-\mathrm{P}(0\le X\le 3)\\&=1-F(3)\end{aligned}$

ㄴ은 옳지 않다.

$\begin{aligned}\mathrm{P}(3\le X\le 8)&=\mathrm{P}(0\le X\le 8)-\mathrm{P}(0\le X\le 2)\\&=F(8)-F(2)\end{aligned}$

ㄷ도 옳다.

$\begin{aligned}\mathrm{P}(3\le X\le 8)&=\mathrm{P}(0\le X\le 8)-\mathrm{P}(0\le X\le 2)\\&=\{1-\mathrm{P}(X>8)\}-\{1-\mathrm{P}(X>2)\}\\&=\{1-G(8)\}-\{1-G(2)\}\\&=G(2)-G(8)\end{aligned}$

따라서 옳은 것은 ㄱ, ㄷ이다. 정답_ ④

353

앞면이 나오는 횟수를 a, 뒷면이 나오는 횟수를 b라고 하면 순서쌍 $(a,\ b)$는

$(0,\ 5),(1,\ 4),(2,\ 3),(3,\ 2),(4,\ 1),(5,\ 0)$

이때, $X=|a-b|$이므로 X가 가질 수 있는 값은 1, 3, 5이고, 그 확률은 각각

$\begin{aligned}\mathrm{P}(X=1)&={}_5\mathrm{C}_2\left(\dfrac{1}{2}\right)^2\left(\dfrac{1}{2}\right)^3+{}_5\mathrm{C}_3\left(\dfrac{1}{2}\right)^3\left(\dfrac{1}{2}\right)^2\\&=\dfrac{5}{16}+\dfrac{5}{16}=\dfrac{5}{8}\end{aligned}$

$\begin{aligned}\mathrm{P}(X=3)&={}_5\mathrm{C}_1\left(\dfrac{1}{2}\right)^1\left(\dfrac{1}{2}\right)^4+{}_5\mathrm{C}_4\left(\dfrac{1}{2}\right)^4\left(\dfrac{1}{2}\right)^1\\&=\dfrac{5}{32}+\dfrac{5}{32}=\dfrac{5}{16}\end{aligned}$

$\begin{aligned}\mathrm{P}(X=5)&={}_5\mathrm{C}_0\left(\dfrac{1}{2}\right)^5+{}_5\mathrm{C}_5\left(\dfrac{1}{2}\right)^5\\&=\dfrac{1}{32}+\dfrac{1}{32}=\dfrac{1}{16}\end{aligned}$

따라서 확률변수 X의 확률분포를 표로 나타내면 다음과 같다.

X	1	3	5	합계
$\mathrm{P}(X=x)$	$\dfrac{5}{8}$	$\dfrac{5}{16}$	$\dfrac{1}{16}$	1

$\therefore \mathrm{E}(X)=1\cdot\dfrac{5}{8}+3\cdot\dfrac{5}{16}+5\cdot\dfrac{1}{16}=\dfrac{15}{8}$

정답_ ④

354

5, 6, 7, 8, 9 중에서 서로 다른 2개의 숫자를 택하여 순서대로 입력하는 모든 경우의 수는

${}_5\mathrm{P}_2=5\cdot4=20$

따라서 한 번의 시도에서 비밀번호를 맞힐 확률은 $\dfrac{1}{20}$이다.

처음 입력할 때부터 로그인될 때까지 걸리는 시간을 X초라고 하면

$\begin{aligned}\mathrm{P}(X=10)&=(첫\ 번째\ 시도에서\ 로그인될\ 확률)\\&=\dfrac{1}{20}\end{aligned}$

$\begin{aligned}\mathrm{P}(X=20)&=(두\ 번째\ 시도에서\ 로그인될\ 확률)\\&=\dfrac{19}{20}\cdot\dfrac{1}{19}\\&=\dfrac{1}{20}\end{aligned}$

$\begin{aligned}\mathrm{P}(X=30)&=(세\ 번째\ 시도에서\ 로그인될\ 확률)\\&=\dfrac{19}{20}\cdot\dfrac{18}{19}\cdot\dfrac{1}{18}\\&=\dfrac{1}{20}\end{aligned}$

$\vdots$

$\begin{aligned}\mathrm{P}(X=200)&=(20번째\ 시도에서\ 로그인될\ 확률)\\&=\dfrac{19}{20}\cdot\dfrac{18}{19}\cdot\cdots\cdot\dfrac{1}{2}\cdot1\\&=\dfrac{1}{20}\end{aligned}$

따라서 확률변수 X의 확률분포를 표로 나타내면 다음과 같다.

X	10	20	30	⋯	190	200	합계
$P(X=x)$	$\frac{1}{20}$	$\frac{1}{20}$	$\frac{1}{20}$	⋯	$\frac{1}{20}$	$\frac{1}{20}$	1

$$E(X)=10\cdot\frac{1}{20}+20\cdot\frac{1}{20}+30\cdot\frac{1}{20}+\cdots+200\cdot\frac{1}{20}$$
$$=\frac{1}{2}(1+2+3+\cdots+20)$$
$$=\frac{1}{2}\cdot 210=105$$

즉, 구하는 시간의 기댓값은 105초=1분 45초이다.　　정답_ ③

355

7개의 관광 코스와 내야 하는 요금의 합은

$P \rightarrow A \rightarrow B \rightarrow C \rightarrow D \rightarrow E \rightarrow Q$: 70000원
$P \rightarrow A \rightarrow B \rightarrow D \rightarrow E \rightarrow Q$: 56000원
$P \rightarrow A \rightarrow B \rightarrow E \rightarrow Q$: 42000원
$P \rightarrow A \rightarrow C \rightarrow B \rightarrow D \rightarrow E \rightarrow Q$: 70000원
$P \rightarrow A \rightarrow C \rightarrow B \rightarrow E \rightarrow Q$: 56000원
$P \rightarrow A \rightarrow C \rightarrow D \rightarrow B \rightarrow E \rightarrow Q$: 70000원
$P \rightarrow A \rightarrow C \rightarrow D \rightarrow E \rightarrow Q$: 56000원

따라서 확률변수 X의 확률분포를 표로 나타내면 다음과 같다.

X	42000	56000	70000	합계
$P(X=x)$	$\frac{1}{7}$	$\frac{3}{7}$	$\frac{3}{7}$	1

$$E(X)=42000\cdot\frac{1}{7}+56000\cdot\frac{3}{7}+70000\cdot\frac{3}{7}=60000$$

$$\therefore E\left(\frac{X}{1000}\right)=\frac{1}{1000}E(X)$$
$$=\frac{60000}{1000}=60$$

따라서 확률변수 $\frac{X}{1000}$의 기댓값은 60원이다.　　정답_ ③

356

짝수가 나오는 횟수를 a, 홀수가 나오는 횟수를 b라고 하면 순서 쌍 $(a,\ b)$는
$(0,\ 6),(1,\ 5),(2,\ 4),(3,\ 3),(4,\ 2),(5,\ 1),(6,\ 0)$
이때, $X=(a-b)^2$이므로 X가 가질 수 있는 값은
$0,\ 4,\ 16,\ 36$
이고 그 확률은 각각

$$P(X=0)={}_6C_3\left(\frac{1}{2}\right)^3\left(\frac{1}{2}\right)^3=20\left(\frac{1}{2}\right)^6$$

$$P(X=4)={}_6C_2\left(\frac{1}{2}\right)^2\left(\frac{1}{2}\right)^4+{}_6C_4\left(\frac{1}{2}\right)^4\left(\frac{1}{2}\right)^2$$
$$=15\left(\frac{1}{2}\right)^6+15\left(\frac{1}{2}\right)^6$$
$$=30\left(\frac{1}{2}\right)^6$$

$$P(X=16)={}_6C_1\left(\frac{1}{2}\right)^1\left(\frac{1}{2}\right)^5+{}_6C_5\left(\frac{1}{2}\right)^5\left(\frac{1}{2}\right)^1$$
$$=6\left(\frac{1}{2}\right)^6+6\left(\frac{1}{2}\right)^6$$
$$=12\left(\frac{1}{2}\right)^6$$

$$P(X=36)={}_6C_0\left(\frac{1}{2}\right)^6+{}_6C_6\left(\frac{1}{2}\right)^6$$
$$=\left(\frac{1}{2}\right)^6+\left(\frac{1}{2}\right)^6$$
$$=2\left(\frac{1}{2}\right)^6$$

따라서 확률변수 X의 확률분포를 표로 나타내면 다음과 같다.

X	0	4	16	36	합계
$P(X=x)$	$20\left(\frac{1}{2}\right)^6$	$30\left(\frac{1}{2}\right)^6$	$12\left(\frac{1}{2}\right)^6$	$2\left(\frac{1}{2}\right)^6$	1

$$E(X)=0\cdot 20\left(\frac{1}{2}\right)^6+4\cdot 30\left(\frac{1}{2}\right)^6+16\cdot 12\left(\frac{1}{2}\right)^6+36\cdot 2\left(\frac{1}{2}\right)^6$$
$$=\frac{1}{2^6}(120+192+72)$$
$$=\frac{384}{64}=6$$
$$\therefore E(6X+1)=6E(X)+1=6\cdot 6+1=37$$　　정답_ ④

357

$i=1,2,3,4,5$일 때, 두 점 P_i, Q_i에서 x축에 내린 수선의 발을 각각 R_i, S_i라 하고, 점 P_i의 x좌표를 a_i, 점 Q_i의 x좌표를 b_i라고 하면 $\triangle OP_iR_i \backsim \triangle OQ_iS_i$이므로

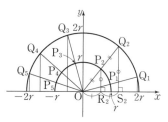

$b_i=2a_i$

따라서 a_i의 평균을 m_a, 표준편차를 σ_a, b_i의 평균을 m_b, 표준편차를 σ_b라고 하면

(i) $m_a=10$에서
$m_b=2m_a=2\cdot 10=20$

(ii) $\sigma_a=\frac{5}{2}$에서
$\sigma_b=|2|\sigma_a=2\cdot\frac{5}{2}=5$

$\therefore m_b\sigma_b=20\cdot 5=100$　　정답_ ①

358

정사각형 9개 중에서 3개를 색칠하는 모든 경우의 수는

$${}_9C_3=\frac{9\cdot 8\cdot 7}{3\cdot 2\cdot 1}=84$$

유형 1의 경우의 수는　$3\cdot 2=6$
유형 2의 경우의 수는　$4\cdot 4=16$
유형 3의 경우의 수는　$84-6-16=62$

따라서 확률변수 X의 확률분포를 표로 나타내면 다음과 같다.

X	1	2	3	합계
$P(X=x)$	$\frac{6}{84}$	$\frac{16}{84}$	$\frac{62}{84}$	1

$$E(X)=1\cdot\frac{6}{84}+2\cdot\frac{16}{84}+3\cdot\frac{62}{84}=\frac{8}{3}$$

$$\therefore E(42X)=42E(X)=42\cdot\frac{8}{3}=112 \qquad \text{정답\_②}$$

359

a, b가 나오는 전체 경우의 수는 $6^2=36$

$1\le a\le 6, 1\le b\le 6$이므로 $a^2+b^2\le 10$을 만족시키는 순서쌍 (a, b)는

$(1, 1), (1, 2), (1, 3), (2, 1), (2, 2), (3, 1)$

의 6가지이므로 사건 E가 일어날 확률은 $\frac{6}{36}=\frac{1}{6}$

따라서 확률변수 X는 이항분포 $B\left(36, \frac{1}{6}\right)$을 따르므로

$$V(X)=36\cdot\frac{1}{6}\cdot\frac{5}{6}=5 \qquad \text{정답\_④}$$

06 정규분포

360

전구의 수명, 전구의 무게는 어떤 범위의 모든 실수의 값을 갖지만 전구의 개수는 그렇지 않다. 따라서 X, Y는 연속확률변수이고 Z는 이산확률변수이다. $\qquad$ 정답_②

361

$0\le x\le 4$에서 $f(x)=ax$의 그래프는 오른쪽 그림과 같다.

$f(x)=ax$의 그래프와 x축 및 직선 $x=4$로 둘러싸인 부분의 넓이가 1이므로

$$\frac{1}{2}\cdot 4\cdot 4a=1, 8a=1$$

$$\therefore a=\frac{1}{8} \qquad \text{정답\_}\frac{1}{8}$$

362

구간을 나누어 $y=f(x)$의 그래프를 그리면 오른쪽 그림과 같다.

$y=f(x)$와 x축 및 두 직선 $x=0, x=2$로 둘러싸인 부분의 넓이가 1이므로

$$\frac{1}{2}\cdot(a+2a)\cdot 1+1\cdot 2a=1$$

$$\frac{3}{2}a+2a=1, \frac{7}{2}a=1 \qquad \therefore a=\frac{2}{7} \qquad \text{정답\_②}$$

363

$0\le x\le 2$에서 $f(x)=\frac{1}{2}x$의 그래프는 오른쪽 그림과 같다.

$P(0\le X\le 1)$은 $f(x)=\frac{1}{2}x$의 그래프와 x축 및 직선 $x=1$로 둘러싸인 부분의 넓이와 같으므로 구하는 확률은

$$\frac{1}{2}\cdot 1\cdot\frac{1}{2}=\frac{1}{4} \qquad \text{정답\_}\frac{1}{4}$$

364

(1) $f(x)=\frac{a}{4}x \ (0\le x\le 4)$이므로

$$\frac{1}{2}\cdot 4\cdot a=1, 2a=1 \qquad \therefore a=\frac{1}{2}$$

(2) $f(x)=\frac{1}{8}x \ (0\le x\le 4)$이므로

$$P(0\le X\le 1)=\frac{1}{2}\cdot\frac{1}{8}\cdot 1=\frac{1}{16} \qquad \text{정답\_(1) }\frac{1}{2} \ \text{(2) }\frac{1}{16}$$

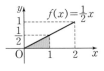

365

$y=f(x)$의 그래프와 x축으로 둘러싸인 부분의 넓이가 1이므로

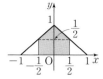

$$\frac{1}{2}\cdot 2\cdot a=1 \qquad \therefore a=1$$

$$\therefore \mathrm{P}\!\left(-\frac{1}{2}\le X\le\frac{1}{2}\right)$$

$$=\mathrm{P}\!\left(-\frac{1}{2}\le X\le 0\right)+\mathrm{P}\!\left(0\le X\le\frac{1}{2}\right)$$

$$=2\mathrm{P}\!\left(0\le X\le\frac{1}{2}\right)$$

$$=2\left\{\frac{1}{2}\cdot\left(1+\frac{1}{2}\right)\cdot\frac{1}{2}\right\}$$

$$=\frac{3}{4}$$

정답_ ⑤

366

$0\le x\le 3$에서 $f(x)=ax+\frac{1}{2}$의 그래프는 오른쪽 그림과 같다.

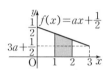

(1) $0\le x\le 3$에서 $f(x)=ax+\frac{1}{2}$의 그래프와 x축 및 두 직선 $x=0$, $x=3$으로 둘러싸인 부분의 넓이가 1이므로

$$\frac{1}{2}\cdot\left(\frac{1}{2}+3a+\frac{1}{2}\right)\cdot 3=1,\ 3a=-\frac{1}{3}$$

$$\therefore a=-\frac{1}{9}$$

(2) $f(x)=-\frac{1}{9}x+\frac{1}{2}$이므로

$$\mathrm{P}(1\le X\le 2)=\frac{1}{2}\cdot\{f(1)+f(2)\}\cdot 1$$

$$=\frac{1}{2}\cdot\left(\frac{7}{18}+\frac{5}{18}\right)\cdot 1=\frac{1}{3}$$

정답_ (1) $-\frac{1}{9}$ (2) $\frac{1}{3}$

367

$0\le x\le 4$에서 $f(x)=a(4-x)$의 그래프는 오른쪽 그림과 같다.

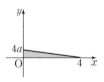

(1) $0\le x\le 4$에서 $y=f(x)$의 그래프와 x축 및 y축으로 둘러싸인 부분의 넓이가 1이므로

$$\frac{1}{2}\cdot 4\cdot 4a=1,\ 8a=1 \qquad \therefore a=\frac{1}{8}$$

(2) $f(x)=\frac{1}{8}(4-x)$이므로

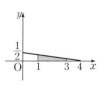

$$\mathrm{P}(1\le X\le 3)$$

$$=\frac{1}{2}\cdot\{f(1)+f(3)\}\cdot 2$$

$$=\frac{1}{2}\cdot\left(\frac{3}{8}+\frac{1}{8}\right)\cdot 2=\frac{1}{2}$$

정답_ (1) $\frac{1}{8}$ (2) $\frac{1}{2}$

368

확률밀도함수의 그래프와 x축으로 둘러싸인 부분의 넓이가 1이므로

$$\frac{1}{2}\cdot 8\cdot b=1 \qquad \therefore b=\frac{1}{4}$$

$\mathrm{P}(0\le X\le a)=\frac{3}{8}$이므로

$$\frac{1}{2}\cdot a\cdot\frac{1}{4}=\frac{3}{8}$$

$$\therefore a=3$$

$$\therefore a+4b=3+1=4$$

정답_ ④

369

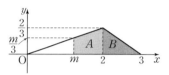

$\mathrm{P}(m\le X\le 2)$는 A 부분의 넓이이므로

$$\mathrm{P}(m\le X\le 2)=\frac{1}{2}\left(\frac{m}{3}+\frac{2}{3}\right)(2-m)=\frac{2}{3}-\frac{m^2}{6}$$

$\mathrm{P}(2\le X\le 3)$은 B 부분의 넓이이므로

$$\mathrm{P}(2\le X\le 3)=\frac{1}{2}\cdot 1\cdot\frac{2}{3}=\frac{1}{3}$$

$\mathrm{P}(m\le X\le 2)=\mathrm{P}(2\le X\le 3)$에서

$$\frac{2}{3}-\frac{m^2}{6}=\frac{1}{3},\ m^2=2$$

$$\therefore m=\sqrt{2}\ (\because m>0)$$

정답_ ④

370

① $-1\le x\le 1$에서 $f(x)\ge 0$이고 $f(x)$의 그래프와 x축 및 직선 $x=-1$, $x=1$로 둘러싸인 부분의 넓이는 $2\cdot\left(\frac{1}{2}\cdot 1\cdot 1\right)=1$이므로 확률밀도함수의 그래프이다.

② $-1<x<1$에서 $f(x)<0$이므로 확률밀도함수의 그래프가 아니다.

③ $-1\le x\le 1$에서 $f(x)\ge 0$이지만 $f(x)$의 그래프와 x축으로 둘러싸인 부분의 넓이가 $\pi\cdot 1^2\cdot\frac{1}{2}=\frac{\pi}{2}\ne 1$이므로 확률밀도함수의 그래프가 아니다.

④ $-1\le x\le 1$에서 $f(x)>0$이지만 $f(x)$의 그래프와 x축 및 두 직선 $x=-1$, $x=1$로 둘러싸인 부분의 넓이가 $2\cdot 1=2$이므로 확률밀도함수의 그래프가 아니다.

⑤ $-1\le x<0$에서 $f(x)<0$이므로 확률밀도함수의 그래프가 아니다.

따라서 확률밀도함수의 그래프가 될 수 있는 것은 ①이다.

정답_ ①

371

X의 확률밀도함수가 되려면 $0 \le x \le 1$에서 $f(x) \ge 0$이고 $f(x)$의 그래프와 x축 및 직선 $x=0$, $x=1$로 둘러싸인 부분의 넓이가 1이 되어야 한다.

ㄱ. $0 \le x \le 1$에서 $f(x) > 0$이지만 $1 \cdot 2 = 2$이므로 X의 확률밀도함수가 아니다.

ㄴ. $0 \le x < \dfrac{1}{4}$에서 $f(x) < 0$이므로 X의 확률밀도함수가 아니다.

ㄷ. $0 \le x \le 1$에서 $f(x) > 0$이고 $\dfrac{1}{2} \cdot \left(\dfrac{1}{2} + \dfrac{3}{2} \right) \cdot 1 = 1$이므로 X의 확률밀도함수이다.

따라서 확률밀도함수가 될 수 있는 것은 ㄷ이다.
　　　　　　　　　　　　　　　　　　　정답_ ③

372

$y = f(x)$가 확률밀도함수이므로 $y = f(x)$의 그래프와 x축으로 둘러싸인 부분의 넓이는 1이다.

즉, $\dfrac{1}{2}ab = 1$에서 $ab = 2$

ㄱ. $y = b$의 그래프는 오른쪽 그림과 같고, 색칠한 부분의 넓이는 $ab = 2$이므로 확률밀도함수가 아니다.

ㄴ. $y = \dfrac{b}{a}x$의 그래프는 오른쪽 그림과 같고, 색칠한 부분의 넓이는 $\dfrac{1}{2}ab = 1$이며 $0 \le x \le a$에서 $y \ge 0$이므로 확률밀도함수이다.

ㄷ. $y = -f(x)$의 그래프는 $y = f(x)$의 그래프를 x축에 대하여 대칭이동한 것이므로 [그림1]과 같다.

$y = -f(x) + b$의 그래프는 $y = -f(x)$의 그래프를 y축의 방향으로 b만큼 평행이동한 것이므로 [그림2]와 같다.

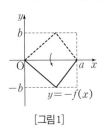

[그림1]

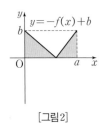

[그림2]

[그림2]에서 색칠한 부분의 넓이는 $ab - \dfrac{1}{2}ab = \dfrac{1}{2}ab = 1$이고, $0 \le x \le a$에서 $y \ge 0$이므로 $y = -f(x) + b$는 확률밀도함수이다.

따라서 확률밀도함수인 것은 ㄴ, ㄷ이다.
　　　　　　　　　　　　　　　　　　　정답_ ⑤

373

평균이 클수록 대칭축이 오른쪽에 있으므로 평균이 가장 큰 것은 B이고, 표준편차가 클수록 높이는 낮아지고 폭이 넓어지므로 표준편차가 가장 큰 것은 C이다.
　　　　　　　　　　　　　　　　　　　정답_ ④

374

평균이 작을수록 대칭축은 왼쪽에 위치하고, 표준편차가 작을수록 곡선의 높이는 높아지면서 폭은 좁아진다. 따라서 구하는 그래프는 ⑤이다.
　　　　　　　　　　　　　　　　　　　정답_ ⑤

375

ㄱ은 옳지 않다.

A, B 두 고등학교는 평균은 같은데 표준편차가 B 고등학교보다 A 고등학교가 더 크다. 따라서 성적이 우수한 학생은 B 고등학교보다 A 고등학교에 더 많이 있다.

ㄴ도 옳지 않다.

A, B 두 고등학교의 평균이 같으므로 두 학교의 성적은 평균적으로 같다.

ㄷ은 옳다.

B 고등학교가 C 고등학교보다 표준편차가 작으므로 B 고등학교 학생들이 C 고등학교 학생들에 비하여 성적이 더 고르다.

따라서 옳은 것은 ㄷ이다.
　　　　　　　　　　　　　　　　　　　정답_ ③

376

(i) $m > 0$에서 $2m > m$이므로 $N(2m, 1^2)$과 $N(2m, 2^2)$의 정규분포곡선의 대칭축이 $N(m, 2^2)$의 정규분포곡선보다 더 오른쪽에 있다.

따라서 $N(m, 2^2)$의 정규분포곡선은 A이다.

(ii) $N(m, 2^2)$과 $N(2m, 2^2)$의 표준편차가 4로 같으므로 두 정규분포곡선은 같은 모양이다.

따라서 $N(2m, 2^2)$의 정규분포곡선은 C이다.

(iii) $N(2m, 1^2)$의 표준편차가 $N(2m, 2^2)$의 표준편차보다 작으므로 $N(2m, 1^2)$의 정규분포곡선이 $N(2m, 2^2)$보다 더 높으면서 폭은 좁다.

따라서 $N(2m, 1^2)$의 정규분포곡선은 B이다.

(i), (ii), (iii)에서 정규분포곡선은 차례대로 B, C, A이다.
　　　　　　　　　　　　　　　　　　　정답_ ④

377

ㄱ은 옳다.

  평균은 대칭축의 x좌표이므로 $E(X)=m_2, E(Y)=m_1$

  이때, $m_2>m_1$이므로 $E(X)>E(Y)$

ㄴ도 옳다.

  $y=f(x)$의 그래프보다 $y=g(x)$의 그래프가 높이는 낮고 폭은 넓으므로 Y의 표준편차가 X의 표준편차보다 크다.

  $\therefore \sigma(X)<\sigma(Y)$

ㄷ은 옳지 않다.

  $f(m_2)>g(m_1)$이므로 $f(E(X))>g(E(Y))$

따라서 옳은 것은 ㄱ, ㄴ이다.   정답_ ②

378

ㄱ은 옳다.

  모든 실수 x에서 정의된 정규분포곡선과 x축으로 둘러싸인 부분의 넓이는 1이므로

  $P(-\infty\leq X\leq\infty)=1$

ㄴ도 옳다.

  정규분포곡선은 직선 $x=m$에 대하여 대칭이므로

  $P(X\leq m)=P(X\geq m)=0.5$

ㄷ도 옳다.

  연속확률변수 X가 어떤 특정한 값을 가질 확률은 0이므로 임의의 실수 a에 대하여

  $P(X=a)=0$

따라서 옳은 것은 ㄱ, ㄴ, ㄷ이다.   정답_ ⑤

379

ㄱ은 옳다.

  $P(m-\sigma\leq X\leq m+\sigma)$

  $=P(m-\sigma\leq X\leq m)+P(m\leq X\leq m+\sigma)$

  $=2P(m\leq X\leq m+\sigma)$

  $=2\cdot 0.3413$

  $=0.6826$

ㄴ도 옳다.

  $P(X\geq m+2\sigma)=P(X\geq m)-P(m\leq X\leq m+2\sigma)$

  $\qquad\qquad\qquad =0.5-0.4772$

  $\qquad\qquad\qquad =0.0228$

ㄷ도 옳다.

  $P(X\leq m-3\sigma)=P(X\leq m)-P(m-3\sigma\leq X\leq m)$

  $\qquad\qquad\qquad =P(X\leq m)-P(m\leq X\leq m+3\sigma)$

  $\qquad\qquad\qquad =0.5-0.4987$

  $\qquad\qquad\qquad =0.0013$

따라서 옳은 것은 ㄱ, ㄴ, ㄷ이다.   정답_ ⑤

380

확률변수 X가 정규분포 $N(6, 2^2)$을 따르므로

$m=6, \sigma=2$

ㄱ은 옳다.

  $P(4\leq X\leq 8)$

  $=P(6-2\leq X\leq 6+2)$

  $=P(m-\sigma\leq X\leq m+\sigma)$

  $=P(m-\sigma\leq X\leq m)+P(m\leq X\leq m+\sigma)$

  $=2P(m\leq X\leq m+\sigma)$

  $=2\cdot 0.3413$

  $=0.6826$

ㄴ도 옳다.

  $P(X\geq 12)=P(X\geq 6+6)=P(X\geq m+3\sigma)$

  $\qquad\qquad =P(X\geq m)-P(m\leq X\leq m+3\sigma)$

  $\qquad\qquad =0.5-0.4987$

  $\qquad\qquad =0.0013$

ㄷ도 옳다.

  $P(X\leq 10)=P(X\leq 6+4)=P(X\leq m+2\sigma)$

  $\qquad\qquad =P(X\leq m)+P(m\leq X\leq m+2\sigma)$

  $\qquad\qquad =0.5+0.4772$

  $\qquad\qquad =0.9772$

따라서 옳은 것은 ㄱ, ㄴ, ㄷ이다.   정답_ ⑤

381

정규분포 $N(m, \sigma^2)$을 따르는 확률변수의 확률밀도함수의 그래프는 직선 $x=m$에 대하여 대칭이므로 조건 (개)에 의해

$m=\dfrac{64+56}{2}=60$

조건 (내)에서

$\sigma^2=3616-m^2=3616-60^2=16$

$\therefore \sigma=4\ (\because \sigma>0)$

따라서 확률변수 X는 정규분포 $N(60, 4^2)$을 따른다.

$\therefore P(X\leq 68)=P(X\leq 60+2\cdot 4)$

$\qquad\qquad\quad =P(X\leq m+2\sigma)$

$\qquad\qquad\quad =0.5+P(m\leq X\leq m+2\sigma)$

$\qquad\qquad\quad =0.5+0.4772$

$\qquad\qquad\quad =0.9772$ 정답_ ④

382

(1) $P(-0.5\leq Z\leq 1)$

  $=P(-0.5\leq Z\leq 0)+P(0\leq Z\leq 1)$

  $=P(0\leq Z\leq 0.5)+P(0\leq Z\leq 1)$

  $=0.1915+0.3413$

  $=0.5328$

(2) $P(Z \geq 2) = P(Z \geq 0) - P(0 \leq Z \leq 2)$
$= 0.5 - 0.4772$
$= 0.0228$

(3) $P(Z \leq -1) = P(Z \geq 1)$
$= P(Z \geq 0) - P(0 \leq Z \leq 1)$
$= 0.5 - 0.3413$
$= 0.1587$

(4) $P(1.5 \leq Z \leq 2) = P(0 \leq Z \leq 2) - P(0 \leq Z \leq 1.5)$
$= 0.4772 - 0.4332$
$= 0.044$

정답_ (1) 0.5328 (2) 0.0228 (3) 0.1587 (4) 0.044

383

$Z = \dfrac{X-70}{10}$ 으로 놓으면 Z는 표준정규분포 $N(0, 1)$을 따르므로

$P(60 \leq X \leq 90) = P\left(\dfrac{60-70}{10} \leq Z \leq \dfrac{90-70}{10}\right)$
$= P(-1 \leq Z \leq 2)$
$= P(-1 \leq Z \leq 0) + P(0 \leq Z \leq 2)$
$= P(0 \leq Z \leq 1) + P(0 \leq Z \leq 2)$
$= 0.3413 + 0.4772$
$= 0.8185$

정답_ 0.8185

384

$Z = \dfrac{X-50}{2}$ 으로 놓으면 Z는 표준정규분포 $N(0, 1)$을 따르므로

$P(X \leq 53) = P\left(Z \leq \dfrac{53-50}{2}\right)$
$= P(Z \leq 1.5)$
$= 0.5 + P(0 \leq Z \leq 1.5)$
$= 0.5 + 0.4332$
$= 0.9332$

$P(47 \leq X \leq 49) = P\left(\dfrac{47-50}{2} \leq Z \leq \dfrac{49-50}{2}\right)$
$= P(-1.5 \leq Z \leq -0.5)$
$= P(0.5 \leq Z \leq 1.5)$
$= P(0 \leq Z \leq 1.5) - P(0 \leq Z \leq 0.5)$
$= 0.4332 - 0.1915$
$= 0.2417$

$\therefore P(X \leq 53) + P(47 \leq X \leq 49) = 0.9332 + 0.2417$
$= 1.1749$

정답_ ⑤

385

$Z = \dfrac{X-12}{3}$ 로 놓으면 Z는 표준정규분포 $N(0, 1)$을 따르므로

$P(6 \leq X \leq 15) = P\left(\dfrac{6-12}{3} \leq Z \leq \dfrac{15-12}{3}\right)$
$= P(-2 \leq Z \leq 1)$
$= P(-2 \leq Z \leq 0) + P(0 \leq Z \leq 1)$
$= P(0 \leq Z \leq 2) + P(0 \leq Z \leq 1)$
$= 0.4772 + 0.3413 = 0.8185$

$\therefore 10000 P(6 \leq X \leq 15) = 10000 \cdot 0.8185$
$= 8185$

정답_ ③

386

두 확률변수 X, Y는 각각 정규분포 $N(0, 1^2), N(1, 2^2)$을 따르므로

$a = P(-1 < X < 1) = P(-1 < Z < 1)$

$b = P(1 < Y < 5)$
$= P\left(\dfrac{1-1}{2} < Z < \dfrac{5-1}{2}\right)$
$= P(0 < Z < 2)$

$c = P(-5 < Y < -1)$
$= P\left(\dfrac{-5-1}{2} < Z < \dfrac{-1-1}{2}\right)$
$= P(-3 < Z < -1)$

이때, 표준정규분포곡선이 오른쪽 그림과 같으므로 각각의 넓이를 비교하면 $c < b < a$

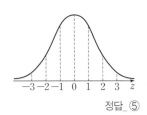

정답_ ⑤

387

이차방정식 $2x^2 + (K-1)x + 2 = 0$이 실근을 가지려면

$D = (K-1)^2 - 16 \geq 0, K^2 - 2K - 15 \geq 0$
$(K+3)(K-5) \geq 0$ $\therefore K \leq -3$ 또는 $K \geq 5$

이때, $Z = \dfrac{K-1}{2}$로 놓으면 Z는 표준정규분포 $N(0, 1)$을 따르므로 구하는 확률은

$P(K \leq -3$ 또는 $K \geq 5) = 1 - P(-3 \leq K \leq 5)$
$= 1 - P\left(\dfrac{-3-1}{2} \leq Z \leq \dfrac{5-1}{2}\right)$
$= 1 - P(-2 \leq Z \leq 2)$
$= 1 - 2P(0 \leq Z \leq 2)$
$= 1 - 2 \cdot 0.477$
$= 0.046$

정답_ ③

388

(1) $P(0 \le Z \le k) = 0.1915$이므로 $k = 0.5$

(2) $P(Z \ge k) = 0.9332$이므로 $k < 0$

$P(k \le Z \le 0) + P(Z \ge 0) = 0.9332$

$P(k \le Z \le 0) + 0.5 = 0.9332$

$\therefore P(k \le Z \le 0) = 0.4332$

$P(0 \le Z \le 1.5) = 0.4332$이므로

$P(-1.5 \le Z \le 0) = 0.4332$

$\therefore k = -1.5$

(3) $P(Z \le k) = 0.8413$이므로 $k > 0$

$P(Z \le 0) + P(0 \le Z \le k) = 0.8413$

$0.5 + P(0 \le Z \le k) = 0.8413$

$\therefore P(0 \le Z \le k) = 0.3413$

$P(0 \le Z \le 1) = 0.3413$이므로 $k = 1$

정답_ (1) 0.5   (2) -1.5 (3) 1

389

$Z = \dfrac{X-8}{5}$로 놓으면 Z는 표준정규분포 $N(0, 1)$을 따르므로

$P(X \ge a) = P\left(Z \ge \dfrac{a-8}{5}\right)$

$\qquad\qquad = 0.5 - P\left(0 \le Z \le \dfrac{a-8}{5}\right)$

$\qquad\qquad = 0.1151$

$\therefore P\left(0 \le Z \le \dfrac{a-8}{5}\right) = 0.5 - 0.1151 = 0.3849$

이때, $P(0 \le Z \le 1.2) = 0.3849$이므로

$\dfrac{a-8}{5} = 1.2$ $\therefore a = 14$

정답_ ④

390

$Z = \dfrac{X-5}{1.2}$로 놓으면 Z는 표준정규분포 $N(0, 1)$을 따르므로

$P(5 - 1.2k \le X \le 5 + 1.2k)$

$= P\left(\dfrac{5-1.2k-5}{1.2} \le Z \le \dfrac{5+1.2k-5}{1.2}\right)$

$= P(-k \le Z \le k)$

$= 2P(0 \le Z \le k)$

$= 0.4972$

$\therefore P(0 \le Z \le k) = 0.2486$

이때, $P(0 \le Z \le 0.67) = 0.2486$이므로

$k = 0.67$

정답_ ①

391

$Z = \dfrac{X-m}{8}$으로 놓으면 Z는 표준정규분포 $N(0,1)$을 따르므로

$P(X \ge 90) = P\left(Z \ge \dfrac{90-m}{8}\right)$

$\qquad\qquad = 0.5 - P\left(0 \le Z \le \dfrac{90-m}{8}\right)$

$\qquad\qquad = 0.1587$

$\therefore P\left(0 \le Z \le \dfrac{90-m}{8}\right) = 0.5 - 0.1587 = 0.3413$

$P(|Z| \le 1) = P(-1 \le Z \le 1)$

$\qquad\qquad = 2P(0 \le Z \le 1) = 0.6826$

따라서 $P(0 \le Z \le 1) = 0.3413$이므로

$\dfrac{90-m}{8} = 1$ $\therefore m = 82$

정답_ ④

392

세차 시간을 확률변수 X라고 하면 X는 정규분포 $N(30, 2^2)$을 따른다. 이때, $Z = \dfrac{X-30}{2}$으로 놓으면 Z는 표준정규분포 $N(0, 1)$을 따르므로 구하는 확률은

$P(X \ge 33) = P\left(Z \ge \dfrac{33-30}{2}\right)$

$\qquad\qquad = P(Z \ge 1.5)$

$\qquad\qquad = 0.5 - P(0 \le Z \le 1.5)$

$\qquad\qquad = 0.5 - 0.4332$

$\qquad\qquad = 0.0668$

정답_ ②

393

과자 한 개의 무게를 확률변수 X라고 하면 X는 정규분포 $N(16, 0.3^2)$을 따른다. 이때, $Z = \dfrac{X-16}{0.3}$으로 놓으면 Z는 표준정규분포 $N(0, 1)$을 따르므로 구하는 확률은

$P(X \le 15.25) = P\left(Z \le \dfrac{15.25-16}{0.3}\right)$

$\qquad\qquad\quad = P(Z \le -2.5)$

$\qquad\qquad\quad = 0.5 - P(0 \le Z \le 2.5)$

$\qquad\qquad\quad = 0.5 - 0.49$

$\qquad\qquad\quad = 0.01$

정답_ ①

394

2학년 남학생의 키를 확률변수 X라고 하면 X는 정규분포 $N(167, 7^2)$을 따른다. 이때, $Z = \dfrac{X-167}{7}$로 놓으면 Z는 표준정규분포 $N(0, 1)$을 따르므로 구하는 확률은

$P(160 \le X \le 174) = P\left(\dfrac{160-167}{7} \le Z \le \dfrac{174-167}{7}\right)$

$\qquad\qquad\qquad = P(-1 \le Z \le 1)$

$\qquad\qquad\qquad = 2P(0 \le Z \le 1)$

$\qquad\qquad\qquad = 2 \cdot 0.34$

$\qquad\qquad\qquad = 0.68$

정답_ ⑤

395

과자 한 봉지의 무게를 확률변수 X라고 하면 X는 정규분포 $N(160,\ 3^2)$을 따른다. 이때, $Z=\dfrac{X-160}{3}$으로 놓으면 Z는 표준정규분포 $N(0,\ 1)$을 따른다.

과자 한 봉지의 무게가 152.5 g 이하이면 불량품으로 판정하므로 임의로 택한 과자 한 봉지가 불량품일 확률은

$$\begin{aligned}
P(X\le 152.5) &= P\left(Z\le \frac{152.5-160}{3}\right)\\
&= P(Z\le -2.5)\\
&= 0.5-P(0\le Z\le 2.5)\\
&= 0.5-0.4938=0.0062
\end{aligned}$$

따라서 $p=0.0062$이므로

$10000p=10000\cdot 0.0062=62$

정답_ 62

396

자동차의 속력을 확률변수 X라고 하면 X는 정규분포 $N(104,\ 8^2)$을 따른다. 이때, $Z=\dfrac{X-104}{8}$로 놓으면 Z는 표준정규분포 $N(0,\ 1)$을 따른다.

속력이 120 km/h를 초과하면 과속으로 단속되므로 자동차 한 대가 과속으로 단속될 확률은

$$\begin{aligned}
P(X>120) &= P\left(Z>\frac{120-104}{8}\right)=P(Z>2)\\
&= 0.5-P(0\le Z\le 2)\\
&= 0.5-0.48\\
&= 0.02=\frac{1}{50}
\end{aligned}$$

A와 B의 속력은 서로 영향을 주지 않으므로, 즉 독립이므로 자동차 A, B가 모두 과속으로 단속될 확률은

$$\frac{1}{50}\cdot\frac{1}{50}=\frac{1}{2500}$$

정답_ ①

397

수학 점수를 확률변수 X라고 하면 X는 정규분포 $N(62,\ 8^2)$을 따른다. 이때, $Z=\dfrac{X-62}{8}$로 놓으면 Z는 표준정규분포 $N(0,\ 1)$을 따르므로

$$\begin{aligned}
P(54\le X\le 74) &= P\left(\frac{54-62}{8}\le Z\le\frac{74-62}{8}\right)\\
&= P(-1\le Z\le 1.5)\\
&= P(0\le Z\le 1)+P(0\le Z\le 1.5)\\
&= 0.341+0.433=0.774
\end{aligned}$$

따라서 수학 점수가 54점 이상 74점 이하인 학생 수는

$500\cdot 0.774=387$(명)

정답_ ②

398

신입생의 키를 확률변수 X라고 하면 X는 정규분포 $N(170,\ 4^2)$을 따른다. 이때, $Z=\dfrac{X-170}{4}$으로 놓으면 Z는 표준정규분포 $N(0,\ 1)$을 따르므로

$$\begin{aligned}
P(X\ge 178) &= P\left(Z\ge\frac{178-170}{4}\right)=P(Z\ge 2)\\
&= 0.5-P(0\le Z\le 2)\\
&= 0.5-0.48=0.02
\end{aligned}$$

따라서 키가 178 cm 이상인 학생 수는 $300\cdot 0.02=6$(명)이므로 키가 178 cm인 학생은 6번째로 크다고 할 수 있다. 정답_ ①

399

수험생의 시험 점수를 확률변수 X라고 하면 X는 정규분포 $N(50,\ 20^2)$을 따른다.

상위 4 % 이내에 속하기 위한 최소 점수를 a라고 하면

$P(X\ge a)=0.04$

이때, $Z=\dfrac{X-50}{20}$으로 놓으면 Z는 표준정규분포 $N(0,\ 1)$을 따르므로

$$\begin{aligned}
P(X\ge a) &= P\left(Z\ge\frac{a-50}{20}\right)\\
&= 0.5-P\left(0\le Z\le\frac{a-50}{20}\right)\\
&= 0.04
\end{aligned}$$

$\therefore P\left(0\le Z\le\dfrac{a-50}{20}\right)=0.5-0.04=0.46$

$P(0\le Z\le 1.75)=0.46$이므로

$\dfrac{a-50}{20}=1.75$ $\therefore a=85$(점)

따라서 상위 4 % 이내에 속하기 위한 최소 점수는 85점이다.

정답_ ①

400

응시자들의 점수를 확률변수 X라고 하면 X는 정규분포 $N(250,\ 40^2)$을 따른다.

합격하기 위한 최소 점수를 a라고 하면

$P(X\ge a)=\dfrac{1340}{20000}=0.067$

이때, $Z=\dfrac{X-250}{40}$으로 놓으면 Z는 표준정규분포 $N(0,\ 1)$을 따르므로

$$\begin{aligned}
P(X\ge a) &= P\left(Z\ge\frac{a-250}{40}\right)\\
&= 0.5-P\left(0\le Z\le\frac{a-250}{40}\right)\\
&= 0.067
\end{aligned}$$

$$\therefore P\left(0 \le Z \le \frac{a-250}{40}\right) = 0.5 - 0.067 = 0.433$$

$P(0 \le Z \le 1.5) = 0.433$이므로

$$\frac{a-250}{40} = 1.5$$

$$\therefore a = 310(\text{점})$$

따라서 입학시험에 합격하기 위한 최소 점수는 310점이다.

정답_ ③

401

돼지의 무게를 확률변수 X라고 하면 X는 정규분포 $N(110, 10^2)$을 따른다.

우량 돼지 선발 대회에 보낼 돼지의 최소 무게를 a라고 하면

$$P(X \ge a) = \frac{3}{200} = 0.015$$

이때, $Z = \frac{X-110}{10}$으로 놓으면 Z는 표준정규분포 $N(0, 1)$을 따르므로

$$\begin{aligned} P(X \ge a) &= P\left(Z \ge \frac{a-110}{10}\right) \\ &= 0.5 - P\left(0 \le Z \le \frac{a-110}{10}\right) \\ &= 0.015 \end{aligned}$$

$$\therefore P\left(0 \le Z \le \frac{a-110}{10}\right) = 0.5 - 0.015 = 0.485$$

$P(0 \le Z \le 2.17) = 0.485$이므로

$$\frac{a-110}{10} = 2.17$$

$$\therefore a = 131.7(\text{kg})$$

따라서 우량 돼지 선발 대회에 보낼 돼지의 최소 무게는 131.7 kg 이다.

정답_ ④

402

제품 A의 무게를 확률변수 X, 제품 B의 무게를 확률변수 Y라고 하면 X, Y는 각각 정규분포 $N(m, 1^2)$, 정규분포 $N(2m, 2^2)$을 따른다.

이때, $Z = \frac{X-m}{1} = X-m$으로 놓으면 Z는 표준정규분포 $N(0, 1)$을 따르고, $Z = \frac{Y-2m}{2}$으로 놓으면 Z는 표준정규분포 $N(0, 1)$을 따른다.

$P(X \ge k) = P(Y \le k)$이므로

$$P(Z \ge k-m) = P\left(Z \le \frac{k-2m}{2}\right)$$

따라서 $\frac{k-m}{1} + \frac{k-2m}{2} = 0$이므로 $3k = 4m$

$$\therefore \frac{k}{m} = \frac{4}{3}$$

정답_ ⑤

403

정치 점수를 확률변수 X라고 하면 X는 정규분포 $N(60, 10^2)$을 따르므로 $Z = \frac{X-60}{10}$으로 놓으면 Z는 표준정규분포 $N(0, 1)$을 따른다. 이때, 정치 점수가 70점 이상인 학생이 p %이므로

$$P(X \ge 70) = P\left(Z \ge \frac{70-60}{10}\right) = P(Z \ge 1) = \frac{p}{100}$$

경제 점수를 확률변수 Y라고 하면 Y는 정규분포 $N(52, 8^2)$을 따르므로 $Z = \frac{Y-52}{8}$로 놓으면 Z는 표준정규분포 $N(0, 1)$을 따른다.

이때, 경제 점수가 상위 p % 이내에 들기 위한 최소 점수를 k라고 하면

$$P(Y \ge k) = P\left(Z \ge \frac{k-52}{8}\right) = \frac{p}{100}$$

$P(Z \ge 1) = P\left(Z \ge \frac{k-52}{8}\right)$에서 $1 = \frac{k-52}{8}$

$$\therefore k = 60(\text{점})$$

따라서 경제를 선택한 학생이 상위 p % 이내에 들기 위한 최소 점수는 60점이다.

정답_ ④

404

확률변수 X가 이항분포 $B\left(100, \frac{1}{5}\right)$을 따르므로

$$m = 100 \cdot \frac{1}{5} = 20, \quad \sigma^2 = 100 \cdot \frac{1}{5} \cdot \frac{4}{5} = 16$$

따라서 확률변수 X는 근사적으로 정규분포 $N(\boxed{^{(\text{가})}20}, \boxed{^{(\text{나})}16})$을 따른다.

정답_ (가): 20, (나): 16

405

주어진 식의 값은 확률변수 X가 이항분포 $B\left(100, \frac{9}{10}\right)$를 따를 때, $P(X \ge 96)$을 구하는 것과 같다.

$$E(X) = 100 \cdot \frac{9}{10} = 90$$

$$V(X) = 100 \cdot \frac{9}{10} \cdot \frac{1}{10} = 9$$

이때, $np = 100 \cdot \frac{9}{10} = 90 \ge 5$, $nq = 100 \cdot \frac{1}{10} = 10 \ge 5$이므로 X는 근사적으로 정규분포 $N(90, 3^2)$을 따른다.

한편, $Z = \frac{X-90}{3}$으로 놓으면 Z는 표준정규분포 $N(0, 1)$을 따르므로

$$\begin{aligned} P(X \ge 96) &= P\left(Z \ge \frac{96-90}{3}\right) \\ &= P(Z \ge 2) \\ &= 0.5 - P(0 \le Z \le 2) \\ &= 0.5 - 0.4772 = 0.0228 \end{aligned}$$

정답_ ①

406

확률변수 X는 이항분포 $\mathrm{B}\left(n, \dfrac{1}{2}\right)$을 따르므로

$$\mathrm{E}(X)=n\cdot\dfrac{1}{2}=\dfrac{n}{2}$$

$$\mathrm{V}(X)=n\cdot\dfrac{1}{2}\cdot\dfrac{1}{2}=\dfrac{n}{4}$$

이때, n이 충분히 큰 자연수이므로 X는 근사적으로 정규분포 $\mathrm{N}\left(\dfrac{n}{2}, \left(\dfrac{\sqrt{n}}{2}\right)^2\right)$을 따른다.

한편, $Z=\dfrac{X-\dfrac{n}{2}}{\dfrac{\sqrt{n}}{2}}$ 으로 놓으면 Z는 표준정규분포 $\mathrm{N}(0,\ 1)$을 따르므로

$$\mathrm{P}\left(\left|X-\dfrac{n}{2}\right|\leq\dfrac{21}{2}\right)$$
$$=\mathrm{P}\left(-\dfrac{21}{2}\leq X-\dfrac{n}{2}\leq\dfrac{21}{2}\right)$$
$$=\mathrm{P}\left(\dfrac{-\dfrac{21}{2}}{\dfrac{\sqrt{n}}{2}}\leq Z\leq\dfrac{\dfrac{21}{2}}{\dfrac{\sqrt{n}}{2}}\right)$$
$$=\mathrm{P}\left(-\dfrac{21}{\sqrt{n}}\leq Z\leq\dfrac{21}{\sqrt{n}}\right)$$
$$=2\mathrm{P}\left(0\leq Z\leq\dfrac{21}{\sqrt{n}}\right)$$

$\mathrm{P}\left(\left|X-\dfrac{n}{2}\right|\leq\dfrac{21}{2}\right)\geq0.954$에서

$$2\mathrm{P}\left(0\leq Z\leq\dfrac{21}{\sqrt{n}}\right)\geq0.954$$

$$\therefore\ \mathrm{P}\left(0\leq Z\leq\dfrac{21}{\sqrt{n}}\right)\geq0.477$$

$\mathrm{P}(0\leq Z\leq2)=0.477$이므로

$$\dfrac{21}{\sqrt{n}}\geq2,\ \sqrt{n}\leq\dfrac{21}{2}$$

$$\therefore\ n\leq\dfrac{441}{4}=110.25$$

따라서 구하는 자연수 n의 최댓값은 110이다.   정답_ 110

407

확률변수 X는 이항분포 $\mathrm{B}\left(720, \dfrac{1}{6}\right)$을 따르므로

$$\mathrm{E}(X)=720\cdot\dfrac{1}{6}=120$$

$$\mathrm{V}(X)=720\cdot\dfrac{1}{6}\cdot\dfrac{5}{6}=100$$

이때, $np=720\cdot\dfrac{1}{6}=120\geq5,\ nq=720\cdot\dfrac{5}{6}=600\geq5$이므로
X는 근사적으로 정규분포 $\mathrm{N}(120,\ 10^2)$을 따른다.

한편, $Z=\dfrac{X-120}{10}$으로 놓으면 Z는 표준정규분포 $\mathrm{N}(0,\ 1)$을 따르므로

$$\mathrm{P}(X\geq135)=\mathrm{P}\left(Z\geq\dfrac{135-120}{10}\right)$$
$$=\mathrm{P}(Z\geq1.5)$$
$$=0.5-\mathrm{P}(0\leq Z\leq1.5)$$
$$=0.5-0.4332$$
$$=0.0668 \qquad\qquad\text{정답}\_\ 0.0668$$

408

앞면이 나올 횟수를 확률변수 X라고 하면 X는 이항분포 $\mathrm{B}\left(900, \dfrac{1}{2}\right)$을 따르므로

$$\mathrm{E}(X)=900\cdot\dfrac{1}{2}=450$$

$$\mathrm{V}(X)=900\cdot\dfrac{1}{2}\cdot\dfrac{1}{2}=225$$

이때, $np=900\cdot\dfrac{1}{2}=450\geq5,\ nq=900\cdot\dfrac{1}{2}=450\geq5$이므로
X는 근사적으로 정규분포 $\mathrm{N}(450,\ 15^2)$을 따른다.

한편, $Z=\dfrac{X-450}{15}$으로 놓으면 Z는 표준정규분포 $\mathrm{N}(0,\ 1)$을 따르므로

$$\mathrm{P}(435\leq X\leq480)=\mathrm{P}\left(\dfrac{435-450}{15}\leq Z\leq\dfrac{480-450}{15}\right)$$
$$=\mathrm{P}(-1\leq Z\leq2)$$
$$=\mathrm{P}(0\leq Z\leq1)+\mathrm{P}(0\leq Z\leq2)$$
$$=0.3413+0.4772$$
$$=0.8185 \qquad\qquad\text{정답}\_ ③$$

409

합격자 192명 중에서 등록한 학생 수를 확률변수 X라고 하면 X는 이항분포 $\mathrm{B}\left(192,\ \dfrac{3}{4}\right)$을 따르므로

$$\mathrm{E}(X)=192\cdot\dfrac{3}{4}=144$$

$$\mathrm{V}(X)=192\cdot\dfrac{3}{4}\cdot\dfrac{1}{4}=36$$

이때, $np=192\cdot\dfrac{3}{4}=144\geq5,\ nq=192\cdot\dfrac{1}{4}=48\geq5$이므로
X는 근사적으로 정규분포 $\mathrm{N}(144,\ 6^2)$을 따른다.

한편, $Z=\dfrac{X-144}{6}$로 놓으면 Z는 표준정규분포 $\mathrm{N}(0,\ 1)$을 따르므로

$$\mathrm{P}(X\geq132)=\mathrm{P}\left(Z\geq\dfrac{132-144}{6}\right)$$
$$=\mathrm{P}(Z\geq-2)$$
$$=\mathrm{P}(-2\leq Z\leq0)+\mathrm{P}(Z\geq0)$$
$$=\mathrm{P}(0\leq Z\leq2)+\mathrm{P}(Z\geq0)$$
$$=0.4772+0.5$$
$$=0.9772 \qquad\qquad\text{정답}\_ ⑤$$

410

예약 고객 400명 중에서 승선한 고객 수를 확률변수 X라고 하면 X는 이항분포 $B\left(400, \dfrac{4}{5}\right)$를 따르므로

$E(X) = 400 \cdot \dfrac{4}{5} = 320$

$V(X) = 400 \cdot \dfrac{4}{5} \cdot \dfrac{1}{5} = 64$

이때,

$np = 400 \cdot \dfrac{4}{5} = 320 \geq 5, \ nq = 400 \cdot \dfrac{1}{5} = 80 \geq 5$

이므로 X는 근사적으로 정규분포 $N(320, \ 8^2)$을 따른다.

한편, $Z = \dfrac{X-320}{8}$으로 놓으면 Z는 표준정규분포 $N(0, \ 1)$을 따르므로

$$
\begin{aligned}
P(X \leq 340) &= P\left(Z \leq \dfrac{340-320}{8}\right) \\
&= P(Z \leq 2.5) \\
&= 0.5 + P(0 \leq Z \leq 2.5) \\
&= 0.5 + 0.4938 = 0.9938
\end{aligned}
$$
정답_ ①

411

예매를 취소하는 사람 수를 확률변수 X라고 하면 X는 이항분포 $B(100, \ 0.1)$을 따르므로

$E(X) = 100 \cdot 0.1 = 10$

$V(X) = 100 \cdot 0.1 \cdot 0.9 = 9$

이때, $np = 100 \cdot 0.1 = 10 \geq 5, \ nq = 100 \cdot 0.9 = 90 \geq 5$이므로 X는 근사적으로 정규분포 $N(10, 3^2)$을 따른다.

한편, $Z = \dfrac{X-10}{3}$으로 놓으면 Z는 표준정규분포 $N(0, \ 1)$을 따르므로

$$
\begin{aligned}
P(X \geq 16) &= P\left(Z \geq \dfrac{16-10}{3}\right) \\
&= P(Z \geq 2) \\
&= 0.5 - P(0 \leq Z \leq 2) \\
&= 0.5 - 0.4772 \\
&= 0.0228
\end{aligned}
$$
정답_ ①

412

1600번의 게임 중에서 10점을 얻은 횟수를 확률변수 X라고 하면 X는 이항분포 $B\left(1600, \dfrac{1}{5}\right)$을 따르므로

$E(X) = 1600 \cdot \dfrac{1}{5} = 320$

$V(X) = 1600 \cdot \dfrac{1}{5} \cdot \dfrac{4}{5} = 256 = 16^2$

이때, $np = 1600 \cdot \dfrac{1}{5} = 320 \geq 5, \ nq = 1600 \cdot \dfrac{4}{5} = 1280 \geq 5$이므로 X는 근사적으로 정규분포 $N(320, \ 16^2)$을 따른다.

10점을 얻은 횟수가 X이므로 2점을 잃은 횟수는 $1600-X$이고, 이때의 점수는

$10X + (-2) \cdot (1600 - X) = 12X - 3200$

한편, 얻은 점수가 832점 이상이 되어야 하므로

$12X - 3200 \geq 832$

$\therefore X \geq 336$

이때, $Z = \dfrac{X-320}{16}$으로 놓으면 Z는 표준정규분포 $N(0, \ 1)$을 따르므로

$$
\begin{aligned}
P(X \geq 336) &= P\left(Z \geq \dfrac{336-320}{16}\right) \\
&= P(Z \geq 1) \\
&= 0.5 - P(0 \leq Z \leq 1) \\
&= 0.5 - 0.34 = 0.16
\end{aligned}
$$
정답_ ③

413

100개의 과자 중에서 중량 미달인 과자의 개수를 확률변수 X라고 하면 X는 이항분포 $B(100, \ 0.1)$을 따르므로

$E(X) = 100 \cdot 0.1 = 10$

$V(X) = 100 \cdot 0.1 \cdot 0.9 = 9$

이때,

$np = 100 \cdot 0.1 = 10 \geq 5, \ nq = 100 \cdot 0.9 = 90 \geq 5$

이므로 X는 근사적으로 정규분포 $N(10, \ 3^2)$을 따른다.

한편, $Z = \dfrac{X-10}{3}$으로 놓으면 Z는 표준정규분포 $N(0, \ 1)$을 따르므로

$$
\begin{aligned}
P(X \geq a) &= P\left(Z \geq \dfrac{a-10}{3}\right) \\
&= 0.5 - P\left(0 \leq Z \leq \dfrac{a-10}{3}\right) \\
&= 0.0228
\end{aligned}
$$

$\therefore P\left(0 \leq Z \leq \dfrac{a-10}{3}\right) = 0.5 - 0.0228 = 0.4772$

$P(0 \leq Z \leq 2) = 0.4772$이므로

$\dfrac{a-10}{3} = 2 \quad \therefore a = 16$
정답_ ③

414

400명의 응시자 중에서 합격하는 학생 수를 확률변수 X라고 하면 X는 이항분포 $B(400, \ 0.8)$을 따르므로

$E(X) = 400 \cdot 0.8 = 320$

$V(X) = 400 \cdot 0.8 \cdot 0.2 = 64$

이때, $np = 400 \cdot 0.8 = 320 \geq 5, \ nq = 400 \cdot 0.2 = 80 \geq 5$이므로 X는 근사적으로 정규분포 $N(320, \ 8^2)$을 따른다.

한편, $Z=\dfrac{X-320}{8}$ 으로 놓으면 Z는 표준정규분포 $N(0,\ 1)$을 따르므로

$$\begin{aligned}
P(X \ge k) &= P\left(Z \ge \frac{k-320}{8}\right)\\
&= 0.5 - P\left(0 \le Z \le \frac{k-320}{8}\right)\\
&= 0.07
\end{aligned}$$

$$\therefore P\left(0 \le Z \le \frac{k-320}{8}\right) = 0.5 - 0.07 = 0.43$$

$P(0 \le Z \le 1.5) = 0.43$이므로

$$\frac{k-320}{8} = 1.5 \qquad \therefore k = 332$$

정답_ ②

415

확률밀도함수 $y=f(x)$의 그래프는 다음 그림과 같다.

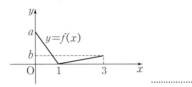

$\qquad$ ❶

확률의 총합은 1이므로

$$\frac{1}{2} \cdot 1 \cdot a + \frac{1}{2} \cdot 2 \cdot b = 1$$

$$\therefore a + 2b = 2 \qquad \cdots\cdots ㉠$$

$\qquad$ ❷

한편, $P(1 \le X \le 3) = \dfrac{a}{4}$이므로 $\quad \dfrac{1}{2} \cdot 2 \cdot b = \dfrac{a}{4}$

$$\therefore a = 4b \qquad \cdots\cdots ㉡$$

$\qquad$ ❸

㉠, ㉡을 연립하여 풀면 $a = \dfrac{4}{3},\ b = \dfrac{1}{3}$

$$\therefore a + b = \frac{4}{3} + \frac{1}{3} = \frac{5}{3}$$

$\qquad$ ❹

정답_ $\dfrac{5}{3}$

단계	채점 기준	비율
❶	확률밀도함수 $y=f(x)$의 그래프 그리기	20%
❷	확률의 총합이 1임을 이용하여 a, b에 대한 식 세우기	30%
❸	$P(1 \le X \le 3) = \dfrac{a}{4}$임을 이용하여 a, b에 대한 식 세우기	30%
❹	$a+b$의 값 구하기	20%

416

$\dfrac{1}{5}X$의 분산이 1, 즉 $V\left(\dfrac{1}{5}X\right)=1$이므로

$$V\left(\frac{1}{5}X\right) = \frac{1}{5^2} V(X) = 1,\ V(X) = 25$$

$$\therefore \sigma^2 = 25 \qquad ❶$$

한편, 정규분포곡선은 직선 $x=m$에 대하여 대칭이고,

$P(X \le 80) = P(X \ge 120)$이므로

$$m = \frac{80+120}{2} = 100 \qquad ❷$$

$$\therefore m + \sigma^2 = 100 + 25 = 125 \qquad ❸$$

정답_ 125

단계	채점 기준	비율
❶	σ^2의 값 구하기	40%
❷	m의 값 구하기	40%
❸	$m+\sigma^2$의 값 구하기	20%

417

확률변수 X가 정규분포 $N(5,\ 2^2)$을 따르므로 X의 정규분포곡선은 직선 $x=5$에 대하여 대칭이고, $x=5$일 때 최댓값을 갖는다.

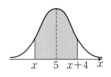

따라서 x와 $x+4$의 평균이 5일 때 $f(x)$가 최댓값을 가지므로

$$\frac{x+(x+4)}{2} = 5,\ \frac{2x+4}{2} = 5,\ x+2 = 5$$

$$\therefore x = 3 \qquad ❶$$

이때, $Z=\dfrac{X-5}{2}$로 놓으면 Z는 표준정규분포 $N(0,\ 1)$을 따르므로 구하는 최댓값은

$$\begin{aligned}
f(3) &= P(3 \le X \le 7) = P\left(\frac{3-5}{2} \le Z \le \frac{7-5}{2}\right)\\
&= P(-1 \le Z \le 1)\\
&= 2P(0 \le Z \le 1)\\
&= 2 \cdot 0.34 = 0.68 \qquad ❷
\end{aligned}$$

정답_ 0.68

단계	채점 기준	비율
❶	$f(x)$가 최대가 되는 x의 값 구하기	50%
❷	$f(x)$의 최댓값 구하기	50%

418

신입 사원의 평가 점수를 확률변수 X라고 하면 X는 정규분포 $N(83,\ 5^2)$을 따른다.

해외 연수의 기회를 얻기 위한 최소 점수를 a라고 하면

$$P(X \ge a) = \frac{36}{300} = 0.12 \qquad ❶$$

이때, $Z=\dfrac{X-83}{5}$으로 놓으면 Z는 표준정규분포 $N(0,\ 1)$을 따르므로

$$\begin{aligned}
P(X \ge a) &= P\left(Z \ge \frac{a-83}{5}\right)\\
&= 0.5 - P\left(0 \le Z \le \frac{a-83}{5}\right)\\
&= 0.12
\end{aligned}$$

$$\therefore P\left(0 \le Z \le \frac{a-83}{5}\right) = 0.5 - 0.12 = 0.38$$

$P(0 \leq Z \leq 1.2) = 0.38$이므로

$\dfrac{a-83}{5} = 1.2$ ∴ $a = 89$(점)

따라서 해외 연수의 기회를 얻기 위한 최소 점수는 89점이다.

··· ❷

정답_ 89점

단계	채점 기준	비율
❶	해외 연수의 기회를 얻기 위한 최소 점수 a에 대하여 $P(X \geq a)$ 구하기	30%
❷	최소 점수 구하기	70%

419

확률변수 X는 이항분포 $B\left(n, \dfrac{1}{6}\right)$을 따르고, X의 표준편차가 10이므로

$\sigma(X) = \sqrt{n \cdot \dfrac{1}{6} \cdot \dfrac{5}{6}} = 10,\ \dfrac{5}{36}n = 100$

∴ $n = 720$ ·· ❶

∴ $E(X) = n \cdot \dfrac{1}{6} = 720 \cdot \dfrac{1}{6} = 120$

이때,

$np = 720 \cdot \dfrac{1}{6} = 120 \geq 5,\ nq = 720 \cdot \dfrac{5}{6} = 600 \geq 5$

이므로 X는 근사적으로 정규분포 $N(120, 10^2)$을 따른다.

··· ❷

한편, $Z = \dfrac{X-120}{10}$으로 놓으면 Z는 표준정규분포 $N(0, 1)$을 따르므로 구하는 확률은

$P(110 \leq X \leq 140) = P\left(\dfrac{110-120}{10} \leq Z \leq \dfrac{140-120}{10}\right)$

$= P(-1 \leq Z \leq 2)$

$= P(0 \leq Z \leq 1) + P(0 \leq Z \leq 2)$

$= 0.3413 + 0.4772$

$= 0.8185$ ································· ❸

정답_ 0.8185

단계	채점 기준	비율
❶	n의 값 구하기	30%
❷	X는 근사적으로 정규분포 $N(120, 10^2)$을 따름을 보이기	20%
❸	확률 구하기	50%

420

명중시킨 화살 수를 확률변수 X라고 하면 X는 이항분포 $B(100, 0.8)$을 따르므로

$E(X) = 100 \cdot 0.8 = 80$

$V(X) = 100 \cdot 0.8 \cdot 0.2 = 16 = 4^2$

이때, $np = 100 \cdot 0.8 = 80 \geq 5,\ nq = 100 \cdot 0.2 = 20 \geq 5$이므로 X는 근사적으로 정규분포 $N(80, 4^2)$을 따른다. ························· ❶

한편, $Z = \dfrac{X-80}{4}$으로 놓으면 Z는 표준정규분포 $N(0, 1)$을 따르므로

$P(X \geq n) = P\left(Z \geq \dfrac{n-80}{4}\right)$

$= 0.5 - P\left(0 \leq Z \leq \dfrac{n-80}{4}\right)$

$= 0.02$

$P\left(0 \leq Z \leq \dfrac{n-80}{4}\right) = 0.5 - 0.02 = 0.48$ ·················· ❷

이때, $P(0 \leq Z \leq 2) = 0.48$이므로

$\dfrac{n-80}{4} = 2$ ∴ $n = 88$ ·················· ❸

정답_ 88

단계	채점 기준	비율
❶	X가 근사적으로 정규분포 $N(80, 4^2)$을 따름을 보이기	40%
❷	$P\left(0 \leq Z \leq \dfrac{n-80}{4}\right)$ 구하기	30%
❸	n의 값 구하기	30%

421

ㄱ은 옳다.

포물선 $f(x) = ax(x-4)$는 직선 $x = 2$에 대하여 대칭이므로

$P(2 \leq X \leq 4) = P(0 \leq X \leq 2)$

$= \dfrac{1}{2}$

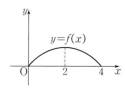

ㄴ도 옳다.

곡선 $y = f(x-2) + b$는 곡선 $y = f(x)$를 x축의 방향으로 2만큼, y축의 방향으로 b만큼 평행이동한 것이므로 곡선 $y = g(x)$는 오른쪽 그림과 같다.

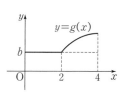

∴ $P(0 \leq Y \leq 4) = 4b + P(0 \leq X \leq 2)$

$= 4b + \dfrac{1}{2} = 1$

∴ $b = \dfrac{1}{8}$

ㄷ은 옳지 않다.

∴ $P(1 \leq Y \leq 4) = 1 - P(0 \leq Y \leq 1) = 1 - \dfrac{1}{8} = \dfrac{7}{8}$

따라서 옳은 것은 ㄱ, ㄴ이다.

정답_ ②

422

확률밀도함수의 그래프와 x축으로 둘러싸인 부분의 넓이는 1이므로 $\dfrac{1}{2}ab = 1$에서 $ab = 2$ ······ ㉠

주어진 조건에서 $P\left(0 \leq X \leq \dfrac{a}{2}\right) = \dfrac{b}{2}$ ······ ㉡

$$P(0 \le X \le 2) = \frac{1}{2} \cdot 2 \cdot b = b$$

이때, $\frac{b}{2} < b$이므로 $\frac{a}{2} < 2$

오른쪽 그림에서

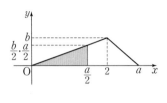

$$P\left(0 \le X \le \frac{a}{2}\right)$$
$$= \frac{1}{2} \cdot \frac{a}{2} \cdot \left(\frac{b}{2} \cdot \frac{a}{2}\right)$$
$$= \frac{a^2 b}{16} \qquad \cdots\cdots \text{ⓒ}$$

ⓛ, ⓒ에서 $\frac{a^2 b}{16} = \frac{b}{2}$, $a^2 = 8$

$\therefore a = 2\sqrt{2} \ (\because a > 0)$

$a = 2\sqrt{2}$를 ㉠에 대입하면 $b = \frac{1}{\sqrt{2}}$

$\therefore a^2 + 4b^2 = 8 + 4 \cdot \frac{1}{2} = 10$　　　　　정답_ ①

423

확률밀도함수 $f(x)$의 그래프와 x축으로 둘러싸인 부분의 넓이는 1이므로

$$\frac{1}{2} \cdot 40 \cdot a = 1 \qquad \therefore a = \frac{1}{20}$$

즉, 확률밀도함수 $f(x)$는 다음과 같다.

$$f(x) = \begin{cases} \dfrac{1}{400}x + \dfrac{1}{20} & (-20 \le x \le 0) \\ -\dfrac{1}{400}x + \dfrac{1}{20} & (0 \le x \le 20) \end{cases}$$

파이프의 실제 길이가 510 cm 이상이라는 말은 오차 X가 10 cm 이상이라는 말과 같다.

따라서 파이프의 실제 길이가 510 cm 이상일 확률은 아래 그림의 색칠한 부분의 넓이와 같으므로

$$P(X \ge 10) = \frac{1}{2} \cdot 10 \cdot \frac{1}{40} = \frac{1}{8}$$

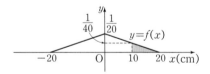

따라서 생산한 1600개의 파이프 중 실제 길이가 510 cm 이상인 파이프의 개수는 $1600 \cdot \frac{1}{8} = 200$　　정답_ 200

424

ㄱ은 옳다.

표준편차가 클수록 그래프가 낮아지면서 폭이 넓어지므로 $\sigma_1 < \sigma_3 < \sigma_2$

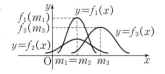

ㄴ은 옳지 않다.

정규분포곡선 $y = f_i(x)$는 직선 $x = m_i$에 대하여 대칭이므로

$m_1 = m_2 < m_3$

ㄷ도 옳다.

$f_1(m_1)$은 $x = m_1$에서 $y = f_1(x)$의 함숫값이고 $f_3(m_3)$은 $x = m_3$에서 $y = f_3(x)$의 함숫값이므로

$$f_3(m_3) < f_1(m_1)$$

따라서 옳은 것은 ㄱ, ㄷ이다.　　　　정답_ ③

425

포도 한 송이의 무게를 확률변수 X라고 하면 X는 정규분포 $N(500, \ 50^2)$을 따르므로 $Z = \dfrac{X-500}{50}$으로 놓으면 Z는 표준정규분포 $N(0, \ 1)$을 따른다.

(i) 포도 한 송이 가격이 1000원일 확률은

$$P(X < 500) = P\left(Z < \frac{500-500}{50}\right)$$
$$= P(Z < 0)$$
$$= 0.5$$

(ii) 포도 한 송이 가격이 1100원일 확률은

$$P(500 \le X < 550) = P\left(\frac{500-500}{50} \le Z < \frac{550-500}{50}\right)$$
$$= P(0 \le Z < 1)$$
$$= 0.34$$

(iii) 포도 한 송이 가격이 1200원일 확률은

$$P(X \ge 550) = P\left(Z \ge \frac{550-500}{50}\right)$$
$$= P(Z \ge 1)$$
$$= 0.5 - P(0 \le Z \le 1)$$
$$= 0.5 - 0.34$$
$$= 0.16$$

(i), (ii), (iii)에서 포도 한 송이의 가격의 기댓값은

$1000 \cdot 0.5 + 1100 \cdot 0.34 + 1200 \cdot 0.16 = 1066$(원)

정답_ 1066원

426

신입 사원의 키를 확률변수 X라고 하면 X는 정규분포 $N(m, \ 10^2)$을 따르므로 $Z = \dfrac{X-m}{10}$으로 놓으면 Z는 표준정규분포 $N(0, \ 1)$을 따른다.

이때, 키가 177 cm 이상인 사원이 242명이므로

$$P(X \ge 177) = P\left(Z \ge \frac{177-m}{10}\right)$$
$$= 0.5 - P\left(0 \le Z \le \frac{177-m}{10}\right)$$
$$= \frac{242}{1000} = 0.242$$

$$\therefore P\left(0 \le Z \le \frac{177-m}{10}\right) = 0.5 - 0.242 = 0.258$$

$P(0 \leq Z \leq 0.7) = 0.258$이므로

$\dfrac{177-m}{10} = 0.7$ $\therefore m = 170$

즉, X는 정규분포 $N(170,\ 10^2)$을 따르므로 임의로 택한 사원의 키가 180 cm 이상일 확률은

$$P(X \geq 180) = P\left(Z \geq \dfrac{180-170}{10}\right)$$
$$= P(Z \geq 1)$$
$$= 0.5 - P(0 \leq Z \leq 1)$$
$$= 0.5 - 0.3413$$
$$= 0.1587$$

정답_ ①

427

제품 한 개의 무게를 확률변수 X라고 하면 X는 정규분포

$N(30,\ 5^2)$을 따르므로 $Z = \dfrac{X-30}{5}$으로 놓으면 Z는 표준정

규분포 $N(0,\ 1)$을 따른다.

따라서 임의로 택한 제품이 불량품일 확률은

$$P(X \geq 40) = P\left(Z \geq \dfrac{40-30}{5}\right)$$
$$= P(Z \geq 2)$$
$$= 0.5 - P(0 \leq Z \leq 2)$$
$$= 0.5 - 0.48$$
$$= 0.02$$

임의로 택한 2500개의 제품 중에서 불량품의 개수를 확률변수 Y

라고 하면 Y는 이항분포 $B(2500,\ 0.02)$를 따르므로

$E(Y) = 2500 \cdot 0.02 = 50$

$V(Y) = 2500 \cdot 0.02 \cdot 0.98 = 49 = 7^2$

이때,

$np = 2500 \cdot 0.02 = 50 \geq 5,\ nq = 2500 \cdot 0.98 = 2450 \geq 5$

이므로 Y는 근사적으로 정규분포 $N(50,\ 7^2)$을 따른다.

한편, $Z = \dfrac{Y-50}{7}$으로 놓으면 Z는 표준정규분포 $N(0,\ 1)$을

따르므로 구하는 확률은

$$P(Y \geq 57) = P\left(Z \geq \dfrac{57-50}{7}\right)$$
$$= P(Z \geq 1)$$
$$= 0.5 - P(0 \leq Z \leq 1)$$
$$= 0.5 - 0.34$$
$$= 0.16$$

정답_ ③

428

100개의 동전 중 앞면이 나온 동전의 개수를 확률변수 X라고 하

면 X는 이항분포 $B\left(100,\ \dfrac{1}{2}\right)$을 따르므로

$E(X) = 100 \cdot \dfrac{1}{2} = 50$

$V(X) = 100 \cdot \dfrac{1}{2} \cdot \dfrac{1}{2} = 25$

이때,

$np = 100 \cdot \dfrac{1}{2} = 50 \geq 5,\ nq = 100 \cdot \dfrac{1}{2} = 50 \geq 5$

이므로 X는 근사적으로 정규분포 $N(50,\ 5^2)$을 따른다.

한편, $Z = \dfrac{X-50}{5}$으로 놓으면 Z는 표준정규분포 $N(0,\ 1)$을

따르므로

$$P(X \geq 55) = P\left(Z \geq \dfrac{55-50}{5}\right)$$
$$= P(Z \geq 1)$$
$$= 0.5 - P(0 \leq Z \leq 1)$$
$$= 0.5 - 0.34 = 0.16$$

즉, 100원짜리 동전 100개를 모두 가질 확률은 0.16이고, 2000

원을 낼 확률은 $1 - 0.16 = 0.84$이므로 구하는 기댓값은

$10000 \cdot 0.16 - 2000 \cdot 0.84 = 1600 - 1680$

$$= -80(원)$$

정답_ ①

429

ㄱ, ㄷ은 표본조사가 적합하고, ㄴ은 전수조사가 적합하다.

정답_③

430

(1) 복원추출하는 경우는 4개의 공 중에서 중복을 허락하여 2개를 뽑아 일렬로 나열하는 경우와 같으므로

$(1, 1), (1, 2), (1, 3), (1, 4),$
$(2, 1), (2, 2), (2, 3), (2, 4),$
$(3, 1), (3, 2), (3, 3), (3, 4),$
$(4, 1), (4, 2), (4, 3), (4, 4)$

따라서 그 가짓수는 $4^2 = 16$

(2) 1개씩 2번 비복원추출하는 경우는 4개의 공 중에서 서로 다른 2개를 뽑아 일렬로 나열하는 경우와 같으므로

$(1, 2), (1, 3), (1, 4), (2, 1), (2, 3), (2, 4),$
$(3, 1), (3, 2), (3, 4), (4, 1), (4, 2), (4, 3)$

따라서 그 가짓수는 $_4\mathrm{P}_2 = 4 \cdot 3 = 12$

(3) 동시에 2개를 꺼내는 경우는 4개의 공 중에서 서로 다른 2개를 뽑는 경우와 같으므로

$(1, 2), (1, 3), (1, 4), (2, 3), (2, 4), (3, 4)$

따라서 그 가짓수는 $_4\mathrm{C}_2 = \dfrac{4 \cdot 3}{2 \cdot 1} = 6$

정답_풀이 참조

431

$m = \dfrac{1+2+3+\cdots+10}{10} = \dfrac{55}{10} = \dfrac{11}{2}$

$\overline{X} = \dfrac{2+4+6}{3} = \dfrac{12}{3} = 4$

정답_$m = \dfrac{11}{2}$, $\overline{X} = 4$

432

모집단 $\{1, 2, 3, 4, 5\}$에서 크기가 2인 표본을 복원추출하는 모든 경우의 수는 $5^2 = 25$

이때, $\overline{X} = 2$인 경우는 $(1, 3), (2, 2), (3, 1)$의 3가지이므로

$\mathrm{P}(\overline{X} = 2) = \dfrac{3}{25}$

정답_$\dfrac{3}{25}$

433

모집단 $\{1, 5, 9\}$에서 크기가 2인 표본을 복원추출하는 모든 경우의 수는 $3^2 = 9$

(i) $\overline{X} = 3$인 경우는
$(1, 5), (5, 1)$의 2가지이므로
$a = \mathrm{P}(\overline{X} = 3) = \dfrac{2}{9}$

(ii) $\overline{X} = 7$인 경우는
$(5, 9), (9, 5)$의 2가지이므로

$b = \mathrm{P}(\overline{X} = 7) = \dfrac{2}{9}$

(iii) $\overline{X} = 9$인 경우는
$(9, 9)$의 1가지이므로
$c = \mathrm{P}(\overline{X} = 9) = \dfrac{1}{9}$

정답_$a = \dfrac{2}{9}$, $b = \dfrac{2}{9}$, $c = \dfrac{1}{9}$

434

모평균이 $m = 30$, 모분산이 $\sigma^2 = 5^2 = 25$, 표본의 크기가 $n = 4$이므로

(1) $\mathrm{E}(\overline{X}) = m = 30$

(2) $\mathrm{V}(\overline{X}) = \dfrac{\sigma^2}{n} = \dfrac{25}{4}$

(3) $\sigma(\overline{X}) = \sqrt{\mathrm{V}(\overline{X})} = \sqrt{\dfrac{25}{4}} = \dfrac{5}{2}$

정답_(1) 30 (2) $\dfrac{25}{4}$ (3) $\dfrac{5}{2}$

435

모평균이 10이므로 $\mathrm{E}(\overline{X}) = 10$

모표준편차가 σ, 표본의 크기가 36, 표본평균 $\overline{X}$의 표준편차가 $\dfrac{5}{3}$이므로

$\sigma(\overline{X}) = \dfrac{\sigma}{\sqrt{36}} = \dfrac{5}{3}$ $\therefore \sigma = 10$

$\therefore \sigma \mathrm{E}(\overline{X}) = 10 \cdot 10 = 100$

정답_③

436

모표준편차가 14, 표본의 크기가 n이므로 표본평균 $\overline{X}$에 대하여

$\sigma(\overline{X}) = \dfrac{14}{\sqrt{n}} = 2$이므로 $\sqrt{n} = 7$

$\therefore n = 49$

정답_⑤

437

모평균이 10, 모분산이 8, 표본의 크기가 4이므로 표본평균 $\overline{X}$에 대하여

$\mathrm{E}(\overline{X}) = 10, \mathrm{V}(\overline{X}) = \dfrac{8}{4} = 2$

이때, 크기가 4인 표본을 X_1, X_2, X_3, X_4라고 하면

$\overline{X} = \dfrac{X_1 + X_2 + X_3 + X_4}{4}, Y = X_1 + X_2 + X_3 + X_4$

이므로 $Y = 4\overline{X}$

$\begin{aligned} \therefore \mathrm{E}(Y) + \mathrm{V}(Y) &= \mathrm{E}(4\overline{X}) + \mathrm{V}(4\overline{X}) \\ &= 4\mathrm{E}(\overline{X}) + 4^2\mathrm{V}(\overline{X}) \\ &= 4 \cdot 10 + 4^2 \cdot 2 \\ &= 40 + 32 = 72 \end{aligned}$

정답_④

438

모평균을 m, 모분산을 σ^2이라고 하면

$m = 0 \cdot \dfrac{1}{2} + 1 \cdot \dfrac{3}{10} + 2 \cdot \dfrac{1}{5} = \dfrac{7}{10}$

$$\sigma^2 = 0^2 \cdot \frac{1}{2} + 1^2 \cdot \frac{3}{10} + 2^2 \cdot \frac{1}{5} - \left(\frac{7}{10}\right)^2 = \frac{61}{100}$$

(1) $E(\overline{X}) = m = \frac{7}{10}$

(2) $V(\overline{X}) = \frac{\sigma^2}{n} = \frac{\frac{61}{100}}{4} = \frac{61}{400}$

(3) $\sigma(\overline{X}) = \sqrt{V(\overline{X})} = \sqrt{\frac{61}{400}} = \frac{\sqrt{61}}{20}$

정답_(1) $\frac{7}{10}$　(2) $\frac{61}{400}$　(3) $\frac{\sqrt{61}}{20}$

439

$E(\overline{X}) = \frac{8+9+11+12+15}{5} = 11$ 이므로　$m = 11$

$$V(\overline{X}) = \frac{8^2+9^2+11^2+12^2+15^2}{5} - 11^2$$
$$= \frac{635}{5} - 11^2 = 127 - 121 = 6$$

표본의 크기가 24이므로

$V(\overline{X}) = \frac{\sigma^2}{24} = 6, \sigma^2 = 144$　$\therefore \sigma = 12 \; (\because \sigma > 0)$

$\therefore m + \sigma = 11 + 12 = 23$

정답_ ③

440

확률의 총합은 1이므로

$\frac{1}{4} + \frac{1}{8} + a + \frac{1}{8} = 1$　$\therefore a = \frac{1}{2}$

주어진 표에서

$E(X) = 1 \cdot \frac{1}{4} + 2 \cdot \frac{1}{8} + 3 \cdot \frac{1}{2} + 4 \cdot \frac{1}{8} = \frac{5}{2}$

$V(X) = 1^2 \cdot \frac{1}{4} + 2^2 \cdot \frac{1}{8} + 3^2 \cdot \frac{1}{2} + 4^2 \cdot \frac{1}{8} - \left(\frac{5}{2}\right)^2 = 1$

이때, 표본의 크기가 9이므로

$V(\overline{X}) = \frac{V(X)}{9} = \frac{1}{9}$

$\therefore \sigma(\overline{X}) = \sqrt{V(\overline{X})} = \sqrt{\frac{1}{9}} = \frac{1}{3}$

정답_ ④

441

주어진 표에서

$E(X) = 1 \cdot \frac{1}{4} + 2 \cdot \frac{1}{2} + 3 \cdot \frac{1}{4} = 2$

$V(X) = 1^2 \cdot \frac{1}{4} + 2^2 \cdot \frac{1}{2} + 3^2 \cdot \frac{1}{4} - 2^2 = \frac{1}{2}$

표본의 크기가 n이고 표본평균 $\overline{X}$의 분산이 $\frac{1}{10}$이므로

$V(\overline{X}) = \frac{V(X)}{n} = \frac{\frac{1}{2}}{n} = \frac{1}{10}$

$\therefore n = 5$

정답_ ④

442

주어진 표에서

$E(\overline{X}) = 1 \cdot 0.3 + 2 \cdot 0.2 + 4 \cdot 0.2 + 5 \cdot 0.3 = 3$

$V(\overline{X}) = 1^2 \cdot 0.3 + 2^2 \cdot 0.2 + 4^2 \cdot 0.2 + 5^2 \cdot 0.3 - 3^2$
$= 11.8 - 9 = 2.8$

이때, 표본의 크기가 25이므로 $V(\overline{X}) = \frac{V(X)}{25}$ 에서

$2.8 = \frac{V(X)}{25}$　$\therefore V(X) = 2.8 \cdot 25 = 70$

정답_ ③

443

모평균을 m, 모분산을 σ^2이라고 하면

$m = \frac{1+2+3+\cdots+9}{9} = 5$

$\sigma^2 = \frac{1^2+2^2+3^2+\cdots+9^2}{9} - 5^2 = \frac{95}{3} - 25 = \frac{20}{3}$

이때, 표본의 크기가 4이므로

$V(\overline{X}) = \frac{\sigma^2}{4} = \frac{\frac{20}{3}}{4} = \frac{5}{3}$

정답_ ②

444

모평균을 m, 모분산을 σ^2이라고 하면

$m = \frac{1+3+5+7+9}{5} = 5$

$\sigma^2 = \frac{1^2+3^2+5^2+7^2+9^2}{5} - 5^2$
$= 33 - 25 = 8$

이때, 표본의 크기가 2이므로

$V(\overline{X}) = \frac{\sigma^2}{2} = \frac{8}{2} = 4$

$\therefore \sigma(\overline{X}) = \sqrt{V(\overline{X})} = \sqrt{4} = 2$

정답_ ④

445

모집단의 확률변수를 X라고 하면

$E(X) = \frac{n+(n+1)+(n+2)+\cdots+(n+6)}{7}$
$= n + 3$

$E(\overline{X}) = E(X) = 6$이므로

$n + 3 = 6$　$\therefore n = 3$

즉, 7개의 공에 각각 하나씩 적혀 있는 수는 $3, 4, 5, \cdots, 9$이므로

$V(X) = \frac{3^2+4^2+5^2+\cdots+9^2}{7} - 6^2$
$= 40 - 36 = 4$

$\therefore \sigma(X) = \sqrt{4} = 2$

이때, 표본의 크기가 2이므로

$\sigma(\overline{X}) = \frac{\sigma(X)}{\sqrt{2}} = \frac{2}{\sqrt{2}} = \sqrt{2}$

정답_ ②

446

모평균이 $m=20$, 모분산이 $\sigma^2=25$, 표본의 크기가 $n=25$이므로 ㄱ은 옳지 않다.

$$E(\overline{X})=m=20$$

ㄴ은 옳다.

$$V(\overline{X})=\frac{\sigma^2}{n}=\frac{25}{25}=1$$

ㄷ도 옳지 않다.

$\overline{X}$는 정규분포 $N(20,\ 1^2)$을 따른다.

따라서 옳은 것은 ㄴ이다. $\qquad$ 정답_ ②

447

모집단이 정규분포 $N(32,\ 6^2)$을 따르고 표본의 크기가 9이므로 표본평균 $\overline{X}$는 정규분포 $N\!\left(32,\ \dfrac{6^2}{9}\right)$, 즉 $N(32,\ 2^2)$을 따른다.

이때, $Z=\dfrac{\overline{X}-32}{2}$로 놓으면 확률변수 Z는 표준정규분포 $N(0,\ 1)$을 따르므로

(1) $P(\overline{X}\leq28)=P\!\left(Z\leq\dfrac{28-32}{2}\right)$
$\qquad\qquad\quad=P(Z\leq-2)$
$\qquad\qquad\quad=P(Z\geq2)$
$\qquad\qquad\quad=0.5-P(0\leq Z\leq2)$
$\qquad\qquad\quad=0.5-0.4772$
$\qquad\qquad\quad=0.0228$

(2) $P(29\leq\overline{X}\leq37)=P\!\left(\dfrac{29-32}{2}\leq Z\leq\dfrac{37-32}{2}\right)$
$\qquad\qquad\qquad\quad=P(-1.5\leq Z\leq2.5)$
$\qquad\qquad\qquad\quad=P(0\leq Z\leq1.5)+P(0\leq Z\leq2.5)$
$\qquad\qquad\qquad\quad=0.4332+0.4938$
$\qquad\qquad\qquad\quad=0.927$

(3) $P(\overline{X}\geq30)=P\!\left(Z\geq\dfrac{30-32}{2}\right)$
$\qquad\qquad\quad=P(Z\geq-1)$
$\qquad\qquad\quad=0.5+P(0\leq Z\leq1)$
$\qquad\qquad\quad=0.5+0.3413$
$\qquad\qquad\quad=0.8413$

정답_ (1) 0.0228 (2) 0.927 (3) 0.8413

448

모집단이 정규분포 $N(30,\ 5^2)$을 따르고 표본의 크기가 100이므로 표본평균 $\overline{X}$는 정규분포 $N\!\left(30,\ \dfrac{5^2}{100}\right)$, 즉 $N(30,\ 0.5^2)$을 따른다.

이때, $Z=\dfrac{\overline{X}-30}{0.5}$으로 놓으면 확률변수 Z는 표준정규분포 $N(0,\ 1)$을 따르므로 구하는 확률은

$P(29.5\leq\overline{X}\leq31)=P\!\left(\dfrac{29.5-30}{0.5}\leq Z\leq\dfrac{31-30}{0.5}\right)$
$\qquad\qquad\qquad\quad=P(-1\leq Z\leq2)$
$\qquad\qquad\qquad\quad=P(0\leq Z\leq1)+P(0\leq Z\leq2)$
$\qquad\qquad\qquad\quad=0.34+0.48=0.82 \qquad$ 정답_ ②

449

모집단이 정규분포 $N(15,\ 4^2)$을 따르고 표본의 크기가 16이므로 표본평균 $\overline{X}$는 정규분포 $N\!\left(15,\ \dfrac{4^2}{16}\right)$, 즉 $N(15,\ 1^2)$을 따른다.

이때, $Z=\dfrac{\overline{X}-15}{1}=\overline{X}-15$로 놓으면 확률변수 Z는 표준정규분포 $N(0,\ 1)$을 따르므로 구하는 확률은

$P(\overline{X}\geq17)=P(Z\geq17-15)$
$\qquad\qquad\quad=P(Z\geq2)$
$\qquad\qquad\quad=P(Z\geq0)-P(0\leq Z\leq2)$
$\qquad\qquad\quad=0.5-0.4772=0.0228 \qquad$ 정답_ ①

450

모집단이 정규분포 $N(9.27,\ 4^2)$을 따르고 표본의 크기가 64이므로 표본평균 $\overline{X}$는 정규분포 $N\!\left(9.27,\ \dfrac{4^2}{64}\right)$, 즉 $N(9.27,\ 0.5^2)$을 따른다.

이때, $Z=\dfrac{\overline{X}-9.27}{0.5}$로 놓으면 확률변수 Z는 표준정규분포 $N(0,\ 1)$을 따른다.

$P(\overline{X}\geq c)=0.985$에서

$P(\overline{X}\geq c)=P\!\left(Z\geq\dfrac{c-9.27}{0.5}\right)=0.985$이므로 $\dfrac{c-9.27}{0.5}<0$, 즉

$P\!\left(Z\geq\dfrac{c-9.27}{0.5}\right)=P\!\left(\dfrac{c-9.27}{0.5}\leq Z\leq0\right)+P(Z\geq0)$
$\qquad\qquad\qquad\quad=P\!\left(\dfrac{c-9.27}{0.5}\leq Z\leq0\right)+0.5$
$\qquad\qquad\qquad\quad=0.985$

$\therefore P\!\left(\dfrac{c-9.27}{0.5}\leq Z\leq0\right)=0.485$

$P(-2.17\leq Z\leq0)=0.485$이므로

$\dfrac{c-9.27}{0.5}=-2.17$, $c-9.27=-1.085$ $\quad\therefore c=8.185$

정답_ ③

451

모집단이 정규분포 $N(120,\ 10^2)$을 따르고 표본의 크기가 25이므로 표본평균 $\overline{X}$는 정규분포 $N\!\left(120,\ \dfrac{10^2}{25}\right)$, 즉 $N(120,\ 2^2)$을 따른다.

이때, $Z=\dfrac{\overline{X}-120}{2}$으로 놓으면 확률변수 Z는 표준정규분포 $N(0,\ 1)$을 따른다.

$P(|\overline{X}-120|\le a)=0.99$에서

$P(|\overline{X}-120|\le a)$

$=P(-a\le\overline{X}-120\le a)$

$=P(-a+120\le\overline{X}\le a+120)$

$=P\left(\dfrac{-a+120-120}{2}\le Z\le\dfrac{a+120-120}{2}\right)$

$=P\left(\dfrac{-a}{2}\le Z\le\dfrac{a}{2}\right)$

$=2P\left(0\le Z\le\dfrac{a}{2}\right)=0.99$

$\therefore P\left(0\le Z\le\dfrac{a}{2}\right)=0.495$

$P(0\le Z\le2.58)=0.495$이므로

$\dfrac{a}{2}=2.58$

$\therefore a=5.16$ 정답_ ②

452

모집단이 정규분포 $N(m,\ 12^2)$을 따르고 표본의 크기가 36이므로 표본평균 $\overline{X}$는 정규분포 $N\left(m,\ \dfrac{12^2}{36}\right)$, 즉 $N(m,\ 2^2)$을 따른다.

이때, $Z=\dfrac{\overline{X}-m}{2}$으로 놓으면 확률변수 Z는 표준정규분포 $N(0,\ 1)$을 따른다.

$P(\overline{X}\ge4)=0.975$에서

$P(\overline{X}\ge4)=P\left(Z\ge\dfrac{4-m}{2}\right)=0.975$이므로 $\dfrac{4-m}{2}<0$, 즉

$P\left(Z\ge\dfrac{4-m}{2}\right)=P\left(\dfrac{4-m}{2}\le Z\le0\right)+P(Z\ge0)$

$\qquad\qquad\quad=P\left(\dfrac{4-m}{2}\le Z\le0\right)+0.5$

$\qquad\qquad\quad=0.975$

$\therefore P\left(\dfrac{4-m}{2}\le Z\le0\right)=0.475$

$P(-1.96\le Z\le0)=0.475$이므로

$\dfrac{4-m}{2}=-1.96,$

$4-m=-3.92$

$\therefore m=7.92$ 정답_ ⑤

453

모집단이 정규분포 $N(120,\ \sigma^2)$을 따르고 표본의 크기가 4이므로 표본평균 $\overline{X}$는 정규분포 $N\left(120,\ \dfrac{\sigma^2}{4}\right)$, 즉 $N\left(120,\ \left(\dfrac{\sigma}{2}\right)^2\right)$을 따른다.

이때, $Z=\dfrac{\overline{X}-m}{\dfrac{\sigma}{2}}$으로 놓으면 확률변수 Z는 표준정규분포 $N(0,\ 1)$을 따른다.

$P(\overline{X}\ge130)=P\left(Z\ge\dfrac{130-120}{\dfrac{\sigma}{2}}\right)$

$\qquad\qquad\quad=P\left(Z\ge\dfrac{20}{\sigma}\right)$

$\qquad\qquad\quad=0.0228$

이므로 $\dfrac{20}{\sigma}>0$, 즉

$P\left(Z\ge\dfrac{20}{\sigma}\right)=P(Z\ge0)-P\left(0\le Z\le\dfrac{20}{\sigma}\right)$

$\qquad\qquad\quad=0.5-P\left(0\le Z\le\dfrac{20}{\sigma}\right)$

$\qquad\qquad\quad=0.0228$

$\therefore P\left(0\le Z\le\dfrac{20}{\sigma}\right)=0.5-0.0228=0.4772$

$P(0\le Z\le2)=0.4772$이므로

$\dfrac{20}{\sigma}=2\quad\therefore\sigma=10$ 정답_ 10

454

모집단이 정규분포 $N(1400,\ 100^2)$을 따르고 표본의 크기가 n이므로 표본평균 $\overline{X}$는 정규분포 $N\left(1400,\ \dfrac{100^2}{n}\right)$을 따른다.

이때, $Z=\dfrac{\overline{X}-1400}{\dfrac{100}{\sqrt{n}}}$으로 놓으면 확률변수 Z는 표준정규분포 $N(0,\ 1)$을 따른다.

$P\left(\overline{X}\ge1350+\dfrac{164}{\sqrt{n}}\right)\ge0.9$에서

$P\left(\overline{X}\ge1350+\dfrac{164}{\sqrt{n}}\right)=P\left(Z\ge\dfrac{1350+\dfrac{164}{\sqrt{n}}-1400}{\dfrac{100}{\sqrt{n}}}\right)$

$\qquad\qquad\qquad\qquad=P\left(Z\ge-\dfrac{\sqrt{n}}{2}+1.64\right)\ge0.9$

이므로 $-\dfrac{\sqrt{n}}{2}+1.64<0$, 즉

$P\left(Z\ge-\dfrac{\sqrt{n}}{2}+1.64\right)$

$=P\left(-\dfrac{\sqrt{n}}{2}+1.64\le Z\le0\right)+P(Z\ge0)$

$=P\left(-\dfrac{\sqrt{n}}{2}+1.64\le Z\le0\right)+0.5\ge0.9$

$\therefore P\left(-\dfrac{\sqrt{n}}{2}+1.64\le Z\le0\right)\ge0.4$

$P(-1.28\le Z\le0)=0.4$이므로

$-\dfrac{\sqrt{n}}{2}+1.64\le-1.28,\ \dfrac{\sqrt{n}}{2}-1.64\ge1.28$

$\sqrt{n}\ge5.84\quad\therefore n\ge34.1056$

따라서 구하는 자연수 n의 최솟값은 35이다. 정답_ 35

455

$\bar{x}=60, \sigma=3, n=36$이므로

(1) $60-1.96 \cdot \dfrac{3}{\sqrt{36}} \leq m \leq 60+1.96 \cdot \dfrac{3}{\sqrt{36}}$

   $\therefore 59.02 \leq m \leq 60.98$

(2) $2 \cdot 1.96 \cdot \dfrac{3}{\sqrt{36}}=1.96$

정답_ (1) $59.02 \leq m \leq 60.98$ (2) 1.96

456

$\bar{x}=60, \sigma=20, n=100$이므로

(1) $60-2.58 \cdot \dfrac{20}{\sqrt{100}} \leq m \leq 60+2.58 \cdot \dfrac{20}{\sqrt{100}}$

   $\therefore 54.84 \leq m \leq 65.16$

(2) $2 \cdot 2.58 \cdot \dfrac{20}{\sqrt{100}}=10.32$

정답_ (1) $54.84 \leq m \leq 65.16$ (2) 10.32

457

$P(0 \leq Z \leq 1.96)=0.475$이므로

$P(|Z| \leq 1.96)=0.95$

표본평균이 168, 모표준편차가 5, 표본의 크기가 400이므로 모평균 m을 신뢰도 95 %로 추정하면

$168-1.96 \cdot \dfrac{5}{\sqrt{400}} \leq m \leq 168+1.96 \cdot \dfrac{5}{\sqrt{400}}$

$\therefore 167.51 \leq m \leq 168.49$ 　　　　　　 정답_ ⑤

458

$P(0 \leq Z \leq 2.58)=0.495$이므로

$P(|Z| \leq 2.58)=0.99$

표본평균이 42, 모표준편차가 5, 표본의 크기가 100이므로 모평균 m을 신뢰도 99 %로 추정하면

$42-2.58 \cdot \dfrac{5}{\sqrt{100}} \leq m \leq 42+2.58 \cdot \dfrac{5}{\sqrt{100}}$

$\therefore 40.71 \leq m \leq 43.29$ 　　　　　　 정답_ ②

459

표본평균은 $\dfrac{1}{9}(10+11+11+8+9+9+11+10+11)=10$

모표준편차가 3, 표본의 크기가 9이므로 모평균 m을 신뢰도 95 %로 추정하면

$10-1.96 \cdot \dfrac{3}{\sqrt{9}} \leq m \leq 10+1.96 \cdot \dfrac{3}{\sqrt{9}}$

$\therefore 8.04 \leq m \leq 11.96$ 　　　　　　 정답_ ①

460

$P(0 \leq Z \leq 1.96)=0.475$이므로

$P(|Z| \leq 1.96)=0.95$

표본평균이 245 mm, 표본표준편차가 20 mm, 표본의 크기가 100이므로 모평균 m을 신뢰도 95 %로 추정하면

$245-1.96 \cdot \dfrac{20}{\sqrt{100}} \leq m \leq 245+1.96 \cdot \dfrac{20}{\sqrt{100}}$

$\therefore 241.08 \leq m \leq 248.92$

위의 범위 안에 속하는 정수는 242, 243, 244, 245, 246, 247, 248로 7개이다. 　　　　　　 정답_ 7

> **참고**
>
> 일반적으로 모평균에 대한 신뢰구간을 구할 때 모표준편차 σ를 모르는 경우가 많은 데 표본의 크기 n이 충분히 클 때($n \geq 30$) 표본표준편차 S의 값 s는 모표준편차 σ와 큰 차이가 없다. 따라서 σ 대신 s를 대입하여 신뢰구간을 구할 수 있다.

461

모표준편차가 100이므로

(i) 크기가 100인 표본을 임의추출하여 신뢰도 95 %로 모평균을 추정한 신뢰구간의 길이는

$2 \cdot 2 \cdot \dfrac{100}{\sqrt{100}}=40$

(ii) 크기가 n인 표본을 임의추출하여 신뢰도 99 %로 모평균을 추정한 신뢰구간의 길이는

$2 \cdot 3 \cdot \dfrac{100}{\sqrt{n}}=\dfrac{600}{\sqrt{n}}$

(i), (ii)에서 두 신뢰구간의 길이가 같아야 하므로

$40=\dfrac{600}{\sqrt{n}}, \sqrt{n}=15$

$\therefore n=225$ 　　　　　　 정답_ ②

462

모표준편차가 5 kg이고, 신뢰도가 95 %인 모평균의 신뢰구간의 길이가 1 kg 이하이어야 하므로 표본의 크기를 n이라고 하면

$2 \cdot 1.96 \cdot \dfrac{5}{\sqrt{n}} \leq 1, \sqrt{n} \geq 19.6$ 　　 $\therefore n \geq 384.16$

따라서 조사하여야 할 표본의 크기의 최솟값은 385이다.

정답_ ④

463

모표준편차가 5 g이고, 신뢰도가 99 %인 모평균의 신뢰구간의 길이가 3 g 이상이어야 하므로 표본의 크기를 n이라고 하면

$2 \cdot 2.58 \cdot \dfrac{5}{\sqrt{n}} \geq 3, \sqrt{n} \leq 8.6$ 　　 $\therefore n \leq 73.96$

따라서 n의 최댓값은 73이다. 　　　　　　 정답_ 73

464

연간 주행거리를 확률변수 X, 모표준편차를 σ라고 하자. 표본의 크기가 16이므로 모평균 m을 신뢰도 95 %로 추정하면

$$\overline{x}-1.96 \cdot \frac{\sigma}{\sqrt{16}} \leq m \leq \overline{x}+1.96 \cdot \frac{\sigma}{\sqrt{16}}$$

$$\therefore c=1.96 \cdot \frac{\sigma}{\sqrt{16}}=0.49\sigma$$

이때, $Z=\dfrac{\overline{X}-m}{\sigma}$으로 놓으면 확률변수 Z는 표준정규분포 $N(0, 1)$을 따르므로 구하는 확률은

$$
\begin{aligned}
P(\overline{X} \leq m+c) &= P(\overline{X}-m \leq c)\\
&=P\left(\frac{\overline{X}-m}{\sigma} \leq \frac{c}{\sigma}\right)\\
&=P\left(Z \leq \frac{0.49\sigma}{\sigma}\right)\\
&=P(Z \leq 0.49)\\
&=P(Z \leq 0)+P(0 \leq Z \leq 0.49)\\
&=0.5+0.1879=0.6879
\end{aligned}
$$

정답_ ③

465

ㄱ은 옳지 않다.

$$V(\overline{X_A})=\frac{9}{4}, V(\overline{X_B})=\frac{9}{9}=1$$이므로

$$V(\overline{X_A}) > V(\overline{X_B})$$

ㄴ은 옳다.

모집단이 정규분포 $N(m, 3^2)$을 따르므로 두 표본평균 $\overline{X_A}$, $\overline{X_B}$는 각각 정규분포 $N\left(m, \left(\frac{3}{2}\right)^2\right)$, $N(m, 1^2)$을 따른다.

이때, $Z=\dfrac{\overline{X_A}-m}{\frac{3}{2}}$으로 놓으면 확률변수 Z는 표준정규분포 $N(0, 1)$을 따르므로

$$
\begin{aligned}
P(\overline{X_A} \leq m+3) &= P\left(Z \leq \frac{m+3-m}{\frac{3}{2}}\right)\\
&=P(Z \leq 2)
\end{aligned}
$$

또한, $Z \leq \dfrac{\overline{X_B}-m}{1}=\overline{X_B}-m$으로 놓으면 확률변수 Z는 표준정규분포 $N(0, 1)$을 따르므로

$$
\begin{aligned}
P(\overline{X_B} \leq m+3) &= P(Z \leq m+3-m)\\
&=P(Z \leq 3)
\end{aligned}
$$

$$\therefore P(\overline{X_A} \leq m+3) < P(\overline{X_B} \leq m+3)$$

ㄷ도 옳다.

$P(|Z| \leq k)=0.99 \ (k>0)$라고 하면

$$b-a=2 \cdot k \cdot \frac{3}{\sqrt{4}}=3k$$

$$d-c=2 \cdot k \cdot \frac{3}{\sqrt{9}}=2k$$

$$\therefore d-c < b-a$$

따라서 옳은 것은 ㄴ, ㄷ이다.

정답_ ④

466

신뢰구간을 추정할 때에는 신뢰도가 $\boxed{높을}$수록, 신뢰구간의 길이는 $\boxed{짧을}$수록 더 의미가 있다. 그러나 표본의 크기가 고정되어 있을 때 신뢰도를 높이면 신뢰구간의 길이가 길어지고, 신뢰구간의 길이를 짧게 하면 신뢰도가 낮아진다.

따라서 신뢰도를 고정시키고 신뢰구간의 길이를 $\boxed{짧게}$하려면 표본의 크기를 크게 하여야 한다.

정답_ ③

467

모표준편차가 3이므로 신뢰도가 $P(|Z| \leq k)$ (k는 상수)이고, 표본의 크기가 n이면 신뢰구간의 길이 l은

$$l=2k\frac{3}{\sqrt{n}}$$

이때, l은 k에 정비례하고 $\sqrt{n}$에 반비례하므로 신뢰도를 낮추면서 표본의 크기를 크게 하면 신뢰구간의 길이는 짧아진다.

따라서 옳은 것은 ①이다.

정답_ ①

468

모표준편차가 1이므로 신뢰도가 $P(|Z| \leq k)$ (k는 상수)이고, 표본의 크기가 n이면 신뢰구간의 길이는 $2k\dfrac{1}{\sqrt{n}}$

이때, 신뢰구간의 길이를 2로 하려면 표본의 크기가 5이어야 하므로

$$2k \cdot \frac{1}{\sqrt{5}}=2 \qquad \therefore k=\sqrt{5}$$

따라서 신뢰구간의 길이가 1이 되려면

$$2 \cdot \sqrt{5} \cdot \frac{1}{\sqrt{n}}=1, \sqrt{n}=2\sqrt{5} \qquad \therefore n=20$$

정답_ ①

469

모표준편차가 σ, 신뢰도가 $P(|Z| \leq k)$ (k는 상수), 표본의 크기가 n이면 신뢰구간의 길이 l은 $l=2k\dfrac{\sigma}{\sqrt{n}}$이므로 신뢰구간의 길이는 $\dfrac{\sigma}{\sqrt{n}}$의 값에 정비례한다.

① $\dfrac{\sigma}{\sqrt{n}}=\dfrac{4}{\sqrt{36}}=\dfrac{2}{3}$

② $\dfrac{\sigma}{\sqrt{n}}=\dfrac{9}{\sqrt{36}}=\dfrac{3}{2}$

③ $\dfrac{\sigma}{\sqrt{n}}=\dfrac{9}{\sqrt{81}}=1$

④ $\dfrac{\sigma}{\sqrt{n}}=\dfrac{12}{\sqrt{81}}=\dfrac{4}{3}$

⑤ $\dfrac{\sigma}{\sqrt{n}}=\dfrac{12}{\sqrt{100}}=\dfrac{6}{5}$

따라서 신뢰구간의 길이가 가장 긴 것은 $\dfrac{\sigma}{\sqrt{n}}$의 값이 가장 큰 ②이다.

정답_ ②

470

모평균이 30, 모분산이 16, 표본의 크기가 4이므로

$\mathrm{E}(\overline{X})=30, \mathrm{V}(\overline{X})=\dfrac{16}{4}=4$ ━━━━━━━━━━━━━ **❶**

$\mathrm{V}(\overline{X})=\mathrm{E}(\overline{X}^2)-\{\mathrm{E}(\overline{X})\}^2$이므로

$4=\mathrm{E}(\overline{X}^2)-30^2 \quad \therefore \mathrm{E}(\overline{X}^2)=904$ ━━━━━ **❷**

정답_ 904

단계	채점 기준	비율
❶	$\mathrm{E}(\overline{X}), \mathrm{V}(\overline{X})$의 값 구하기	50%
❷	$\mathrm{E}(\overline{X}^2)$의 값 구하기	50%

471

(1) 표본평균 $\overline{X}$가 정규분포 $\mathrm{N}\left(m, \left(\dfrac{1}{2}\right)^2\right)$을 따르므로

$m=30$ ━━━━━━━━━━━━━━━━━━━━━━ **❶**

$\dfrac{5^2}{n}=\left(\dfrac{1}{2}\right)^2$이므로 $n=100$ ━━━━━━━━━━ **❷**

(2) $Z=\dfrac{\overline{X}-30}{\dfrac{1}{2}}$으로 놓으면 확률변수 Z는 표준정규분포

$\mathrm{N}(0, 1)$을 따르므로

$\mathrm{P}(29.5\leq\overline{X}\leq31)$

$=\mathrm{P}\left(\dfrac{29.5-30}{\dfrac{1}{2}}\leq Z\leq\dfrac{31-30}{\dfrac{1}{2}}\right)$

$=\mathrm{P}(-1\leq Z\leq2)$ ━━━━━━━━━━━━━━ **❸**

$=\mathrm{P}(0\leq Z\leq1)+\mathrm{P}(0\leq Z\leq2)$

$=0.34+0.48=0.82$ ━━━━━━━━━━━━━ **❹**

정답_ (1) $m=30, n=100$ (2) 0.82

단계	채점 기준	비율
❶	m의 값 구하기	20%
❷	n의 값 구하기	20%
❸	$\mathrm{P}(29.5\leq\overline{X}\leq31)$을 표준정규분포를 따르는 확률로 나타내기	30%
❹	$\mathrm{P}(29.5\leq\overline{X}\leq31)$ 구하기	30%

472

모집단이 정규분포 $\mathrm{N}(0, \sigma^2)$을 따르고 표본의 크기가 n이므로

표본평균 $\overline{X}$는 정규분포 $\mathrm{N}\left(0, \dfrac{\sigma^2}{n}\right)$을 따른다. ━━━━ **❶**

이때, $Z=\dfrac{\overline{X}-m}{\dfrac{\sigma}{\sqrt{n}}}$으로 놓으면 확률변수 Z는 표준정규분포

$\mathrm{N}(0, 1)$을 따르므로

$f(\sigma)=\mathrm{P}\left(\overline{X}\leq\dfrac{\sigma^2}{n}\right)=\mathrm{P}\left(Z\leq\dfrac{\dfrac{\sigma^2}{n}-0}{\dfrac{\sigma}{\sqrt{n}}}\right)$

$=\mathrm{P}\left(Z\leq\dfrac{\sigma}{\sqrt{n}}\right)$

$=0.5+\mathrm{P}\left(0\leq Z\leq\dfrac{\sigma}{\sqrt{n}}\right)$ ━━━━━━━ **❷**

$f(1)=0.5+\mathrm{P}\left(0\leq Z\leq\dfrac{1}{\sqrt{n}}\right)\leq0.67$에서

$\mathrm{P}\left(0\leq Z\leq\dfrac{1}{\sqrt{n}}\right)\leq0.17$

$\mathrm{P}(0\leq Z\leq0.44)=0.17$이므로

$\dfrac{1}{\sqrt{n}}\leq0.44, \sqrt{n}\geq\dfrac{25}{11} \quad \therefore n\geq\dfrac{625}{121}=5.16\times\times\times$

따라서 자연수 n의 최솟값은 6이다. ━━━━━━━ **❸**

정답_ 6

단계	채점 기준	비율
❶	표본평균 $\overline{X}$의 분포 구하기	20%
❷	$f(\sigma)$를 표준정규분포를 따르는 확률의 식으로 나타내기	30%
❸	n의 최솟값 구하기	50%

473

표본평균의 값을 $\bar{x}$, 표본의 크기를 n이라고 하면 주어진 조건에서 $\mathrm{P}(|Z|\leq2)=0.95$이므로 모평균 m을 신뢰도 95 %로 추정한 신뢰구간은

$\bar{x}-2\cdot\dfrac{\sigma}{\sqrt{n}}\leq m\leq\bar{x}+2\cdot\dfrac{\sigma}{\sqrt{n}}$

$\therefore |m-\bar{x}|\leq2\cdot\dfrac{\sigma}{\sqrt{n}}$ ━━━━━━━━━━━ **❶**

모평균과 표본평균의 차가 모표준편차의 $\dfrac{1}{5}$ 이하이어야 하므로

$2\cdot\dfrac{\sigma}{\sqrt{n}}\leq\dfrac{1}{5}\sigma, \sqrt{n}\geq10 \quad \therefore n\geq100$

따라서 필요한 표본의 크기의 최솟값은 100이다. ━━━ **❷**

정답_ 100

단계	채점 기준	비율
❶	모평균과 표본평균의 차에 대한 부등식 세우기	40%
❷	n의 최솟값 구하기	60%

474

모집단이 정규분포 $\mathrm{N}(1400, 10^2)$을 따르고 표본의 크기가 100이므로 표본평균 $\overline{X}$는 정규분포 $\mathrm{N}(1400, 1^2)$을 따른다. ━━━ **❶**

이때, $Z=\dfrac{\overline{X}-m}{1}=\overline{X}-m$으로 놓으면 확률변수 Z는 표준정규분포 $\mathrm{N}(0, 1)$을 따르므로

$\mathrm{P}(|\overline{X}-1400|\leq a)$

$=\mathrm{P}(1400-a\leq\overline{X}\leq1400+a)$

$=\mathrm{P}(1400-a-1400\leq Z\leq1400+a-1400)$

$=\mathrm{P}(-a\leq Z\leq a)$

$=2\mathrm{P}(0\leq Z\leq a)$ ━━━━━━━━━━━━━ **❷**

$\mathrm{P}(|\overline{X}-1400|\leq a)=0.8664$이므로

$\mathrm{P}(0\leq Z\leq a)=0.4332$

$\mathrm{P}(0\leq Z\leq1.5)=0.4332$이므로 $a=1.5$ ━━━ **❸**

정답_ 1.5

단계	채점 기준	비율
❶	표본평균 $\overline{X}$의 분포 구하기	20%
❷	$\mathrm{P}(|\overline{X}-1400|\leq a)$를 표준정규분포를 따르는 확률의 식으로 나타내기	40%
❸	a의 값 구하기	40%

475

표본평균은 $\dfrac{x_1+x_2+\cdots+x_{30}}{30}=\dfrac{150}{30}=5$

표본표준편차는

$\sqrt{\dfrac{x_1^2+x_2^2+\cdots+x_{30}^2}{30}-5^2}=\sqrt{\dfrac{1200}{30}-25}=\sqrt{15}$ ·············· ❶

표본평균이 5, 표본표준편차가 $\sqrt{15}$, 표본의 크기가 30이므로 모평균 m을 신뢰도 95 %로 추정한 신뢰구간은

$5-1.96\cdot\dfrac{\sqrt{15}}{\sqrt{30}}\leq m\leq 5+1.96\cdot\dfrac{\sqrt{15}}{\sqrt{30}}$

$5-1.96\cdot\dfrac{1}{\sqrt{2}}\leq m\leq 5+1.96\cdot\dfrac{1}{\sqrt{2}}$

$5-1.96\cdot\dfrac{1}{1.4}\leq m\leq 5+1.96\cdot\dfrac{1}{1.4}$

$\therefore 3.6\leq m\leq 6.4$ ·············· ❷

정답_ $3.6\leq m\leq 6.4$

단계	채점 기준	비율
❶	표본평균, 표본표준편차 구하기	40%
❷	신뢰구간 구하기	60%

476

모평균이 2, 모분산이 1, 표본의 크기가 n이므로 표본평균 $\overline{X}$에 대하여

$\mathrm{E}(\overline{X})=2,\ \mathrm{V}(\overline{X})=\dfrac{1}{n}$

$\mathrm{V}(\overline{X})=\mathrm{E}(\overline{X}^2)-\{\mathrm{E}(\overline{X})\}^2$에서

$\dfrac{1}{n}=\mathrm{E}(\overline{X}^2)-2^2$

$\therefore \mathrm{E}(\overline{X}^2)=\dfrac{1}{n}+4$

$f(n)=\mathrm{E}(\overline{X}^2-4\overline{X}+4)$

$\qquad =\mathrm{E}(\overline{X}^2)-4\mathrm{E}(\overline{X})+4$

$\qquad =\dfrac{1}{n}+4-4\cdot 2+4=\dfrac{1}{n}$

따라서 $y=f(n)$의 그래프의 개형으로 가장 적당한 것은 ④이다.

정답_ ④

다른 풀이

$f(n)=\mathrm{E}(\overline{X}^2-4\overline{X}+4)$

$\qquad =\mathrm{E}((\overline{X}-2)^2)$ ← (편차)²의 평균

$\qquad =\mathrm{V}(\overline{X})=\dfrac{1}{n}$

따라서 $y=f(n)$의 그래프의 개형으로 가장 적당한 것은 ④이다.

477

모집단이 정규분포 $\mathrm{N}(75,\ 5^2)$을 따르고 표본의 크기가 25이므로 표본평균 $\overline{X}$는 정규분포 $\mathrm{N}\!\left(75,\ \dfrac{5^2}{25}\right)$, 즉 $\mathrm{N}(75,\ 1^2)$을 따른다.

이때, $Z=\dfrac{\overline{X}-75}{1}=\overline{X}-75$로 놓으면 확률변수 Z는 표준정규분포 $\mathrm{N}(0,\ 1)$을 따른다.

$\mathrm{P}(|Z|>c)=1-\mathrm{P}(-c\leq Z\leq c)$

$\qquad\qquad =1-2\mathrm{P}(0\leq Z\leq c)$

$\qquad\qquad =0.06$

에서 $2\mathrm{P}(0\leq Z\leq c)=0.94$

$\therefore \mathrm{P}(0\leq Z\leq c)=0.47$ ······㉠

ㄱ은 옳다.

$\mathrm{P}(Z>a)=0.5-\mathrm{P}(0\leq Z\leq a)=0.05$에서

$\mathrm{P}(0\leq Z\leq a)=0.45$ ······㉡

㉠, ㉡에서 $c>a$

ㄴ도 옳다.

$\mathrm{P}(\overline{X}\leq c+75)=\mathrm{P}(Z\leq c)$

$\qquad\qquad\quad =0.5+\mathrm{P}(0\leq Z\leq c)$

$\qquad\qquad\quad =0.5+0.47$

$\qquad\qquad\quad =0.97$

ㄷ도 옳다.

$\mathrm{P}(\overline{X}>b)=\mathrm{P}(Z>b-75)$

$\qquad\qquad =0.5-\mathrm{P}(0\leq Z\leq b-75)$

$\qquad\qquad =0.01$

에서 $\mathrm{P}(0\leq Z\leq b-75)=0.49$ ······㉢

㉠, ㉢에서 $c<b-75$

따라서 옳은 것은 ㄱ, ㄴ, ㄷ이다.

정답_ ⑤

478

모집단이 정규분포 $\mathrm{N}(60,\ 6^2)$을 따르고 표본의 크기가 9이므로 표본평균 $\overline{X}$는 정규분포 $\mathrm{N}\!\left(60,\ \dfrac{6^2}{9}\right)$, 즉 $\mathrm{N}(60,\ 2^2)$을 따른다.

이때, $Z=\dfrac{\overline{X}-60}{2}$으로 놓으면 확률변수 Z는 표준정규분포 $\mathrm{N}(0,\ 1)$을 따른다.

임의추출한 9명이 탑승하였을 때, 경고음이 울리려면 9명의 몸무게의 합이 549 kg 이상이어야 하므로 $9\overline{X}\geq 549$, 즉 $\overline{X}\geq 61$이어야 한다.

따라서 구하는 확률은

$\mathrm{P}(\overline{X}\geq 61)=\mathrm{P}\!\left(Z\geq\dfrac{61-60}{2}\right)$

$\qquad\qquad =\mathrm{P}(Z\geq 0.5)$

$\qquad\qquad =0.5-\mathrm{P}(0\leq Z\leq 0.5)$

$\qquad\qquad =0.5-0.1915$

$\qquad\qquad =0.3085$

정답_ ③

479

정규분포 $N(30, 4^2)$을 따르는 모집단에서 크기가 4인 표본평균

$\overline{X}$는 정규분포 $N\left(30, \dfrac{4^2}{4}\right)$, 즉 $N(30, 2^2)$을 따른다.

이때, $Z = \dfrac{\overline{X} - m}{2}$으로 놓으면 확률변수 Z는 표준정규분포

$N(0, 1)$을 따르므로

$P(\overline{X} \leq 33) = P\left(Z \leq \dfrac{33-30}{2}\right)$

$\qquad\qquad = P(Z \leq 1.5)$

또, 정규분포 $N(75, \sigma^2)$을 따르는 모집단에서 크기가 9인 표본

평균 $\overline{Y}$는 정규분포 $N\left(75, \left(\dfrac{\sigma}{3}\right)^2\right)$을 따른다.

이때, $Z = \dfrac{\overline{X} - m}{\dfrac{\sigma}{3}}$으로 놓으면 확률변수 Z는 표준정규분포

$N(0, 1)$을 따르므로

$P(\overline{Y} \leq 69) = P\left(Z \leq \dfrac{69-75}{\dfrac{\sigma}{3}}\right) = P\left(Z \leq -\dfrac{18}{\sigma}\right)$

$P(\overline{X} \leq 33) + P(\overline{Y} \leq 69) = 1$에서

$P(Z \leq 1.5) + P\left(Z \leq -\dfrac{18}{\sigma}\right) = 1$

$P(Z \leq 1.5) + P(Z \leq -1.5) = 1$이므로

$(\because P(Z \leq -1.5) = P(Z \geq 1.5))$

$-\dfrac{18}{\sigma} = -1.5 \qquad \therefore \sigma = 12$

즉, 정규분포 $N(75, 12^2)$을 따르는 모집단에서 크기가 9인 표본

평균 $\overline{Y}$는 정규분포 $N(75, 4^2)$을 따른다.

$\therefore P(\overline{Y} \leq 83) = P\left(Z \leq \dfrac{83-75}{4}\right)$

$\qquad\qquad = P(Z \leq 2)$

$\qquad\qquad = P(Z \leq 0) + P(0 \leq Z \leq 2)$

$\qquad\qquad = 0.5 + 0.4772$

$\qquad\qquad = 0.9772$ 정답_ ⑤

480

모집단이 정규분포 $N(50, 4^2)$을 따르고 표본의 크기가 4이므로

표본평균 $\overline{X}$는 정규분포 $N\left(50, \dfrac{4^2}{4}\right)$, 즉 $N(50, 2^2)$을 따른다.

이때, $Z = \dfrac{\overline{X} - 50}{2}$으로 놓으면 확률변수 Z는 표준정규분포

$N(0, 1)$을 따른다.

달걀이 최상품으로 분류되기 위한 최소 무게를 a라고 하면

$P(\overline{X} \geq a) = P\left(Z \geq \dfrac{a-50}{2}\right)$

$\qquad\qquad = 0.5 - P\left(0 \leq Z \leq \dfrac{a-50}{2}\right)$

$\qquad\qquad = 0.1$

$\therefore P\left(0 \leq Z \leq \dfrac{a-50}{2}\right) = 0.4$

$P(0 \leq Z \leq 1.28) = 0.4$이므로

$\dfrac{a-50}{2} = 1.28 \qquad \therefore a = 52.56 \text{(g)}$

따라서 구하는 달걀의 평균 무게는 52.56 g 이상이다.   정답_ ②

481

모집단의 확률변수 X가 정규분포 $N(20, 3^2)$을 따르므로

$Z = \dfrac{X-20}{3}$으로 놓으면 확률변수 Z는 표준정규분포

$N(0, 1)$을 따른다.

$\therefore P(20 \leq X \leq 32) = P\left(\dfrac{20-20}{3} \leq Z \leq \dfrac{32-20}{3}\right)$

$\qquad\qquad\qquad = P(0 \leq Z \leq 4)$

표본의 크기가 n인 표본평균 $\overline{X_n}$는 정규분포 $N\left(20, \dfrac{3^2}{n}\right)$을 따

르므로 $Z = \dfrac{\overline{X_n} - 20}{\dfrac{3}{\sqrt{n}}}$으로 놓으면 확률변수 Z는 표준정규분포

$N(0, 1)$을 따른다.

$\therefore P(20 \leq \overline{X_n} \leq 23) = P\left(\dfrac{20-20}{\dfrac{3}{\sqrt{n}}} \leq Z \leq \dfrac{23-20}{\dfrac{3}{\sqrt{n}}}\right)$

$\qquad\qquad\qquad = P(0 \leq Z \leq \sqrt{n})$

$P(20 \leq \overline{X_n} \leq 23) = P(20 \leq X \leq 32)$에서

$P(0 \leq Z \leq \sqrt{n}) = P(0 \leq Z \leq 4)$

$\sqrt{n} = 4 \qquad \therefore n = 16$ 정답_ 16

482

모집단이 정규분포 $N(m, 4^2)$을 따르고 표본의 크기가 n이므로

표본평균 $\overline{X}$는 정규분포 $N\left(m, \left(\dfrac{4}{\sqrt{n}}\right)^2\right)$을 따른다.

이때, $Z = \dfrac{\overline{X} - m}{\dfrac{4}{\sqrt{n}}}$으로 놓으면 확률변수 Z는 표준정규분포

$N(0, 1)$을 따르므로

$f(m) = P\left(\overline{X} \leq 5.16 \cdot \dfrac{2}{\sqrt{n}}\right)$

$\qquad = P\left(Z \leq \dfrac{5.16 \cdot \dfrac{2}{\sqrt{n}} - m}{\dfrac{4}{\sqrt{n}}}\right)$

$\qquad = P\left(Z \leq 2.58 - \dfrac{m\sqrt{n}}{4}\right)$

$f(0) = P(Z \leq 2.58)$

$\qquad = P(Z \leq 0) + P(0 \leq Z \leq 2.58)$

$\qquad = 0.5 + 0.495$

$\qquad = 0.995$

$$f(1) = P\left(Z \leq 2.58 - \frac{\sqrt{n}}{4}\right)$$

$f(0) + f(1) \leq 1.332$에서

$$0.995 + P\left(Z \leq 2.58 - \frac{\sqrt{n}}{4}\right) \leq 1.332$$

$$\therefore P\left(Z \leq 2.58 - \frac{\sqrt{n}}{4}\right) \leq 0.337$$

$$P\left(Z \leq 2.58 - \frac{\sqrt{n}}{4}\right)$$

$$= P(Z \leq 0) - P\left(2.58 - \frac{\sqrt{n}}{4} \leq Z \leq 0\right)$$

$$= 0.5 - P\left(0 \leq Z \leq \frac{\sqrt{n}}{4} - 2.58\right)$$

$$\leq 0.337$$

$$\therefore P\left(0 \leq Z \leq \frac{\sqrt{n}}{4} - 2.58\right) \geq 0.163$$

$P(0 \leq Z \leq 0.42) = 0.163$이므로

$$\frac{\sqrt{n}}{4} - 2.58 \geq 0.42, \sqrt{n} \geq 12$$

$$\therefore n \geq 144$$

따라서 자연수 n의 최솟값은 144이다. 　　　　정답_③

483

$P(-k \leq Z \leq k) = \frac{\alpha}{100}$ (k는 양의 실수), 표본 A의 크기를 n_1,

표본 B의 크기를 n_2로 놓고 모평균을 추정하면

A: $240 - k\dfrac{12}{\sqrt{n_1}} \leq m \leq 240 + k\dfrac{12}{\sqrt{n_1}}$

B: $230 - k\dfrac{10}{\sqrt{n_2}} \leq m \leq 230 + k\dfrac{10}{\sqrt{n_2}}$

ㄱ은 옳다.

　표본 A보다 표본 B의 표준편차가 더 작으므로 표본 A보다 표본 B의 분포가 더 고르다.

ㄴ도 옳다.

　표본 A에서 $237 \leq m \leq 243$이므로

$$k\frac{12}{\sqrt{n_1}} = 3$$

　표본 B에서 $228 \leq m \leq 232$이므로

$$k\frac{10}{\sqrt{n_2}} = 2$$

즉, $k\dfrac{4}{\sqrt{n_1}} = 1$, $k\dfrac{5}{\sqrt{n_2}} = 1$이므로

$$n_1 = 16k^2, n_2 = 25k^2$$

$$\therefore n_1 < n_2$$

ㄷ도 옳다.

　신뢰도를 α보다 크게 하면 k의 값도 커지므로 신뢰구간의 길이

$2k\dfrac{12}{\sqrt{n_1}}$, $2k\dfrac{10}{\sqrt{n_2}}$도 길어진다.

따라서 옳은 것은 ㄱ, ㄴ, ㄷ이다. 　　　　정답_⑤

484

표본의 크기 n에 대한 신뢰도 95 %의 신뢰구간의 길이 l은

$$l = 2 \cdot 2 \cdot \frac{\sigma}{\sqrt{n}} = \frac{4\sigma}{\sqrt{n}} \quad \therefore \frac{\sigma}{\sqrt{n}} = \frac{l}{4}$$

ㄱ은 옳지 않다.

　표본의 크기 $9n$에 대한 신뢰도 95%의 신뢰구간의 길이는

$$2 \cdot 2 \cdot \frac{\sigma}{\sqrt{9n}} = \frac{4}{3} \cdot \frac{\sigma}{\sqrt{n}} = \frac{4}{3} \cdot \frac{l}{4} = \frac{1}{3}l$$

ㄴ은 옳다.

　표본의 크기 $4n$에 대한 신뢰도 99%의 신뢰구간의 길이는

$$2 \cdot 3 \cdot \frac{\sigma}{\sqrt{4n}} = 3 \cdot \frac{\sigma}{\sqrt{n}} = 3 \cdot \frac{l}{4} = \frac{3}{4}l$$

ㄷ도 옳다.

　신뢰도 95 %의 신뢰구간의 길이가 $\dfrac{1}{2}l$일 때, 표본의 크기를

N이라고 하면 신뢰구간의 길이는 $2 \cdot 2 \cdot \dfrac{\sigma}{\sqrt{N}} = \dfrac{4\sigma}{\sqrt{N}}$이므로

$$\frac{4\sigma}{\sqrt{N}} = \frac{1}{2}l, \frac{4\sigma}{\sqrt{N}} = \frac{1}{2} \cdot \frac{4\sigma}{\sqrt{n}}$$

$$\sqrt{N} = 2\sqrt{n} \quad \therefore N = 4n$$

따라서 옳은 것은 ㄴ, ㄷ이다. 　　　　정답_⑤

신발을 벗은 우주비행사

1961년 4월 12일, 우주비행사 유리 가가린은 세계 최초의 우주비행사로 역사에 기록되었다. 당시 가가린은 19명의 지원자들과 경합을 벌인 끝에 세계 최초로 우주를 비행할 수 있는 자격을 얻었다. 그렇다면 그가 선발될 수 있었던 요인은 무엇이었을까?

우주비행사가 최종 결정되기 1주일 전, 20명의 지원자가 우주선에 직접 타볼 수 있는 기회를 얻게 되었다. 모든 지원자들은 그냥 신발을 신은 채로 우주선에 올랐지만 가가린은 신발을 벗고 양말만 신은 채 우주선에 오른 것이었다.

설계사는 27세의 이 청년이 자신이 심혈을 기울여 만든 우주선을 아끼는 행동으로부터 큰 호감을 갖게 되었고 그에게 인류 최초로 우주를 비행하는 신성한 사명을 부여했다. 가가린의 작은 행동에서 그가 다른 사람이 애써 만든 성과물을 아끼고 보호할 줄 아는 자질을 지녔다는 것을 알아차렸기 때문이다.

이와 상반된 예도 있다. 베이징의 한 외국기업에서 직원을 채용할 때의 일이다. 임금이 높은 만큼 자격요건이 까다로웠지만 몇 차례의 관문을 거쳐 고학력의 젊은이들 몇 명이 최종 면접까지 남았다. 마지막 관문은 회장 면접이었다. 그런데 면접시험에서 회장은 지원자들에게 대뜸 이렇게 말했다.

"급한 일이 있으니 10분 후에 다시 오겠습니다."

회장이 자리를 비우자 호기심이 발동한 지원자들은 너나없이 회장의 책상 위에 놓여 있는 서류들을 뒤적여 보았다.

정확히 10분 후에 돌아온 회장은 뜻밖에도 이렇게 말했다.

"면접은 이미 끝났습니다. 아쉽게도 합격자가 아무도 없습니다."

당황한 지원자들이 "면접이 아직 시작되지도 않았잖습니까?"라고 말하자 회장이 대답했다.

"내가 자리를 뜬 동안 면접이 실시되었습니다. 우리 회사에서는 회장의 서류를 마음대로 들춰보는 사람을 직원으로 채용할 수 없습니다."

사람의 됨됨이는 작은 부분에서 그대로 나타난다. 가가린이 신발을 벗은 행동에서 타인의 성과물을 존중하는 그의 인격을, 함부로 남의 서류를 들춰본 젊은이들에게서는 기본적인 예의가 부족하다는 것을 엿볼 수 있는 것이다.

물보라가 바다를 떠나서는 결코 존재할 수 없는 것처럼 작은 부분으로 성공의 기회를 잡거나 잃는 것은 우연인 것 같지만 실은 필연적인 것이다.

엄선된 유형을 한 권에 가득!

풍산자

필수유형

지학사

풍산자
장학생 선발

지학사에서는 학생 여러분의 꿈을 응원하기 위해
2007년부터 매년 풍산자 장학생을 선발하고 있습니다.
풍산자로 공부한 학생이라면 누.구.나 도전해 보세요.

*연간 정원(봄 40명 기준)

**총 장학금
1,200만 원**

선발 대상

풍산자 수학 시리즈로 공부한 전국의 중·고등학생 중 성적 향상 및 우수자

조금만 노력하면 누구나 지원 가능!
성적 향상 장학생(10명)

중학 | 수학 점수가 10점 이상 향상된 학생
고등 | 수학 내신 성적이 한 등급 이상 향상된 학생

수학 성적이 잘 나왔다면?
성적 우수 장학생(10명)

중학 | 수학 점수가 90점 이상인 학생
고등 | 수학 내신 성적이 2등급 이상인 학생

혜택

 장학금 30만원 및 장학 증서
*장학금 및 장학 증서는 각 학교로 전달합니다.

 신청자 전원 '풍산자 시리즈'
교재 중 1권 제공

모집 일정

매년 2월, 8월(총 2회)
*공식 홈페이지 및 SNS를 통해 소식을 받으실 수 있습니다.

장학 수기)

"풍산자와 기적의 상승곡선 5 ➡ 1등급!" _이○원(해송고)
"수학 A로 가는 모험의 필수 아이템!" _김○은(지도중)
"수학 66점에서 100점으로 향상하다!" _구○경(한영중)

장학 수기
더 보러 가기

풍산자 서포터즈

풍산자 시리즈로
공부하고 싶은 학생들 모두 주목!
매년 2월과 8월에
서포터즈를 모집합니다.
리뷰 작성 및 SNS 홍보 활동을 통해
공부 실력 향상은 물론,
문화 상품권과 미션 선물을
받을 수 있어요!

자세한 내용은 풍산자 홈페이지(www.
pungsanja.com)를 통해 확인해 주세요.